ARTEMİS YAYINLARI

YAYIN NO: **2518**

KILICIN ŞARKISI
Bernard Cornwell
Orijinal Adı: Sword Song

Yayın Yönetmeni: Yusuf Tan
İngilizceden Çeviren: Mert Boz
Editör: Neslihan Su Aydın
Son Okuma: Zikriye Eliter
Kapak İllüstrasyonu: Sena Tulgar
Kapak Tasarımı: Dilan Kaya
Sayfa Tasarımı: Emel Dilek Parlak

1. Basım: Temmuz 2024
ISBN: 978-605-304-982-1
Sertifika No: 43949

ARTEMİS YAYINLARI
Ticarethane Sokak No: 15 Cağaloğlu / İstanbul
Tel: (212) 513 34 20-21 Faks: (212) 512 33 76
e-posta: editor@artemisyayinlari.com – www.artemisyayinlari.com

Baskı ve Cilt: Melisa Matbaacılık
Çiftehavuzlar Yolu Acar Sitesi No: 4 Bayrampaşa / İstanbul
Tel: (212) 674 97 23 Faks: (212) 674 97 29 Sertifika No: 45099

Artemis Yayınları, Alfa Yayın Grubu'nun tescilli markasıdır.

SON KRALLIK SERİSİ 4. KİTAP

BERNARD CORNWELL

KILICIN ŞARKISI

İngilizceden Çeviren: Mert Boz

ARTEMİS YAYINLARI

GİRİŞ

Karanlık. Kış. Aysız ve ayaz dolu bir gece.

Temes Nehri'nde salınıyorduk ve teknenin yüksek pruvasının ötesinde, suya yansıyan pırıl pırıl yıldızları görebiliyordum. Sayısız tepeden eriyip gelen karlarla beslendiği için nehir coşkuluydu. Winterbournes, Wessex'in kalkerli yaylalarından akıyordu. Yazın bu dereler kuru olurdu, ama şimdi uzun yeşil tepelerden köpürerek nehri dolduruyor ve uzaktaki denize dökülüyorlardı.

Adı olmayan "teknemiz Wessex kıyısına yakın bir yerde duruyordu. Nehrin kuzeyinde Mersiya uzanıyordu ve pruvamız nehrin yukarısına bakıyordu. Üç söğüt ağacının yapraksız, eğik dallarının altına gizlenmiştik ve bu dallardan birine bağlı deri bir bağlama halatıyla akıntıya karşı orada duruyorduk.

Temes'in üst kısımlarında çalışan bir ticaret gemisi olan bu isimsiz teknede otuz sekiz kişiydik. Gemi kaptanının adı Ralla'ydı ve bir eli dümen küreğinde, yanımda duruyordu. Karanlıkta onu güç bela görebiliyordum ama deri bir yelek giydiğini ve yanında bir kılıç taşıdığını biliyordum. Geri kalanımız deri ve zırh giymiştik, miğferlerimiz vardı ve kalkan, balta, kılıç ya da mızrak taşıyorduk. Bu gece öldürecektik.

Hizmetkârım Sihtric yanıma çömelip kısa kılıcının ağzında bir bileme taşı gezdirmeye başladı. "Beni sevdiğini söylüyor," dedi bana.

"Tabii ki öyle söylüyor," dedim.

Durakladı, tekrar konuştuğunda sesi sanki sözlerimden cesaret almış gibi canlanmıştı. "Ve şu anda on dokuz yaşında olmalıyım, lordum! Belki de yirmi?"

"On sekiz?" diye sordum.

"Dört yıl önce evlenmiş olabilirdim, lordum!"

Neredeyse fısıltıyla konuşuyorduk. Gece bir sürü sesle doluydu. Su dalgalanıyor, çıplak dallar rüzgârda tıkırdıyor, bir gece yaratığı nehre atlıyor, dişi bir tilki can çekişen bir ruh gibi uluyor ve bir yerlerde bir baykuş ötüyordu. Tekne gıcırdıyordu. Sihtric'in çeliğe sürtünen taşı tıslıyordu. Bir kalkan kürekçi sırasına çarpıyordu. Gecenin gürültüsüne rağmen daha yüksek sesle konuşmaya cesaret edemiyordum çünkü düşman gemisi nehrin yukarısındaydı ve o gemiden karaya çıkan adamlar arkalarında nöbetçi bırakmış olacaktı. Mersiya kıyısında akıntıya kapıldığımızda o nöbetçiler bizi görmüş olabilirdi ama şimdiye kadar çoktan Lundene'e doğru uzaklaştığımızı düşünmüş olmalıydılar.

"Ama neden bir fahişeyle evlenesin ki?" diye sordum Sihtric'e.

"O..." diye başladı Sihtric.

"Yaşlı," diye hırladım, "belki otuz yaşında ve aklı başında değil. Ealhswith'in bir erkek görmesi yeter, hemen etekleri havalanır! O fahişeyi beceren her erkeği sıraya dizsen tüm Britanya'yı fethedecek kadar büyük bir ordun olurdu." Yanımdaki Ralla kıs kıs güldü. "Sen de o orduya katıldın mı, Ralla?" diye sordum.

"Yirmi kereden fazla, lordum," dedi gemi kaptanı.

Sihtric suratını asarak, "Beni seviyor," dedi.

"Gümüşünü seviyor," dedim, "hem neden eski bir kına yeni bir kılıç koyasın ki?"

İnsanların savaştan önce konuştukları şeyler çok tuhaf. Yüzleşecekleri şey dışında her şey. Bir kalkan duvarında durmuş, kılıçları parlak, tehdidi karanlık bir düşmana bakarken iki adamımın hangi meyhanenin en iyi birayı yaptığı konusunda öfkeyle tartıştığını duymuştum. Korku havada bir bulut gibi gezinir ve biz o bulut orada değilmiş gibi davranmak için boş boş konuşuruz.

Sihtric'e, "Olgun ve genç birini ara," diye tavsiyede bulundum. "Şu çömlekçinin kızı evlenmeye hazır. On üç yaşında olmalı."

"O bir aptal," diye itiraz etti Sihtric.

"Peki bu durumda sen ne oluyorsun?" diye sordum. "Sana gümüş veriyorum ve sen onu açık olan en yakın deliğe döküyorsun! Onu son gördüğümde kolunda sana verdiğim bir kol halkası vardı."

Burnunu çekti, hiçbir şey söylemedi. Babası Zalim Kjartan'dı, Sihtric'i Sakson kölelerinin birinden peydahlayan bir Dan. Yine de Sihtric iyi bir çocuktu, gerçi aslında artık bir çocuk sayılmazdı. O, kalkan duvarında durmuş bir adamdı. Öldürmüş bir adam. Bu gece yine öldürecek bir adam. "Sana bir eş bulacağım," diye söz verdim ona.

İşte o zaman çığlığı duyduk. Çok uzaklardan geldiği için belli belirsiz, karanlığın içinde bir tırmalama sesi gibi güneydeki ıstırabı ve ölümü haber veriyordu. Çığlıklar ve bağırışlar vardı. Kadınlar çığlık atıyor ve erkekler şüphesiz ölüyordu.

"Tanrı onların belasını versin," dedi Ralla acı acı.

"Bu bizim işimiz," dedim sertçe.

"Bence..." diye söze başladı Ralla, sonra konuşmanın yersiz olacağını düşündü. Ne söyleyeceğini biliyordum, köyde onları koruyor olmalıydık, ama o da benim ne cevap vereceğimi biliyordu.

Ona Danların hangi köye saldıracağını bilmediğimizi, bilseydik bile orayı koruyamayacağımızı söylerdim. Saldırganların nereye gittiğini bilseydik koruyabilirdik. Bütün hanedan askerlerimi küçük evlere yerleştirebilirdim. Akıncılar geldiği anda kılıç, balta ve mızraklarla sokağa fırlayıp bazılarını öldürürdük ama karanlıkta çok daha fazlasını kaçırırdık ve ben kimsenin kaçmasını istemiyordum. Her Dan'ın, her Nors'un, her akıncının ölmesini istiyordum. Biri hariç hepsinin ve o birini de Temes kıyılarındaki Viking kamplarına Bebbanburglu Uhtred'in onları beklediğini söylemek için doğuya gönderirdim.

"Zavallı ruhlar," diye mırıldandı Ralla. Güneyde, kara dalların arasından, yanan sazları ele veren kırmızı bir parıltı gördüm. Yayıldı ve daha da büyüyerek bir sıra budanmış ağacın ötesindeki kış göğünü aydınlattı. Parıltı adamlarımın miğferlerinden yansıyarak metallerine kırmızı bir parlaklık veriyordu ve ilerideki büyük geminin düşman nöbetçileri yansıyan parıltıyı görebileceklerinden onlara miğferlerini çıkarmalarını söyledim.

Gümüş kurt armalı kendi miğferimi de çıkardım.

Ben Bebbanburg Lordu Uhtred'im ve o günlerde bir savaş lorduydum. Orada zırhlı ve derili, pelerinli ve silahlı, genç ve güçlü bir şekilde duruyordum. Hanedan askerlerimin yarısı Ralla'nın gemisindeydi; diğer yarısı ise batıda bir yerlerde, Finan'ın komutasında at sürüyordu.

Ya da gecenin örttüğü batıda beklediklerini umuyordum. Biz gemidekilerin işi daha kolaydı, çünkü düşmanı bulmak için karanlık nehrin aşağısına inmiştik, Finan ise adamlarını gece karanlığında karadan geçirmek zorunda kalmıştı. Ama Finan'a güveniyordum. Orada, huzursuz ve yüzünü buruşturmuş bir şekilde kılıcını sallamak için bekliyor olacaktı.

Bu, o uzun ve yağışlı kışta Temes'e pusu kurmak için yaptığımız ilk girişim değildi ama başarı vaat eden ilk girişimdi. Daha önce iki kez Vikinglerin Lundene'in yıkık köprüsündeki aralıktan geçerek Wessex'in yumuşak, tombul köylerini yağmaladıkları söylenmişti ve her seferinde nehrin aşağısına inmiş, hiçbir şey bulamamıştık. Yalnız bu sefer kurtları tuzağa düşürmüştük. Kılıcım Yılan Nefesi'nin kabzasına, sonra boynumda asılı duran Thor'un çekiç muskasına dokundum.

Hepsini öldür, diye dua ettim Thor'a, biri hariç hepsini öldür.

O uzun gece, soğuk olmalıydı. Nehrin taştığı tarlalardaki çukurlar buz tutmuştu ama ben soğuğu hatırlamıyorum. Bekleyişi hatırlıyorum. Yılan Nefesi'ne tekrar dokunduğumda, titrediğini hissettim. Bazen kılıcın şarkı söylediğini düşünürdüm. İnce, belli belirsiz bir şarkı, hüzünlü bir ses, kan isteyen kılıcın şarkısı.

Bekledik ve sonra her şey bittiğinde Ralla bana gülümsemeyi hiç bırakmadığımı söyledi.

Pusumuzun başarısız olacağını düşünmüştüm çünkü akıncılar şafak doğuyu aydınlatana kadar gemilerine dönmedi. Nöbetçileri bizi mutlaka görmüştür diye düşünüyordum ama görmemişlerdi. Sarkık söğüt dalları derme çatma bir perde görevi görmüştü ya da belki de yükselen kış güneşi akıncıların gözünü kamaştırmıştı, çünkü kimse bizi görmedi.

Biz onları gördük. Zırhlı adamların kadın ve çocuklardan oluşan bir kalabalığı yağmurun sular altında bıraktığı bir otlakta güttüklerini gördük. Tahminimce elli akıncı ve bir o kadar da esir vardı. Kadınlar yakılan köyün gençleri olmalıydı ve akıncıların keyfi için götürülüyorlardı. Çocuklar Lundene'deki köle pazarına, oradan da deniz yoluyla Frank Krallığı'na, hatta daha ötesine gidecekti. Kullanıldıktan sonra kadınlar da satılacaktı. Tutsakların hüngür hüngür ağladıklarını duyabilecek kadar yakın değildik ama öyle olduğunu tahmin ettim. Güneyde, nehrin ovasından alçak yeşil tepelerin yükseldiği yerde, yağmacıların köyü yaktığı yeri işaret eden büyük bir duman bulutu berrak kış göğünü kirletiyordu.

Ralla kıpırdandı. "Bekle," diye mırıldanınca hareketsiz kaldı. Benden on yaş büyük, kır saçlı bir adamdı, gözleri uzun yıllar boyunca güneşi yansıtan denizlere bakmaktan kısıktı. O bir gemi kaptanı, bir asker ve bir dosttu. "Henüz değil," dedim usulca. Yılan Nefesi'ne dokundum ve çeliğin titrediğini hissettim.

Rahatlamış, yüksek sesle gülen adamların sesleri geliyordu. Tutsaklarını geminin içine iterken bağırıyorlardı. Onları soğuk su dolu sintinede çömelmeye zorladılar; böylece aşırı yüklü gemi, Temes'in kayalık çıkıntılar boyunca hızla ilerlediği ve sadece en iyi, en cesur gemi kaptanlarının kanalı bildiği nehrin aşağısındaki sığlıklarda yapacağı yolculuk için dengeli olacaktı.

Sonra savaşçılar gemiye bindi. Yağmaladıkları şişleri, kazanları, kılıçları, bıçakları ve satılabilecek, eritilebilecek ya da kullanılabilecek her şeyi yanlarında götürüyorlardı. Kahkahaları gürültülüydü. Onlar öldürmüş ve tutsaklarının sırtından zengin olacak adamlardı. Neşeli, umursamaz bir ruh hali içindeydiler.

Yılan Nefesi kınında yumuşak bir sesle şarkı söylüyordu.

Kürekler yuvalarına sokulurken diğer gemiden gelen takırtıları duydum. Bir ses komut verdi. "İtin!"

Düşman gemisinin bir canavarın boyalı başıyla taçlandırılmış büyük gagası nehre doğru döndü. Adamlar kürekleri kıyıya doğru iterek tekneyi biraz daha uzaklaştırdı. Gemi çoktan hareket etmeye başlamıştı ve dalgaların sürüklediği akıntıyla bize doğru geliyordu. Ralla bana baktı.

"Şimdi," dedim. "Halatı kes!" diye bağırdım. Baş tarafımızdaki Cerdic bizi söğüde bağlayan deri halatı kesti. Sadece on iki kürek kullanıyorduk ve ben kürekçi sıralarının arasında ilerlerken kürekler suya iniyordu. "Hepsini öldüreceğiz!" diye bağırdım. "Hepsini öldüreceğiz!"

"Çekin!" diye kükredi Ralla. On iki adam nehrin gücüyle savaşmak için küreklere asıldı.

"Her bir piçi öldüreceğiz!" diye bağırdım, kalkanımın beklediği küçük pruvanın platformuna tırmanırken. "Hepsini öldüreceğiz! Hepsini öldüreceğiz!" Miğferimi takıp sol ön kolumu kalkanın halkalarından geçirerek ağır ahşabı kaldırdım ve Yılan Nefesi'ni yün astarlı kınından çıkardım. Artık şarkı söylemiyordu. Çığlık atıyordu.

"Öldürün!" diye bağırdım. 'Öldürün, öldürün, öldürün!' Kürekler bağırmamla birlikte suya daldı. Önümüzdeki düşman gemisi nehirde yalpalıyordu. Paniğe kapılmış adamların kürekleri nehri ıskalıyordu. Bağırıyorlar, kalkan arıyorlar, birkaç adamın hâlâ kürek çekmeye çalıştığı sıraların üzerinden atlamaya çalışıyorlardı. Kadınlar çığlık atıyor, erkekler birbirlerinin ayağına takılıyordu.

"Çekin!" diye bağırdı Ralla. Düşman bize doğru sürüklenirken isimsiz gemimiz dalgalarla cebelleşti. Canavarın kafasında kırmızıya boyanmış bir dil, beyaz gözler ve hançer gibi dişler vardı.

"Şimdi!" diye seslendim Cerdic'e. O da borda kancasını zinciriyle birlikte düşman gemisinin pruvasına fırlattı ve kancanın dişlerini geminin kerestesine geçirip gemiyi daha yakına çekmek için zincire asıldı.

"Öldürün!" diye bağırdım ve gemiye atladım.

Ah genç olmanın keyfi. Yirmi sekiz yaşında olmanın, güçlü olmanın, bir savaş lordu olmanın... Artık hepsi gitti, geriye sadece anılar kaldı ve onlar da soluyor. Ama sevinç anılarda saklı.

Yılan Nefesi'nin ilk vuruşu arkadan bir kesmeydi. Düşmanın pruva platformuna indiğimde bir adam kancayı çekip kurtarmaya çalışıyordu. Yılan Nefesi boğazını o kadar hızlı ve sert bir şekilde kesti ki adamın kafası neredeyse kopacaktı. Kan, kış gününü aydınlatırken tüm kafatası geriye doğru savruldu. Kan yüzüme sıçradı. Ben sabah gelen ölümdüm; zırhlı, siyah pelerinli, kurt armalı miğferli, yüzüne kan sıçramış ölüm.

Artık yaşlıyım. Çok yaşlıyım. Görüşüm zayıflıyor, kaslarım güçsüzleşiyor, sidiğim damlıyor, kemiklerim ağrıyor ve güneşin altında oturup uykuya daldıktan sonra yorgun uyanıyorum. Ama o kavgaları hatırlıyorum, o eski kavgaları. Şimdiki karım, her zaman sızlanan dindar ve aptal bir kadın, bu hikâyeleri anlattığımda irkiliyor ama eskilerin hikâyelerden başka nesi var ki? Bir keresinde kanlar fışkırtarak geriye doğru uçan kafaları duymak istemediğini söyledi ama gençlerimizi savaşmaları gereken savaşlara başka nasıl hazırlayabiliriz? Ben hayatım boyunca savaştım. Bu benim kaderimdi, hepimizin kaderi. Alfred barış istedi ama barış ondan kaçtı. Danlar geldi, Norslar geldi ve savaşmaktan başka çaresi kalmadı. Alfred öldüğünde ve krallığı hâlâ güçlüyken daha fazla Dan ve daha fazla Nors geldi. Galler'den Britonlar ve kuzeyden uluyan İskoçlar geldi. Bir adam toprağı, ailesi, evi ve ülkesi için savaşmaktan başka ne yapabilirdi? Çocuklarıma, onların çocuklarına ve onların çocuklarının çocuklarına bakıyorum ve biliyorum ki savaşmak zorunda kalacaklar. Uhtred adında bir aile ve bu rüzgârlı adada bir krallık olduğu sürece savaş olacak. Bu yüzden savaştan kaçamayız. Zalimliğinden, kanından, pis kokusundan, iğrençliğinden ya da neşesinden kaçamayız çünkü biz istesek de istemesek de savaş bize gelecek. Savaş kaderdir ve *wyrd bið ful ãræd.* Kader amansızdır.

Ben de çocuklarımın çocukları kaderlerini bilsinler diye bu hikâyeleri anlatıyorum. Karım mızıldanıyor ama onu dinlemeye mecbur ediyorum. Ona gemimizin düşmanın dış kanadına nasıl çarptığını ve çarpmanın diğer geminin pruvasını güney kıyısına doğru nasıl sürüklediğini anlatıyorum. İstediğim buydu ve Ralla bunu mükemmel bir şekilde başarmıştı. Artık gemisi düşmanın gövdesine sürtünüyordu. Adamlarım kılıçlarını ve baltalarını sallayarak gemiye atlarken bizim itici gücümüz Danların ön küreklerini kırdı. Savurduğum ilk darbeden sonra sendelemiştim ama ölü adam platformdan düşerek bana ulaşmaya çalışan diğer iki adamı engelledi ve onlarla yüzleşmek için aşağı atlarken bir meydan okuma narası attım. Yılan Nefesi ölümcüldü. Kuzeyde, işini iyi bilen bir Sakson demirci tarafından dövülmüş güzel bir kılıçtı. Dördü demirden, üçü çelikten olmak üzere yedi demir çubuk almış ve bunları ısıtarak ucu yaprak şeklinde, iki tarafı keskin, uzun bir bıçak haline getirmişti. Daha yumuşak olan dört demir çubuk ateşte bükülmüş ve bu bükülmeler bıçakta bir ejderhanın dönerek yükselen nefesine benzeyen hayalet desenler olarak kalmıştı. Yılan Nefesi adını böyle aldı.

Kıl sakallı bir adam bana bir balta savurdu, kalkanımla darbeyi karşılayıp kılıcımı adamın karnına sapladım. Sağ elimi sertçe döndürünce ölmekte olan vücudu kılıcı tutamadı ve kılıcı çektiğimde daha fazla kan fışkırdı. Bir kılıç darbesini savuşturmak için balta saplı kalkanı vücuduma doğru çektim. Sihtric yanımdaydı ve kısa kılıcını yeni saldırganımın kasığına sapladı. Adam çığlık attı. Sanırım ben de bağırıyordum.

Kılıçları ve baltaları parlayan adamlarımın sayısı giderek artıyordu. Çocuklar ağladı, kadınlar feryat etti, akıncılar öldü.

Düşman gemisinin pruvası kıyıdaki çamura çarparken kıçı nehrin akıntısıyla sallanmaya başladı. Gemide kalırlarsa öleceklerini hisseden bazı akıncılar kıyıya atladı ve bu bir paniğe yol açtı. Giderek daha fazla adam kıyıya atlamaya başlamıştı ama tam o sırada batıdan Finan geldi. Nehir çayırlarında, buz tutmuş su birikintilerinin üzerinde bembeyaz, ince bir sis vardı. Finan'ın görkemli atlıları işte bu sisin içinden geldi. Kılıçlarını mızrak gibi tutarak iki sıra halinde ilerlediler. Finan, benim ölümcül İrlandalım, işini biliyordu. Adamların geri çekilmelerini engellemek için ilk sırayı yanlarından dörtnala geçirdi ve dönüp kendi sırasındaki adamlarıyla öldürmeye başlamadan önce ikinci sıranın düşmana çarpmasına izin verdi.

"Hepsini öldürün!" diye bağırdım ona. "Her birini öldürün!"

Cevabı kanla kaplı kılıcını savurmak oldu. İri Dan'ım Clapa'nın nehrin sığ sularında bir düşmanı mızrakladığını gördüm. Rypere kılıcını sinmiş bir adama saplıyordu. Sihtric'in kılıç eli kırmızıydı. Cerdic bir balta sallıyor, baltası bir Dan'ın miğferini parçalayıp delerken anlaşılmaz bir şekilde bağırıyor ve dehşete düşmüş tutsakların üzerine kan ve beyin akıtıyordu. Kesin olarak hatırlayamasam da sanırım iki kişiyi daha öldürdüm. Bir adamı güverteye ittiğimi, bana doğru döndüğünde Yılan Nefesi'ni gırtlağına soktuğumu, yüzünün kararmış dişlerinin arasından akan kandan deforme olduğunu ve dilinin dışarı çıktığını hatırlıyorum. Adam ölürken kılıcıma yaslanıp Finan'ın adamlarının kapana kısılmış düşmana saldırmak için atlarını döndürmelerini izledim. Atlılar kesip biçiyor, Vikingler çığlık atıyor ve bazıları teslim olmaya çalışıyordu. Genç bir adam bir kürekçi sırasının üzerine diz çöktü, baltasını ve kalkanını fırlatıp ellerini yalvarırcasına bana doğru uzattı. Danca konuşarak ona "Baltayı al," dedim.

"Lordum..." diye başladı.

"Al onu!" diye kestim sözünü "ve ölüler konağında beni bekle." Silahlanana kadar bekledim, sonra Yılan Nefesi'nin canını almasına izin verdim. Hızlıca yaptım, boğazını hızlı, tek bir darbeyle keserek ona merhamet gösterdim. O ölürken, gözlerinin içine baktığımda, ruhunun uçtuğunu gördüm ve seğiren bedeninin üzerinden geçtim. Kanlar içindeki adam kürekçi sırasından kayarak histerik çığlıklar atmaya başlayan genç bir kadının kucağına yığıldı. "Sessiz ol!" diye bağırdım kadına. Sintineye sinmiş çığlık atan ya da ağlayan diğer tüm kadın ve çocuklara kaşlarımı çattım. Kalkan elime Yılan Nefesi'ni alıp ölmek üzere olan adamı zırhının halkalarından tutarak tekrar sıranın üzerine kaldırdım.

Çocuklardan biri ağlamıyordu. Dokuz ya da on yaşlarında bir oğlandı ve ağzı bir karış açık bana bakıyordu. O yaşlardaki halimi hatırladım. O çocuk ne görmüştü? Metalden bir adam görmüştü, çünkü miğferimin yanakları kapalı olarak savaşmıştım. Miğferinizin yanakları kapalı olduğunda daha az görürsünüz ama görünüşünüz daha korkutucudur. O çocuk uzun boylu, zırhlı, kılıcı kanla kaplı, çelik suratlı bir adamın bir ölüm gemisini takip ettiğini gördü. Miğferimi çıkarıp saçlarımı saldım, sonra kurt armalı metali ona fırlattım. "Ona iyi bak evlat," dedim. Yılan Nefesi'ni çığlık atan kıza uzattım. "Kılıcı nehir suyunda yıka ve ölü bir adamın peleriniyle kurut," diye emrettim. Kalkanımı Sihtric'e verip kollarımı iki yana açarak yüzümü sabah güneşine doğru kaldırdım.

Elli dört akıncı vardı ve on altısı hâlâ yaşıyordu. Onlar tutsaktı. Hiçbiri Finan'ın adamlarından kaçamamıştı. Kısa kılıcım İğne'yi çektim, savaşçılar kalkan duvarında âşıklar kadar birbirlerine yaklaştığında fazlasıyla ölümcül olan kılıcımı. "İçinizden biri," kadınlara baktım, "size tecavüz eden adamı öldürmek istiyorsa, bunu şimdi yapsın!"

İki kadın intikam almak istedi, ben de İğne'yi kullanmalarına izin verdim. İkisi de kurbanlarını katletti. Biri kılıcı defalarca sokup çıkarırken diğeri kurbanının vücudunda derin yaralar açtı. Her iki adam da yavaşça öldü. Kalan on dört adamdan biri zırhlı değildi. Düşman gemisinin kaptanıydı. Kır saçlı, seyrek sakallıydı ve kahverengi gözleriyle kavgacı bir tavırla bana bakıyordu. "Nereden geliyorsun?" diye sordum ona.

Cevap vermeyi reddeder gibi oldu, sonra bunun iyi bir fikir olmayacağına karar vererek "Beamfleot," dedi.

"Peki ya Lundene?" diye sordum. "Eski şehir hâlâ Danların elinde mi?"

"Evet."

"Evet, lordum," diye düzelttim.

"Evet, lordum," diye tekrarladı.

"O zaman Lundene'e gideceksin," dedim, "sonra Beamfleot'a, sonra da istediğin herhangi bir yere ve Norslara Bebbanburglu Uhtred'in Temes Nehri'ni koruduğunu ve onlara istedikleri zaman buraya gelebileceklerini söyleyeceksin."

O adam yaşadı. Gitmesine izin vermeden önce sağ elini kestim. Bunu bir daha asla kılıç kullanmasın diye yaptım. O sırada bir ateş yakmıştık ve yarayı kapatmak için kanayan kolunu kızgın közün içine soktum. Cesur bir adamdı. Yarasını dağladığımızda irkildi ama kanı fokurdarken ve eti cızırdarken çığlık atmadı. Kısalan kolunu ölü bir adamın gömleğinden aldığım bir bez parçasına sardım. "Git," diye emrettim ona, nehrin aşağısını işaret ederek. "Sadece git." Doğuya doğru yürüdü. Eğer şanslıysa acımasızlığımın haberini yaymak için bu yolculuktan sağ çıkabilirdi.

Diğerlerini öldürdük, hepsini.

"Onları neden öldürdünüz?" diye sordu yeni karım bir keresinde, titizliğimden duyduğu hoşnutsuzluk sesinden belli oluyordu.

"Elbette korkmayı öğrenmeleri için," diye cevap verdim.

"Ölüler korkmaz," dedi.

Ona karşı sabırlı olmaya çalıştım. "Beamfleot'tan bir gemi ayrıldı," diye açıkladım, "ve bir daha asla geri dönmedi. Wessex'e akın etmek isteyen diğer adamlar o geminin akıbetini duydular. O adamlar kılıçlarını başka bir yere götürmeye karar verdi. O geminin mürettebatını, yüzlerce başka Dan'ı öldürmek zorunda kalmamak için öldürdüm."

"Yüce İsa merhamet göstermeni isterdi," dedi gözlerini kocaman açarak.

O bir aptal.

Finan bazı köylüleri yanmış evlerine götürüp ölüleri için mezar kazdırırken adamlarım düşmanlarımızın cesetlerini nehir kenarındaki ağaçlara astı. Giysilerinden kopardığımız şeritlerden ipler yaptık. Zırhlarını, silahlarını ve kol halkalarını aldık. Uzun saçlarını kestik çünkü gemilerimin tahtalarını öldürülen düşmanların saçlarıyla kalafatlamayı severdim, sonra onları astık ve kuzgunlar ölü gözlerini almaya gelirken solgun çıplak bedenleri hafif rüzgârda sallandı.

Nehrin kenarında asılı elli üç ceset. Takip edebilecekler için bir uyarı. Diğer akıncıların Temes'te kürek çekerek ölümü göze aldıklarına dair elli üç işaret.

Sonra düşman gemisini de yanımıza alarak eve döndük.

Ve Yılan Nefesi kınında uyudu.

BİRİNCİ BÖLÜM

GELİN

Bir

"Ölüler konuşur," dedi Æthelwold bana. İlk kez ayıktı. Ayık, afallamış ve ciddiydi. Gece rüzgârı eve vuruyordu ve mumlar çatının bacasından, kapılardan ve kepenklerden içeri giren kış cereyanında kırmızı kırmızı titriyordu.

"Ölüler konuşur mu?" diye sordum.

"Bir ceset," dedi Æthelwold, "mezardan kalkar ve konuşur." Bana fal taşı gibi açılmış gözlerle baktı, sonra doğru söylediğini vurgulamak istercesine başını öne arkaya salladı. Bana doğru eğilmişti, kenetlenmiş elleri dizlerinin arasında kıpırdanıyordu. "Gördüm," diye ekledi.

"Bir cesedin konuştuğunu mu?" diye sordum.

"Ayağa kalktı!" Ne demek istediğini göstermek için elini havaya kaldırdı.

"Ceset bir adam mı?"

"Ölü adam. Ayağa kalkıyor ve konuşuyor." Yüzünde kızgın bir ifadeyle hâlâ bana bakıyordu. "Bu doğru," diye ekledi ona inanmadığımı bildiğini gösteren bir sesle.

Oturduğum sırayı ocağa doğru yaklaştırdım. Akıncıları öldürüp cesetlerini nehrin kıyısına asmamın üzerinden on gün geçmişti ve dondurucu bir yağmur sazları dövüyor, parmaklıklı kepenklere vuruyordu. Tazılarımdan ikisi ateşin önünde yatıyordu. Sırayı sürttüğümde bir tanesi bana kızgın bir ifadeyle bakıp başını tekrar yere koydu. Ev Romalılar tarafından inşa edilmişti, bu da zeminin kiremitli ve duvarların taştan olduğu anlamına geliyordu ancak sazdan çatıyı kendim yapmıştım. Bacadan yağmur damlıyordu. "Ölü adam ne diyor?" diye sordu Gisela. O benim karım ve iki çocuğumun annesiydi.

Æthelwold hemen cevap vermedi, belki de bir kadının ciddi bir tartışmaya katılmaması gerektiğine inandığı için; ama sessizliğim ona Gisela'nın kendi evinde konuşabileceğini söylüyordu ve onu kovmam için ısrar edemeyecek kadar gergindi. "Kral olmam gerektiğini söylüyor," diye itiraf etti usulca, sonra tepkimden korkarak bana baktı.

"Nerenin kralı?" diye sordum düz bir sesle.

"Wessex, elbette," dedi.

"Ah, Wessex," dedim, sanki orayı hiç duymamışım gibi.

"Ve ben kral olmalıyım!" diye itiraz etti Æthelwold. "Babam kraldı!"

"Ve artık kral babanın kardeşi," dedim, "ayrıca insanlar onun iyi bir kral olduğunu söylüyor."

"Bunu sen mi söylüyorsun?" diye meydan okudu bana.

Cevap vermedim. Alfred'i sevmediğim ve onun da beni sevmediği gayet iyi biliniyordu ama bu Alfred'in yeğeni Æthelwold'un daha iyi bir kral olacağı anlamına gelmezdi. Æthelwold da benim gibi yirmili yaşlarının sonlarındaydı ve sarhoş, şehvet düşkünü bir aptal olarak ün yapmıştı. Yine de Wessex tahtında hakkı vardı. Babası gerçekten bir kraldı ve eğer Alfred'in zerre kadar aklı olsaydı yeğeninin boğazını kemiklerine kadar kestirirdi. Bunun yerine Alfred, Æthelwold'un biraya olan susuzluğunun onu sorun çıkarmaktan alıkoyacağına güvendi. "Bu canlı cesedi nerede gördün?" diye sordum, sorusuna cevap vermek yerine.

Elini evin kuzey tarafına doğru salladı. "Yolun diğer tarafında," dedi. "Hemen diğer tarafta."

"Wæclingastræt?" diye sordum, o da başıyla onayladı.

Yani ölülerle olduğu kadar Danlarla da konuşuyordu. Wæclingastræt Lundene'den kuzeybatıya giden bir yoldur. Britanya'yı boydan boya geçerek Galler'in hemen kuzeyinde, İrlanda Denizi'nde son bulur. Yolun güneyinde kalan her yer sözde Sakson toprağıdır, kuzeyinde kalan her yer ise Danlara bırakılmıştır. Çatışma ve nefretle dolu bir barış olsa da 885 yılında yaşadığımız barış buydu. "Dan bir ceset mi?" diye sordum.

Æthelwold başıyla onayladı. "Adı Bjorn," dedi, "Guthrum'un sarayında bir skaldmış. Hristiyan olmayı reddetmiş, bu yüzden Guthrum onu öldürmüş. Onu mezarından çağırıyorlar, gördüm."

Gisela'ya baktım. O da bir Dan'dı. Æthelwold'un anlattığı büyücülük kendi Saksonlarım arasında hiç bilmediğim bir şeydi. Gisela omuz silkerek büyünün ona da aynı derecede yabancı olduğunu ima etti. "Ölü adamı kim çağırıyor?" diye sordu.

"Taze bir ceset," dedi Æthelwold.

"Taze bir ceset mi?" diye sordum.

"Bjorn'u bulup geri getirmesi için ölüler dünyasına birinin gönderilmesi gerekiyor," diye açıkladı, sanki bu çok barizmiş gibi.

"Yani birini mi öldürüyorlar?" diye sordu Gisela.

"Ölülere başka nasıl haberci gönderebilirler ki?" diye sordu Æthelwold hırçınca.

Æthelwold'un Dancayı çok az bildiğini ya da hiç bilmediğini bildiğim için "Peki bu Bjorn İngilizce biliyor mu?" diye sordum.

"İngilizce biliyor," dedi Æthelwold asık suratla. Sorgulanmaktan hoşlanmıyordu.

"Seni ona kim götürdü?" diye sordum.

"Bazı Danlar," diye cevap verdi belli belirsiz.

Buna dudak büktüm. "Yani bazı Danlar gelip sana ölü bir şairin seninle konuşmak istediğini söyledi, sen de uslu uslu Guthrum'un topraklarına mı gittin?" diye sordum.

"Bana altınla ödeme yaptılar," dedi savunmacı bir tavırla. Æthelwold her zaman borç içindeydi.

"Peki bize neden geldin?" diye sordum. Cevap vermedi. Kıpırdandı ve elindeki yün ipliği ile uğraşan Gisela'yı izledi. "Guthrum'un topraklarına gidiyorsun, ölü bir adamla konuşuyorsun ve sonra bana geliyorsun. Neden?" diye ısrar ettim.

"Çünkü Bjorn senin de kral olacağını söyledi," dedi Æthelwold. Yüksek sesle konuşmamıştı ama yine de onu susturmak için bir elimi kaldırdım ve yan odanın karanlığından beni dinleyen bir casus görmeyi beklercesine, endişeyle kapı aralığına baktım. Alfred'in evimde casusları olduğundan hiç şüphem yoktu ve kim olduklarını bildiğimi sanıyordum ama hepsini tespit ettiğimden tam olarak emin değildim, bu yüzden tüm hizmetkârlarımı Æthelwold ile konuştuğumuz odadan oldukça uzakta tutmuştum. Yine de böyle şeyleri çok yüksek sesle söylemek akıllıca değildi.

Gisela yün eğirmeyi bırakmış Æthelwold'a bakıyordu. Ben de ona bakıyordum. "Ne dedi?" diye sordum.

"Senin, Uhtred," diye devam etti Æthelwold daha sessiz bir şekilde, "Mersiya Kralı olarak taç giyeceğini söyledi."

"İçki mi içiyordun?" diye sordum.

"Hayır, sadece bira," dedi. Bana doğru eğildi. "Ölü Bjorn seninle de konuşmak, kaderini söylemek istiyor. Sen ve ben, Uhtred, kral ve komşu olacağız. Tanrılar bunu istiyor ve bana bunu söylemesi için ölü bir adam gönderdiler." Æthelwold hafifçe titriyor ve terliyordu ama içki içmemişti.

Bir şey onu korkutup ayıltmıştı ve bu da beni doğru söylediğine ikna etti. "Ölülerle buluşmaya istekli olup olmadığını bilmek istiyorlar," dedi, "eğer istekliysen, seni çağıracaklar."

Gisela'ya baktım, yüzü ifadesiz bir şekilde bana dönmüştü. Ona bakmaya devam ettim, bir şey söylemesini istediğim için değil ama güzel olduğu için, çok güzel olduğu için. Benim esmer Dan'ım, güzel Gisela'm, gelinim, aşkım. Ne düşündüğümü biliyor olmalıydı çünkü uzun, ciddi yüzüne küçük bir gülümseme yayıldı. "Uhtred kral mı olacak?" diye sordu sessizliği bozup Æthelwold'a bakarak.

"Ölüler öyle diyor," dedi Æthelwold meydan okurcasına. "Ve Bjorn bunu üç kız kardeşten duymuş." Nornları, kaderimizi dokuyan üç kız kardeşi kastediyordu.

"Uhtred Mersiya Kralı mı olacak?" diye sordu Gisela kuşkuyla.

"Ve sen de kraliçe olacaksın," dedi Æthelwold.

Gisela dönüp bana baktı. Meraklı bir bakışı vardı ama ne düşündüğünü bildiğim için cevap vermeye çalışmadım. Mersiya'da kral olmadığını düşünüyordum. Dan tasmalı bir Sakson melezi olan eski kral ölmüştü ve yerine geçecek kimse yoktu. Krallığın kendisi de artık Danlar ve Saksonlar arasında bölünmüş durumdaydı. Annemin erkek kardeşi Galliler tarafından öldürülmeden önce Mersiya'nın hükümdarlarından biriydi, bu yüzden Mersiya kanı taşıyordum ve Mersiya'da kral yoktu.

Gisela ciddi bir ifadeyle, "Bence ölü adamın söylediklerini dinlesen iyi olur," diye konuştu.

"Beni çağırırlarsa, gelirim," diye söz verdim. Öyle de yapacaktım, çünkü ölü bir adam konuşuyordu ve benim kral olacağımı söylüyordu.

Alfred bir hafta sonra geldi. Öğle güneşinin soğuk toprakların üzerinde alçakta asılı kaldığı, soluk mavi bir gökyüzünün olduğu güzel bir gündü. Temes Nehri'nin Sceaftes Eye ve Wodenes Eye civarında aktığı durgun kanalların kenarları buzla kaplıydı. Sceaftes Eye'ın çözülen çamurunda bir dizi ardıç kuşuyla karatavuk solucan ve salyangoz avlarken sakar meke, su tavuğu ve dalgıç kuşu buzun kenarında yüzüyordu.

Burası evimdi. Burası iki yıldır benim evimdi. Evim Coccham'dı, Temes'in Lundene'e ve denize doğru aktığı Wessex'in kıyısında. Ben, Northumbrialı bir lord, bir sürgün ve bir savaşçı olan Uhtred, bir inşaatçı, bir tüccar ve bir baba olmuştum. Wessex Kralı Alfred'e istediğim için değil, ona yemin ettiğim için hizmet ediyordum.

Ve Alfred bana bir görev vermişti: Coccham'daki yeni *burhunu* inşa etmek. Burh kaleye dönüştürülmüş bir kasaba demekti ve Alfred, Wessex krallığını bu tür yerlerle güçlendiriyordu. Wessex'in sınırlarının her yerinde, denizde, nehirlerde ve vahşi Cornwall barbarlarına bakan bozkırlarda surlar inşa ediliyordu. Bir Dan ordusu bir kaleyi istila edebilirdi ancak Alfred'in can evinde daha fazla kale keşfedeceklerdi ve her burh bir garnizona sahipti. Alfred nadir görülen çılgın bir sevinç anında burhları bana, saldıran Danları sokmak için insanların akın edebileceği eşek arısı yuvaları olarak tarif etmişti. Exanceaster ve Werham'da, Cisseceastre ve Hastengas'ta, Æscengum ve Oxnaforda'da, Cracgelad ve Wæced'de ve bunların arasında onlarca yerde burhlar yapılıyordu. Duvarları ve surları mızraklar ve kalkanlarla korunuyordu. Wessex bir kaleler ülkesi haline geliyordu ve benim görevim küçük Coccham kasabasını bir burh haline getirmekti.

Bu iş on iki yaşın üzerindeki her Batı Sakson erkeği tarafından yapılıyordu. Yarısı çalışırken diğer yarısı tarlalarla ilgileniyordu. Coccham'da herhangi bir zamanda beş yüz adamın hizmet ediyor olması gerekiyordu ancak genellikle üç yüzden az adam vardı. Kazdılar, set çektiler, surlar için kereste kestiler ve böylece Temes Nehri'nin kıyısında bir kale kurdular. Aslında bu iki kaleydi. Biri nehrin güney kıyısında, diğeri de nehri ikiye bölen bir ada olan Sceaftes Eye'daydı. 885 yılının ocak ayında iş neredeyse bitmişti ve artık hiçbir Dan gemisi nehrin kıyısındaki çiftliklere ve köylere baskın yapmak için akıntıya karşı kürek çekemezdi. Deneyebilirlerdi ama yeni surlarımı geçmek zorundaydılar ve askerlerimin onları takip edeceğini, karada tuzağa düşüreceğini ve öldüreceğini bilmeliydiler.

Ulf adında Dan bir tüccar o sabah gelip teknesini Sceaftes Eye'daki rıhtıma bağlamış, memurlarımdan biri de vergiyi hesaplamak için yükü didik didik etmişti. Ulf'un kendisi de dişsiz ağzıyla sırıtarak beni selamlamak için yukarı tırmandı. Bana oğlak derisine sarılmış bir parça kehribar verdi. "Leydi Gisela için, lordum," dedi. "O iyi mi?"

"İyi," dedim boynumda asılı duran Thor'un çekicine dokunarak.

"Duyduğuma göre ikinci çocuğunuz olmuş?"

"Bir kız," dedim, "nereden duydun?"

"Beamfleot," dedi ki bu mantıklı geliyordu. Ulf kuzeyliydi ama bu soğuk kışta hiçbir gemi Northumbria'dan Wessex'e yolculuk yapmıyordu. Mevsimi güney Doğu Anglia'da, Temes'in ağzındaki uzun ve karmaşık çamur düzlüklerinde geçirmiş olmalıydı. "Fazla bir şey değil," dedi eliyle yükünü göstererek. "Grantaceaster'dan biraz post ve balta başı aldım, sonra da siz Saksonların parası kalmış mı diye görmek için nehrin yukarısına geleyim dedim."

"Nehrin yukarısına kaleyi bitirip bitirmediğimizi görmek için geldin," dedim ona. "Sen bir casussun Ulf ve sanırım seni bir ağaca asacağım."

"Hayır, yapmayacaksın," dedi, sözlerimi umursamayarak.

"Sıkıldım," dedim, kehribarı keseme koyarak, "ve bir Dan'ın ipte seğirmesini izlemek eğlenceli olurdu, öyle değil mi?"

"Jarrel'in tayfasını astığında gülüyor olmalıydın o zaman," dedi.

"O muydu?" diye sordum. "Jarrel? Adını sormadım."

"Otuz ceset gördüm," dedi Ulf, başını nehrin aşağısına doğru sallayarak, "belki daha fazla? Hepsi ağaçlara asılmıştı ve bunun Lord Uhtred'in işi olduğunu düşündüm."

"Sadece otuz mu? Elli üç tane vardı," dedim. "Sayıyı tamamlamak için senin sefil cesedini de eklemeliyim, Ulf," dedim.

"Beni istemiyorsun," dedi Ulf neşeyle, "genç birini istiyorsun, çünkü gençler biz yaşlılardan daha çok seğirir." Teknesine baktı ve nehir boyunca boş boş bakan kızıl saçlı bir çocuğa doğru tükürdü. "O küçük piçi asabilirsin. O karımın en büyük oğlu ve bir bok çuvalından başka bir şey değil. O seğirir."

"Peki bugünlerde Lundene'de kimler var?" diye sordum.

"Kont Haesten girip çıkıyor," dedi Ulf, "çıkmaktan çok giriyor."

Buna şaşırmıştım. Haesten'i tanıyordum. Bir zamanlar benim yeminli adamım olan ama yeminini bozan ve artık savaşçı bir lord olmayı arzulayan genç bir Dan'dı. Kendisine kont diyordu ve bu beni eğlendirse de Lundene'e gitmesine şaşırmıştım. Doğu Anglia kıyılarında surlarla çevrili bir kamp kurduğunu biliyordum ama artık Wessex'e daha da yaklaşmıştı, bu da bela aradığını gösteriyordu. "Peki ne yapıyor, komşularının ördeklerini mi çalıyor?" diye sordum küçümseyerek.

Ulf bir nefes aldı ve başını salladı. "Müttefikleri var lordum."

Ses tonundaki bir şey beni irkiltti. "Müttefikler mi?"

"Thurgilson kardeşler," dedi Ulf, çekiç muskasına dokunarak.

O zamanlar bu isim benim için hiçbir şey ifade etmiyordu. "Thurgilson mu?"

"Sigefrid ve Erik," dedi Ulf çekicini bırakmadan. "Nors kontlar, lordum."

Bu yeni bir şeydi. Norslar genellikle Doğu Anglia'ya ya da Wessex'e gelmezdi. İskoç topraklarına ve İrlanda'ya yaptıkları akınların hikâyelerini sık sık duyardık ama Nors kontları Wessex'e nadiren yaklaşırdı. "Norsların Lundene'de ne işi var?" diye sordum.

"Oraya iki gün önce vardılar lordum," dedi Ulf, "yirmi iki gemiyle. Haesten onlarla gitti ve dokuz gemi aldı."

Hafifçe ıslık çaldım. Otuz bir gemi bir filo demekti ve kardeşlerle Haesten'in en az bin kişilik bir orduya komuta ettikleri anlamına geliyordu. Bu adamlar Lundene'deydi ve Lundene Wessex sınırındaydı.

Orası o zamanlar garip bir şehirdi. Resmi olarak Mersiya'nın bir parçasıydı ama Mersiya'nın kralı yoktu, dolayısıyla Lundene'in de bir hükümdarı yoktu. Sakson ya da Dan toprağı değil, ikisinin karışımıydı ve bir adamın zengin, ölü ya da her ikisi birden olabileceği bir yerdi. Mersiya Doğu Anglia ve Wessex'in buluştuğu yerdeydi; bir tüccarlar, esnaflar ve denizciler şehriydi ve şimdi, eğer Ulf haklıysa, surlarının içinde bir Viking ordusu vardı.

Ulf kıkırdadı. "Sizi çuvaldaki bir fare gibi sıkıştırmışlar lordum."

Bir filonun nasıl olup da toplanıp, benim çok önceden haberim olmadan yelken açarak Lundene'e doğru yola çıktığını merak ettim. Coccham Lundene'e en yakın kasabaydı ve orada ne olduğunu genellikle bir gün içinde öğrenirdim ama şimdi bir düşman, şehri işgal etmişti ve benim bundan hiç haberim yoktu. "Bunu bana söylemen için seni kardeşler mi gönderdi?" diye sordum Ulf'a. Thurgilson kardeşler ve Haesten'in Lundene'i sadece birileri, muhtemelen Alfred, onlara gitmeleri için para ödesin diye ele geçirdiklerini varsayıyordum. Bu durumda geldiklerini bize haber vermek işlerine gelirdi.

Ulf başını salladı. "Onlar geldiğinde yelken açtım lordum. Size vergi ödemek zorunda kalmak mallarımın yarısını onlara vermeden de yeterince kötü." Ürperdi. "Kont Sigefrid kötü bir adam, lordum. İş yapılacak biri değil."

""Haesten ile birlikte olduklarını neden bilmiyordum?" diye sordum.

"Değillerdi. Frank Krallığı'ndaydılar. Denizi geçip nehrin yukarısına doğru yelken açtılar."

"Yirmi iki Nors gemisiyle," dedim acı acı.

"Her şeye sahipler lordum," dedi Ulf. "Danlar, Frizyalılar, Saksonlar, Norslar, her şey. Sigefrid tanrıların bok çanaklarını salladığı her yerde adam bulur. Onlar aç adamlar, lordum. Efendisiz adamlar. Serseriler. Her yerden geliyorlar."

Efendisiz adam en kötü türdü. Hiçbir bağlılık borcu yoktu. Kılıcından, açlığından ve hırsından başka hiçbir şeye sahip değildi. Zamanında ben de böyle bir adamdım. "Yani Sigefrid ve Erik sorun mu çıkaracak?" diye sordum kayıtsızca.

"Sigefrid çıkaracak," dedi Ulf. "Erik? O genç olan. İnsanlar onun hakkında iyi konuşuyor ama Sigefrid bela için sabırsızlanıyor."

"Fidye mi istiyor?" diye sordum.

"İsteyebilir," dedi Ulf tereddütle. "Bütün o adamlara ödeme yapmak zorunda ve Frank Krallığı'nda fare pisliğinden başka bir şeyi yok. Ama ona kim fidye ödeyecek? Lundene Mersiya'ya ait, değil mi?"

"Öyle," dedim.

"Ve Mersiya'da kral yok," dedi Ulf. "Bu doğal değil, değil mi? Kralsız bir krallık."

Æthelwold'un ziyaretini düşünüp Thor'un çekiç muskasına dokundum. "Hiç ölülerin dirildiğini duydun mu?" diye sordum Ulf'a.

"Ölülerin dirildiğini mi?" Telaşla bana bakarak kendi çekiç muskasına dokundu. "Ölüler Niflheim'da bırakılsa daha iyi olur lordum."

"Belki de ölüleri diriltmek eski bir büyüdür?" diye önerdim.

"Hikâyeler anlatılıyor," dedi Ulf, muskasını sıkıca kavrayarak.

"Ne hikâyeleri?"

"Uzak kuzeyden, lordum. Buz ve huş ağacı diyarından. Orada garip şeyler olur. İnsanların karanlıkta uçabildiğini söylerler. Ben ölülerin donmuş denizlerde yürüdüğünü duydum ama hiç böyle bir şey görmedim." Muskayı dudaklarına götürüp öptü. "Sanırım bunlar sadece kış gecelerinde çocukları korkutmak için anlatılan masallar, lordum."

"Belki," dedim ve yeni yükseltilmiş surun dibinden bir çocuk koşarak gelirken, arkamı döndüm. Sonunda dövüş platformunu oluşturacak olan kalasların üzerinden atladı, bir parça çamurda kayarak kıyıya tırmandı ve sonra konuşamayacak kadar nefes nefese durdu. Nefesini toparlayana kadar bekledim. "*Haligast*, lordum," dedi, "*Haligast*!"

Ulf şaşkınlıkla bana baktı. Bütün tüccarlar gibi o da biraz İngilizce biliyordu ama "haligast" onu şaşırtmıştı. Dancaya "Kutsal Ruh," diye çevirdim.

"Geliyor lordum," dedi heyecanla soluyan çocuk ve nehrin yukarısını işaret etti. "Gelmek üzere!"

"Kutsal Ruh mu geliyor?" diye sordu Ulf telaşla. Muhtemelen Kutsal Ruh'un ne olduğu hakkında hiçbir fikri yoktu ama bütün hayaletlerden korkacak kadar şey biliyordu ve yaşayan ölüler hakkındaki son sorum onu endişelendirmişti.

"Alfred'in gemisi," diye açıkladım, sonra çocuğa döndüm. "Kral gemide mi?"

"Sancağı dalgalanıyor lordum."

"O zaman öyle," dedim.

Ulf tuniğini düzeltti. "Alfred mi? Ne istiyor?"

"Sadakatimi kontrol etmek istiyor," dedim sertçe.

Ulf sırıttı. "Demek ipin üzerinde seğiren siz de olabilirsiniz, lordum?"

"Balta başlarına ihtiyacım var," dedim ona. "En iyilerini eve götür, fiyatı sonra konuşuruz."

Alfred'in gelişi beni şaşırtmamıştı. O yıllarda zamanının çoğunu çalışmaları denetlemek için burhların arasında seyahat ederek geçiriyordu. Coccham'a birkaç ay içinde bir düzine kez gelmişti ama bu ziyaretinin surları incelemek için değil, Æthelwold'un beni neden görmeye geldiğini öğrenmek için olduğunu tahmin ediyordum. Kralın casusları işlerini yapmıştı ve bu yüzden kral beni sorgulamaya gelmişti.

Gemisi Temes'in kış akıntısında hızla ilerliyordu. Soğuk aylarda gemiyle seyahat etmek daha hızlıydı ve Alfred *Haligast*'ı seviyordu çünkü Wessex'in kuzey sınırı boyunca yolculuk ederken gemide çalışmasına olanak sağlıyordu. *Haligast* yirmi kürekliydi ve Alfred'in korumalarının yarısı ve kaçınılmaz rahip topluluğu için yeterli yeri vardı. Kralın yeşil bir ejderha şeklindeki sancağı göndere çekilmiş dalgalanırken bir yelken taşıyabilecek olan çapraz direğe iki bayrak asılmıştı.

Bayraklardan biri bir azizi gösteriyordu, diğeri ise üzerine beyaz bir haç işlenmiş yeşil bir kumaştı. Geminin kıç tarafında dümenciyi sıkıştıran küçük bir kamara vardı ama Alfred'e masasını koyabileceği bir yer sağlıyordu. İkinci gemi *Heofonhlaf* ise korumaların geri kalanını ve daha fazla rahibi taşıyordu. *Heofonhlaf* cennetin ekmeği anlamına geliyordu. Alfred bir gemiye hiçbir zaman isim veremedi.

Önce *Heofonhlaf* yanaştı ve zırhlı, kalkanlı ve mızraklı bir grup adam kıyıya çıkarak ahşap rıhtıma dizildi. *Haligast* onu takip etti. Dümencisi pruvayı sertçe bir kazığa vurunca geminin ortasında duran Alfred sendeledi. Bu itibar kaybı yüzünden bir dümencinin bağırsaklarını deşebilecek krallar vardı ama Alfred bunu fark etmemiş gibiydi. Hararetle ince yüzlü, çıkık çeneli, soluk yanaklı bir keşişle konuşuyordu. Konuştuğu kişi Gallerli Asser'di. Kardeş Asser'in kralın yeni gözdesi olduğunu duymuştum ve benden nefret ettiğini biliyordum. Bu doğruydu çünkü ben de ondan nefret ediyordum. Yine de ona gülümsedim ve sanki cüppesine kusmuşum gibi gözlerini kaçırıp başını ona ikizi kadar benzeyen Alfred'e doğru eğdi, çünkü Wessexli Alfred bir kraldan çok bir rahibe benziyordu. Uzun siyah bir pelerin giymişti ve giderek artan kelliği ona başının tepesi tıraşlı bir keşiş görüntüsü veriyordu. Elleri bir kâtibinki gibi sürekli mürekkep lekesi içindeydi; kemikli yüzü ise zayıf, ciddi, ağırbaşlı ve solgundu. Sakalı inceydi. Genellikle sinekkaydı tıraş olurdu ama şimdi beyaz kıllarla kaplı gür bir sakalı vardı.

Tayfalar *Haligast*'ı emniyete aldıktan sonra Alfred, Asser'in dirseğinden tutarak onunla birlikte karaya çıktı. Galli adamın göğsünde kocaman bir haç vardı. Alfred bana dönmeden önce haça kısaca dokundu. "Lord Uhtred," dedi coşkuyla. Beni gördüğüne sevindiği için değil, ihanet planladığımı düşündüğü için alışılmadık derecede hoş davranıyordu. Yeğeni Æthelwold ile yemek yemem için başka bir neden yoktu.

"Kralım," dedim, önünde eğilerek. Keşiş Asser'i görmezden geldim. Galli adam bir zamanlar beni korsanlık, cinayet ve bir düzine başka şeyle suçlamıştı ve suçlamalarının çoğu doğruydu, ama hâlâ hayattaydım. Bana küçümseyici bir bakış attı, sonra çamurun içinden hızla uzaklaştı; belli ki Coccham'ın manastırındaki rahibelerin hamile, sarhoş ya da mutlu olmadıklarından emin olmaya gidiyordu.

Alfred, artık hanedan birliklerine komuta eden Egwine ve o birliklerden altı adam yeni siperlerim boyunca yürüdüler. Alfred, Ulf'un gemisine baktı ama hiçbir şey söylemedi. Ona Lundene'in ele geçirildiğini söylemem gerektiğini biliyordum ama bu haberi bana sorularını sorana kadar bekletmeye karar verdim. Bir süre yaptığımız işi incelemekle yetindi ve eleştirecek bir şey bulamadı, bulmayı da beklemiyordu. Coccham'ın burhu diğerlerinden çok daha ilerideydi. Temes'in batısında, Welengaford'daki bir sonraki istihkâm, bırakın bir kazıklı çit inşa etmeyi, neredeyse temel bile atmamıştı. Oxnaforda'daki surlar ise Yule'dan* hemen önce bir hafta süren şiddetli yağmurun ardından hendeğin içine çökmüştü. Coccham'ın hendeği ise neredeyse bitmek üzereydi. "Bana söylenene göre milisler çalışmak konusunda isteksizmiş," dedi Alfred. "Bu doğru değil mi?"

Krallığın eyaletlerinden toplanan milisler sadece burhları inşa etmekle kalmaz, garnizonları da oluştururdu. "Milisler çalışmak konusunda çok isteksiz lordum," dedim.

"Yine de neredeyse bitirmek üzeresiniz?"

---

* Antik bir pagan kış festivali. Yule hasat bittikten sonraki avlanma mevsimiydi. Bu mevsim bugün aralık ayına denk geldiği için zamanla Noel ile ilişkilendirilmiştir -çn.

Gülümsedim. "On adam astım," dedim, "bu da geri kalanları heveslendirdi."

Nehrin aşağısına bakabileceği bir yerde durdu. Kuğular manzarayı güzelleştiriyordu. Onu izledim. Yüzündeki çizgiler derinleşmiş ve teni solmuştu. Hasta görünüyordu ama Wessexli Alfred her zaman hasta bir adamdı. Karnı ağrırdı, bağırsakları ağrırdı ve içine bir acı saplanırken yüzünü buruşturduğunu görürdüm. "Duyduğuma göre," dedi soğuk bir sesle, "onları yargılamadan asmışsınız?"

"Evet, lordum."

"Wessex'te kanunlar var," dedi sertçe.

"Ve eğer burh inşa edilmezse, o zaman Wessex diye bir yer kalmayacak," dedim.

"Bana meydan okumayı seviyorsun," dedi yumuşak bir sesle.

"Hayır lordum, size yemin ettim. İşinizi yapıyorum."

"O zaman adil bir yargılama olmadan başka adam asma," dedi sertçe, sonra döndü ve nehrin karşısındaki Mersiya kıyısına baktı. "Bir kral adalet getirmelidir Lord Uhtred. Bu bir kralın işidir. Ve eğer bir ülkenin kralı yoksa, kanunu nasıl olabilir?" Hâlâ yumuşak bir sesle konuşuyordu ama beni sınıyordu. Bir an için telaşlandım. Æthelwold'un bana ne söylediğini öğrenmeye geldiğini sanmıştım ama Mersiya'dan ve kralsızlığından bahsetmesi o soğuk, rüzgârlı ve yağmurlu gecede neler konuşulduğunu zaten bildiğini gösteriyordu. Gözlerini karşı kıyıdan ayırmadan, "Mersiya Kralı olmak isteyen adamlar var," diye devam etti. Durakladı ve Æthelwold'un bana söylediği her şeyi bildiğini düşündüm ama sonra bir şey bilmediğini ele verdi. "Yeğenim Æthelwold istiyor mu?" diye sordu.

Bir kahkaha patlattım. Rahatlamış olduğum için sesim çok yüksek çıkmıştı. "Æthelwold Mersiya Kralı olmak istemiyor!" dedim, "sizin tahtınızı istiyor lordum."

"Bunu sana o mu söyledi?" diye sordu hemen.

"Tabii ki o söyledi," dedim. "Bunu herkese söylüyor!"

"Bu yüzden mi seni görmeye geldi?" diye sordu Alfred, merakını daha fazla gizleyemeyerek.

"At almaya geldi lordum," diye yalan söyledim. "Aygırım Smoca'yı* istiyor ama ona hayır dedim." Smoca'nın postu gri ve siyahın alışılmadık bir karışımıydı, bu yüzden adı Smoca'ydı ve hayatı boyunca koştuğu her yarışı kazanmıştı; üstelik insanlardan, kalkanlardan, silahlardan veya gürültüden korkmazdı. Smoca'yı Britanya'daki herhangi bir savaşçıya satabilirdim.

"Ve kral olmak istediğinden bahsetti?" diye sordu Alfred şüpheyle.

"Tabii ki bahsetti."

"Ama bana söylemedin," dedi sitemle.

"Æthelwold her ihanetten söz ettiğinde size söyleseydim sürekli benden haber alırdınız," dedim. "Şimdi size söylediğim şey onun kafasını kesmeniz gerektiği."

"O benim yeğenim," dedi Alfred sert bir şekilde, "ayrıca kraliyet kanına sahip."

"Yine de yerinden oynatılabilir bir kafası var," diye ısrar ettim.

Sanki fikrim gülünçmüş gibi asabi bir şekilde elini salladı. "Onu Mersiya'ya kral yapmayı düşünebilirdim ama tahtı kaybederdi."

"Kaybederdi," diye kabul ettim.

---

* Duman -çn.

"O zayıf," dedi Alfred küçümseyerek, "ve Mersiya'nın güçlü bir hükümdara ihtiyacı var. Danları korkutacak biri." İtiraf etmeliyim ki o anda beni kastettiğini düşündüm ve ona teşekkür etmeye, hatta dizlerimin üzerine çöküp elini tutmaya hazırdım ama sonra beni aydınlattı. "Bu kişi kuzenin, bence."

"Æthelred!" diye sordum, küçümsememi gizleyemeden. Kuzenim kendini beğenmiş, küçük hıyarın tekiydi ama aynı zamanda Alfred'e de yakındı. O kadar yakındı ki Alfred'in büyük kızıyla evlenecekti.

"Mersiya'da hükümdar olabilir ve benim onayımla hüküm sürebilir," dedi Alfred. Başka bir deyişle benim sefil kuzenim Mersiya'yı Alfred'in tasmasıyla yönetecekti ve doğrusunu söylemek gerekirse bu Alfred açısından benim gibi birinin Mersiya tahtına oturmasından daha iyi bir çözümdü. Æthelflaed ile evli olan Æthelred'in Alfred'in adamı olması daha muhtemeldi ve Mersiya, ya da en azından Wæclingastræt'in güneyindeki kısmı, Wessex'in bir eyaleti gibi olacaktı.

"Kuzenim Mersiya lordu olacaksa Lundene lordu da mı olacak?"

"Elbette."

"O zaman bir sorunu var lordum," dedim. Kendini beğenmiş kuzenimin Nors kontları tarafından komuta edilen binlerce haydutla uğraşmak zorunda kalma ihtimalinden biraz zevk alarak konuştuğumu itiraf etmeliyim. "İki gün önce otuz bir gemiden oluşan bir filo Lundene'e ulaştı," diye devam ettim. "Onlara Sigefrid ve Erik Thurgilson komuta ediyor. Beamfleotlu Haesten bir müttefik. Bildiğim kadarıyla Lordum, Lundene artık Norslara ve Danlara ait."

Alfred bir an için hiçbir şey söylemedi, sadece kuğu istilasına uğramış nehir sularına baktı. Her zamankinden daha solgun görünüyordu. Dişlerini sıktı. "Memnun olmuş gibisin," dedi buruk bir sesle.

"Niyetim bu değildi lordum," dedim.

"Tanrı aşkına bu nasıl olabilir?" diye sordu öfkeyle. Döndü ve gözlerini burhun duvarlarına dikti. "Thurgilson kardeşler Frank Krallığı'ndaydı," dedi. Sigefrid ve Erik'in adını hiç duymamış olabilirdim ama Alfred Viking çetelerinin nerelerde dolaştığını bilmeyi kendine iş edinmişti.

"Şu anda Lundene'deler," dedim acımasızca.

Tekrar sustu. Aklından ne geçtiğini biliyordum. Temes'in diğer krallıklara, dünyanın geri kalanına giden yolumuz olduğunu ve eğer Danlar ve Norslar Temes'i kapatırsa Wessex'in dünya ticaretinin çoğundan kopacağını düşünüyordu. Elbette başka limanlar ve başka nehirler de vardı ama Temes tüm denizlerden gemi çeken büyük bir nehirdi. "Para mı istiyorlar?" diye sordu acı acı.

"Bu Mersiya'nın sorunu lordum," dedim.

"Aptal olma!" diye tersledi beni. "Lundene Mersiya'da olabilir ama nehir ikimize de ait." Tekrar arkasına döndü, sanki uzakta belirecek Nors gemilerinin direklerini görmeyi bekliyormuş gibi nehrin aşağısına baktı. "Eğer gitmeyeceklerse o zaman sürülmeleri gerek," dedi sessizce.

"Evet, lordum."

"Ve bu, kuzenine düğün hediyem olacak," dedi kararlı bir şekilde.

"Lundene?"

"Ve de bunu sen sağlayacaksın," dedi zalimce. "Lundene'i Mersiya yönetimine geri vereceksiniz Lord Uhtred. Hediyesini güvence altına almak için nasıl bir güce ihtiyaç duyacağınızı Aziz David Günü'ne kadar bana bildirin." Kaşlarını çatarak düşündü. "Kuzenin orduya komuta edecek ama seferi planlamak için çok meşgul. Siz gerekli hazırlıkları yapacak ve ona tavsiyelerde bulunacaksınız."

"Öyle mi yapacağım?" diye sordum suratımı ekşiterek.

"Evet, öyle yapacaksınız."

Yemek için kalmadı. Kilisede dualar etti, rahibe manastırına gümüş verdi, sonra *Haligast*'a atlayıp akıntıyla birlikte gözden kayboldu.

Lundene'i ele geçirecek ve tüm övgüyü kuzenim Æthelred'e bırakacaktım.

Ölüyle buluşma çağrısı iki hafta sonra geldi ve beni gafil avladı.

Her sabah, kar seyahat için zorlamadığı sürece, bir ricacı kalabalığı kapımda beklerdi. Coccham'ın yöneticisi, adaleti dağıtan adam bendim ve Alfred burhunun inşa edilebilmesi için bunun şart olduğunu bildiğinden bu yetkiyi bana vermişti. Bana daha fazlasını da vermişti. Kuzey Berrocscire'deki her hasattan onda bir pay alma hakkım vardı; domuz, sığır ve tahıl veriliyordu ve bu gelirle surları oluşturan kerestelerin ve onları koruyan silahların parasını ödüyordum. Burada bir fırsat vardı ve Alfred benden şüpheleniyordu, bu yüzden bana görevi çok fazla çalmadığımdan emin olmak olan Wulfstan adında sinsi bir rahip göndermişti. Yine de çalan Wulfstan'dı. Yazın hafifçe sırıtarak yanıma gelmiş ve kimsenin nehri kullanan tüccarlardan topladığımız vergileri kesin olarak bilemeyeceğini, bu yüzden Alfred'in doğru hesap tutup tutmadığımızı asla tahmin edemeyeceğini söylemişti. Onayımı bekledi ama onun yerine tepesi traşlı kafatasına bir yumruk yedi. Onu sahtekârlığını anlatan bir mektupla Alfred'e gönderdim ve sonra vergileri kendim çaldım. Rahip aptallık etmişti. Suçlarınızı asla ama asla başkalarına anlatamazsınız, eğer gizlenemeyecek kadar büyük bir suç işlerseniz de bunu politikanız ya da devlet iradesi olarak tanımlarsınız.

Çok fazla çalmadım, benim konumumdaki başka bir adamın kenara koyacağından daha fazlasını değil, ayrıca burhun surlarında yaptığım iş Alfred'e görevimi yaptığımı kanıtlıyordu. İnşa etmeyi her zaman sevmişimdir ve hayatın keresteleri ayıran, şekillendiren ve birleştiren yetenekli adamlarla sohbet etmek gibi sıradan çok az eğlencesi vardır. Adalet de dağıttım ve bunu iyi yaptım çünkü Northumbria'da Bebbanburg Lordu olan babam bana bir lordun görevinin yönettiği halka karşı olduğunu ve onları koruduğu sürece pek çok günahlarını affedeceklerini öğretmişti. Bu yüzden her gün şikâyet dinlerdim. Alfred'in ziyaretinden yaklaşık iki hafta sonra iki düzine kadar insanın, bardaktan boşanırcasına yağan yağmurda salonumun dışındaki çamurda diz çöktüğü bir sabahı hatırlıyorum. Şikâyetlerin hepsini artık hatırlayamıyorum ama şüphesiz sınır taşlarının yerinden oynatılması ya da evlilik bedelinin ödenmemesi gibi olağan şikâyetlerdi. Şikâyetçilerin tavırlarına bakarak kararlarımı hızlıca veriyordum. Genellikle meydan okuyan bir şikâyetçinin muhtemelen yalan söylediğini, ağlamaklı bir şikâyetçinin ise içimdeki acıma duygusunu ortaya çıkardığını düşünürdüm. Her kararı doğru verdiğimden şüpheliyim, ancak halk kararlarımdan yeterince memnundu ve zenginleri kayırmak için rüşvet almadığımı biliyordu.

O sabah gelen bir şikayetçiyi hatırlıyorum. Tek başınaydı, bu alışılmadık bir durumdu, çünkü çoğu insan şikâyetlerinin doğruluğuna yemin etmeleri için arkadaşları ya da akrabalarıyla birlikte gelirdi ama bu adam tek başına gelmişti ve sürekli olarak diğerlerinin onun önüne geçmesine izin veriyordu. Benimle en son konuşmak istediği açıktı. Zamanımın çoğunu alacağından şüphelendiğimden sabah oturumunu onu dinlemeden bitirmek istiyordum ama sonunda konuşmasına izin verdim. İnsaflı bir şekilde konuşmasını kısa tuttu.

"Bjorn topraklarımı rahatsız etti lordum," dedi. Diz çökmüştü ve tek görebildiğim kirden kabuk bağlamış karmakarışık saçlarıydı.

Bir an için ismi hatırlayamadım. "Bjorn mu?" diye sordum. "Bjorn kim?"

"Geceleri topraklarımı rahatsız eden adam, lordum."

"Bir Dan mı?" diye sordum şaşkınlıkla.

"Mezarından geliyor lordum," dedi adam. O zaman anladım ve hükümlerimi not eden rahibin çok fazla şey öğrenmemesi için ona sessiz olmasını söyledim.

Şikâyetçinin başını kaldırdığımda cılız bir yüz gördüm. Dilinden Sakson olduğunu tahmin etmiştim ama belki de dilimizi mükemmel konuşan bir Dan'dı, bu yüzden Dancasını sınadım. "Nereden geliyorsun?" diye sordum.

"Rahatsız topraklardan, lordum," diye cevap verdi Danca, ama kelimeleri karıştırmasından bir Dan olmadığı belliydi.

"Yolun ötesinden mi?" Tekrar İngilizce konuşmuştum.

"Evet lordum," dedi.

"Peki Bjorn topraklarınıza bir daha ne zaman gelecek?"

"Yarından sonraki gün, lordum. Ay doğduktan sonra gelecek."

"Bana rehberlik etmek için mi gönderildin?"

"Evet, lordum."

Ertesi gün yola çıktık. Gisela da gelmek istedi ama çağrıya tam olarak güvenmediğim için ona izin vermedim ve bu güvensizlik yüzünden altı adamla at sürdüm; Finan, Clapa, Sihtric, Rypere, Eadric ve Cenwulf. Son üçü Sakson; Clapa ve Sihtric Dan'dı; Finan ise hanedan birliklerime komuta eden ateşli bir İrlandalıydı ve altısı da benim yeminli adamlarımdı.

Onların hayatı benim hayatım, benim hayatım onların hayatıydı. Milisler ve hanedan birliklerimin geri kalanı tarafından korunan Gisela Coccham'ın duvarlarının arkasında kaldı.

Zırhlıydık ve silah taşıyorduk. Önce batıya ve kuzeye gittik çünkü kış Temes Nehri'ni kabartmıştı ve geçilebilecek kadar sığ bir geçit bulmak için nehrin yukarısına doğru uzun bir yol kat etmemiz gerekti. Welengaford'da başka bir burh vardı. İstinat duvarlarının bitmemiş olduğunu ve kazıklı çit yapılacak kerestenin kesilmeyip çamurda çürümeye bırakılmış olduğunu fark ettim. Oslac adında bir adam olan garnizon komutanı nehri neden geçtiğimizi bilmek istiyordu, bunu bilmek hakkıydı çünkü Wessex ile kanunsuz Mersiya arasındaki sınırın bu kısmını o koruyordu. Bir firarinin Coccham'dan kaçtığını ve Temes'in kuzey kıyısında gizlendiğini düşündüğümü söylediğimde Oslac hikâyeye inandı. Yakında Alfred'in kulağına giderdi.

Çağrıyı getiren adam rehberimizdi. Adı Huda'ydı ve bana Wæclingastræt'in doğu yakasında bir arazisi olan Eilaf adında bir Dan'a hizmet ettiğini söyledi. Bu da Eilaf'ı bir Doğu Anglialı ve Kral Guthrum'un tebaasından biri yapıyordu. "Eilaf Hristiyan mı?" diye sordum Huda'ya.

"Hepimiz Hristiyanız lordum," dedi Huda, "Kral Guthrum öyle istiyor."

"Peki Eilaf boynuna ne takıyor?" diye sordum.

"Sizinle aynı şeyi, lordum," dedi. Hristiyan olmadığım için Thor'un çekicini takıyordum ve Huda'nın cevabı bana Eilaf'ın da benim gibi eski tanrılara taptığını, ancak kralı Guthrum'u memnun etmek için Hristiyan tanrısına inanıyormuş gibi davrandığını söylüyordu. Guthrum'u Wessex'e saldırmak için büyük ordular yönettiği günlerde tanımıştım ama artık yaşlanıyordu. Düşmanının dinini benimsemişti ve görünüşe göre artık tüm Britanya'yı yönetmek istemiyor, krallığı olan Doğu Anglia'nın geniş ve verimli topraklarıyla yetiniyordu. Yine de topraklarında memnun olmayan pek çok kişi vardı. Sigefrid, Erik, Haesten ve muhtemelen Eilaf. Onlar Nors ve Dan'dılar, savaşçıydılar; Thor'a ve Odin'e kurban veriyor, kılıçlarını keskin tutuyor ve tüm Norsların yaptığı gibi Wessex'in daha zengin topraklarının hayalini kuruyorlardı.

Mersiya'dan, kralsız topraklardan geçtik. Birçok çiftliğin yakıldığını, onlardan kalan tek izin artık yabani otların büyüdüğü kavrulmuş bir toprak parçası olduğunu fark ettim. Eskiden sabanla sürülen toprakları yabani otlar kaplamıştı. Fındık fidanları otlakları istila etmişti. Hâlâ yaşanılan yerlerde halk korku içindeydi ve bizim geldiğimizi gördüklerinde ya ormanlık alanlara kaçıyor ya da kendilerini çitlerin arkasına saklıyorlardı. "Burayı kim yönetiyor?" diye sordum Huda'ya.

"Danlar," dedi, sonra başını batıya doğru salladı, "Saksonlar orada."

"Eilaf bu toprakları istemiyor mu?'

"Çoğuna sahip lordum," dedi Huda, "ama Saksonlar onu taciz ediyor."

Alfred ile Guthrum arasındaki antlaşmaya göre bu topraklar Saksonlarındı ama Danlar toprağa açtı ve Guthrum tüm soylularını kontrol edemiyordu. Yani burası savaş topraklarıydı, iki tarafın da kasvetli, önemsiz ve bitmek bilmeyen bir savaş verdiği yer ve Danlar bana buranın tacını teklif ediyordu.

Ben bir Sakson'um. Bir kuzeyli. Bebbanburglu Uhtred'im ama Danlar tarafından yetiştirilmiştim ve onların yöntemlerini biliyordum. Onların dilini konuşuyordum, bir Dan'la evliydim ve onların tanrılarına tapıyordum. Eğer burada kral olursam Saksonlar Sakson bir hükümdarları olduğunu bilecekler, Danlar ise Kont Ragnar'ın oğlu olduğum için beni bağırlarına basacaklardı. Ama burada kral olmak Alfred'e sırt çevirmek ve eğer ölü adam doğru söylediyse Alfred'in sarhoş yeğenini Wessex tahtına oturtmak demekti. Peki Æthelwold ne kadar dayanabilirdi? Danlar kendisini öldürmeden önce bir yıldan az, diye tahmin ettim. Sonra bir Dan gibi düşünen bir Sakson olarak benim kral olacağım Mersiya dışında tüm İngiltere Dan egemenliği altına girecekti. Peki Danlar bana ne kadar tahammül edecekti?

"Kral olmak istiyor musun?" diye sormuştu Gisela yola çıkmadan önceki gece.

"Olacağımı hiç düşünmemiştim," diye cevap verdim ihtiyatla.

"O zaman neden gidiyorsun?"

Gözlerimi ateşe dikmiştim. "Çünkü ölü adam Nornlardan bir mesaj getiriyor," dedim ona.

Muskasına dokunmuştu. "Kader amansızdır," dedi usulca. *Wyrd bið ful ãræd.*

"Öyleyse gitmeliyim," dedim, "çünkü kader bunu gerektiriyor, çünkü ölü bir adamın konuştuğunu görmek istiyorum."

"Peki ya ölü adam kral olacağını söylerse?"

"O zaman sen de kraliçe olursun," dedim.

"Peki Alfred ile savaşacak mısın?" diye sordu Gisela.

"Eğer Nornlar savaşmamı söylerse," dedim.

"Peki ona olan yeminin?"

"Bu cevabı Nornlar biliyor," dedim, "ben bilmiyorum."

Doğuya ve kuzeye doğru meyleden kayın kaplı tepelerin altından geçtik. Geceyi ıssız bir çiftlikte geçirdik ve içimizden biri hep uyanık kaldı. Hiçbir şey bizi rahatsız etmedi. Şafakta, kılıç çeliği renginde bir gökyüzünün altında yolumuza devam ettik. Benim atlarımdan birine binmiş olan Huda önden gidiyordu. Onunla bir süre konuştum ve bir avcı olduğunu, Eilaf tarafından öldürülen bir Sakson lorduna hizmet ettiğini ve Dan'ın lordluğu altında kendini mutlu saydığını öğrendim. Wæclingastræt'e yaklaştıkça cevapları daha isteksiz ve kısa bir hal almaya başladı, bu yüzden bir süre sonra Finan'ın yanında at sürmek için geri çekildim. "Ona güveniyor musun?" diye sordu Finan, Huda'ya doğru başını sallayarak.

Omuz silktim. "Efendisi Sigefrid ve Haesten'in emirlerini yerine getiriyor," dedim, "ayrıca Haesten'i tanıyorum. Onun hayatını kurtardım ve bunun bir anlamı olmalı."

Finan bunu düşündü. "Onun hayatını mı kurtardın? Nasıl kurtardın?"

"Onu bazı Frizyalıların elinden kurtardım. O da bana yemin etti."

"Ve yeminini bozdu mu?"

"Bozdu."

"Yani Haesten'e güven olmaz," dedi Finan katı bir şekilde. Hiçbir şey söylemedim. Üç geyik çıplak bir otlağın uzak tarafında kaçmaya hazır bekliyordu. Çiğdemlerin yetiştiği bir çitin yanındaki oldukça geniş bir patikada ilerliyorduk. "İstedikleri şey Wessex," diye devam etti Finan. "Wessex'i almak için savaşmak zorundalar ve senin Alfred'in en büyük savaşçısı olduğunu biliyorlar."

"İstedikleri şey Coccham'daki burh," dedim. Bunu elde etmek için de bana Mersiya tacını teklif ediyorlardı ancak bu teklifi Finan'a ya da başka bir adamıma açıklamamıştım. Sadece Gisela'ya söylemiştim.

Elbette çok daha fazlasını istiyorlardı. Lundene'i istiyorlardı çünkü onlara Temes üzerinde surlarla çevrili bir yerleşim yeri verecekti ama Lundene Mersiya kıyısındaydı ve Wessex'i istila etmelerine yardımcı olmazdı. Ama onlara Coccham'ı verirsem nehrin güney kıyısında olacaklardı ve Coccham'ı

Wessex'in derinliklerine akın yapmak için bir üs olarak kullanabileceklerdi. En azından Alfred Coccham'ı terk etmeleri için onlara para ödeyecekti ve böylece onu tahttan indirmeyi başaramasalar bile çok fazla gümüş kazanacaklardı.

Yine de Sigefrid, Erik ve Haesten'in sadece gümüş peşinde olmadıklarını düşündüm. Ödül Wessex'ti ve Wessex'i kazanmak için adama ihtiyaçları vardı. Guthrum onlara yardım etmeyecekti, Mersiya Danlar ve Saksonlar arasında bölünmüştü ve evlerini korumasız bırakmaya razı gelecek çok az adam sağlayabilirdi ancak Mersiya'nın ötesinde Northumbria vardı ve Northumbria'nın büyük bir Dan savaşçının sadakatini kazanmış Dan bir kralı vardı. Kral Gisela'nın kardeşiydi, savaşçı ise Ragnar'dı, benim arkadaşım. Beni satın alarak Northumbria'yı savaşlarına dahil edebileceklerine inanıyorlardı. Danimarkalı kuzey, Sakson güneyi fethedecekti. İstedikleri buydu. Danlar, kendimi bildim bileli bunu istemişti. Tek yapmam gereken Alfred'e ettiğim yemini bozup Mersiya'ya kral olmaktı, böylece bazılarının İngiltere dediği topraklar Danimarka olacaktı. Ölü adamın beni bu yüzden çağırdığını tahmin ediyordum.

Gün batımında Wæclingastræt'e geldik. Romalılar yolu çakıllı bir yatak ve taş kenarlarla güçlendirmişti ve taş işçiliğinin bir kısmı, Durocobrivis V yazan yosun tutmuş bir mil taşının bulunduğu soluk kış otlarının arasından hâlâ görünüyordu. "Durocobrivis nedir?" diye sordum Huda'ya.

Burasının önemsiz bir yer olduğunu belirtircesine omuz silkerek "Biz ona Dunastopol deriz," dedi.

Yolun karşısına geçtik. İyi yönetilen bir ülkede yolcuları korumak için yolda devriye gezen muhafızlar görmeyi beklerdim ama görünürde hiç kimse yoktu. Sadece yakındaki bir ormanda uçan kargalar ve batı gökyüzünde süzülen gümüş rengi bulutlar vardı, önümüzdeki Doğu Anglia'nın üzerine ise koyu bir karanlık çökmüştü. Kuzeyde, Dunastopol'a doğru alçak tepeler uzanıyordu ve Huda bizi bu tepelere ve çıplak elma ağaçlarının kasvet içinde dimdik durduğu uzun, sığ bir vadiye doğru götürdü. Eilaf'ın salonuna vardığımızda gece çökmüştü.

Eilaf'ın adamları beni zaten bir kralmışım gibi karşıladı. Hizmetkârlar atlarımızı almak için surların kapısında bekliyordu ve bir başkası da salonun kapısında diz çökerek bana bir tas su ve ellerimi kurulamam için bir bez uzattı. Bir kâhya iki kılıcımı, uzun ağızlı Yılan Nefesi'ni ve İğne denen bağırsak deşiciyi aldı. Onları sanki hiçbir adamın salonda kılıç taşıyamayacağı geleneğinden pişmanlık duyuyormuş gibi saygıyla aldı ama bu iyi bir gelenekti. Kılıç ile bira iyi anlaşamazdı.

Salon kalabalıktı. Çoğu zırh ya da deri giymiş en az kırk adam kirişli çatıyı dumanla dolduracak kadar büyük bir ateşin yandığı ortadaki ocağın iki yanında duruyordu. İçeri girdiğimde adamlardan bazıları eğildi, diğerleri ise ocağın yanında karısı ve iki oğluyla duran ev sahibimi selamlamak için yürürken bana baktı. Haesten yanlarındaydı ve sırıtıyordu. Bir hizmetçi bana bir kupa bira getirdi.

"Lord Uhtred!" diye selamladı Haesten beni yüksek sesle, böylece salondaki her erkek ve kadın kim olduğumu bilecekti. Haesten'in muzip bir sırıtışı vardı, sanki onunla bu salonda gizli bir şakayı paylaşıyormuşuz gibi. Altın renginde saçları, kare bir yüzü, parlak gözleri vardı ve yeşile boyanmış ince yünden bir tunik giymişti; tuniğin üzerinde gümüşten kalın bir zincir asılıydı. Kollarında altın ve gümüş halkalar, uzun çizmelerinde ise gümüş broşlar vardı. "Sizi gördüğüme sevindim lordum," dedi, hafifçe eğilerek.

"Hâlâ hayatta mısın Haesten?" diye sordum, ev sahibimi görmezden gelerek.

"Hâlâ hayattayım lordum," dedi.

"Buna şaşmamalı," dedim, "seni en son Ethandun'da görmüştüm."

"Hatırladığım kadarıyla yağmurlu bir gündü lordum," dedi.

"Ve sen bir tavşan gibi koşuyordun, Haesten," dedim.

Yüzünün karardığını gördüm. Onu korkaklıkla suçlamıştım ama benim adamım olmaya yemin ettiği ve beni terk ederek yeminine ihanet ettiği için benden gelecek bir saldırıyı hak etmişti.

Belayı sezen Eilaf boğazını temizledi. Uzun boylu, ağır bir adamdı ve saçları şimdiye kadar gördüğüm en parlak kırmızıydı. Kıvırcıktı, sakalı da kıvırcıktı ve hem saçı hem sakalı alev rengindeydi. Ona Kızıl Eilaf diyorlardı. Uzun boylu ve iri yapılı olmasına rağmen her nasılsa kendi yeteneklerine yüce bir güven duyan Haesten'den daha küçük görünüyordu. "Hoş geldiniz Lord Uhtred," dedi Eilaf.

Onu görmezden geldim. Haesten hâlâ yüzü asık bir şekilde beni izliyordu, ama bense ona doğru sırıttım. "Yine de o gün Guthrum'un tüm ordusu kaçtı," dedim, "kaçmayanların hepsi ise öldü. Bu yüzden seni kaçarken gördüğüme sevindim."

O zaman gülümsedi. "Ethandun'da sekiz adam öldürdüm," dedi. Adamlarının onun korkak olmadığını bilmesini istiyordu.

"O zaman senin kılıcınla karşılaşmadığım için memnunum," dedim, az önceki hakaretimi yapmacık bir iltifatla tamamlayarak. Sonra kızıl saçlı Eilaf'a döndüm. "Ya sen, sen de Ethandun'da mıydın?" diye sordum.

"Hayır lordum," dedi.

"O zaman eşine az rastlanır bir dövüşü kaçırdın," dedim. "Öyle değil mi Haesten? Unutulmayacak bir dövüş!"

"Yağmurda bir katliam, lordum," dedi Haesten.

"Ve hâlâ topallıyorum," dedim; topalladığım doğruydu ancak ciddi değildi ve beni rahatsız etmiyordu.

Diğer üç adamın, üç Dan'ın adını söylediler. Üçü de iyi giyimliydi ve üçünün de hünerlerini gösteren kol halkaları vardı. Artık isimlerini unuttum ama beni görmek için oradaydılar ve yandaşlarını da yanlarında getirmişlerdi. Haesten tanıştırma konuşmasını yaparken benimle gösteriş yapmaya çalıştığını anladım. Benim ona katıldığımı ve dolayısıyla onların da ona katılmasının güvenli olduğunu kanıtlıyordu. Haesten o salonda bir isyanın fitilini ateşliyordu. Onu bir köşeye çektim. "Kim bunlar?" diye sordum.

"Guthrum'un krallığının bu kısmında toprakları ve adamları var."

"Ve onların adamlarını mı istiyorsun?"

Haesten basitçe, "Bir ordu kurmalıyız," dedi.

Ona baktım. Bu isyanın sadece Doğu Anglialı Guthrum'a değil, Wessexli Alfred'e de karşı olduğunu ve eğer başarıya ulaşacaksa tüm Britanya'nın kılıç, mızrak ve baltayla ayaklandırılması gerektiğini düşündüm. "Peki ya size katılmayı reddedersem?" diye sordum.

"Katılacaksınız, lordum," dedi kendinden emin bir şekilde.

"Katılacak mıyım?" diye sordum.

"Çünkü bu gece, lordum, ölüler sizinle konuşacak." Haesten gülümsedi ve tam o sırada Eilaf araya girerek her şeyin hazır olduğunu söyledi. Haesten boynundaki çekiç muskaya dokunarak, "Ölüyü dirilteceğiz," dedi dramatik bir şekilde, "ve sonra ziyafet vereceğiz." Salonun arka tarafındaki kapıyı işaret etti. "Bu taraftan, lordum. Bu taraftan."

Ve böylece ölülerle buluşmaya gittim.

Haesten bizi karanlığa götürdü ve bu kadar karanlıkta ölülerin dirilip konuştuğunu söylemenin ne kadar kolay olduğunu düşündüğümü hatırlıyorum. Nereden bilebiliriz ki? Cesedi belki duyabilirdik ama göremezdik; bu yüzden tam itiraz etmek üzereydim ki Eilaf'ın iki adamı ellerinde gecenin rutubetinde parlayan meşalelerle salondan çıktı. Bizi bir domuz ağılının önünden geçirdiklerinde hayvanların gözleri ateş ışığında parladı. Biz salondayken yağmur yağmıştı, sadece geçici bir kış sağanağıydı ama çıplak dallardan hâlâ su damlıyordu. Birazdan tanık olacağımız büyücülükten tedirgin olan Finan bana yakın duruyordu.

Yokuş aşağı bir patikayı takip ederek bir ahır olduğunu tahmin ettiğim yerin yanındaki küçük bir otlağa vardık. Meşaleler bekleyen odun yığınlarına tutuldu. Odunlar öyle çabuk tutuştu ki alevler yükselerek ahırın ahşap duvarını ve ıslak sazlarını aydınlattı. Işık arttıkça buranın bir otlak değil, bir mezarlık olduğunu gördüm. Küçük tarla alçak toprak yığınlarıyla doluydu ve hayvanların ölüleri eşelemesini engellemek için sağlam bir çitle çevrilmişti.

Yanımda beliren Huda ahır olduğunu tahmin ettiğim yere başıyla işaret ederek "Orası bizim kilisemizdi," diye açıkladı.

"Hristiyan mısın?" diye sordum.

"Evet lordum. Ama artık rahibimiz yok." İstavroz çıkardı. "Ölülerimiz ebedi istirahatgâhlarına günah çıkaramadan gidiyor."

"Hristiyan mezarlığında bir oğlum var," dedim ve bunu neden söylediğimi merak ettim. Ölen küçük oğlumu nadiren düşünürdüm. Onu tanımamıştım. Annesi ve ben birbirimize yabancıydık. Yine de o karanlık gecede, o ıslak ölüler diyarında onu hatırladım. "Dan bir skald neden bir Hristiyan mezarına gömüldü?" diye sordum Huda'ya. "Bana onun Hristiyan olmadığını söylemiştin."

"Burada öldü lordum ve biz onu bunu bilmeden önce gömdük. Belki de bu yüzden huzursuzdur?'

"Belki," dedim, sonra arkamdaki boğuşmayı duydum ve keşke Eilaf'ın salonundan ayrılmadan önce kılıçlarımı istemeyi akıl etseydim diye düşündüm.

Bir saldırı bekleyerek döndüm ama bunun yerine iki adamın bir üçüncüyü bize doğru sürüklediğini gördüm. Üçüncü adam zayıf, genç ve sarı saçlıydı. Gözleri alev ışığında kocaman görünüyordu. İnliyordu. Onu sürükleyen adamlar çok daha iri olduğundan çırpınışları işe yaramıyordu. Şaşkınlıkla Haesten'a baktım.

"Ölüyü diriltmek için, lordum, boşluğun ötesine bir haberci göndermeliyiz," diye açıkladı.

"Kim o?"

"Bir Sakson," dedi Haesten umursamazca.

"Ölmeyi hak ediyor mu?" diye sordum. Ölümden korkan biri değildim ama Haesten'in birini bir çocuğun fareyi boğması gibi öldürebileceğini hissediyordum ve eğer ölmeyi hak etmemişse bir adamın ölümünün vicdanımı sızlatmasını istemiyordum. Bu, bir adamın Odin'in salonunun ebedi sevinçlerine kavuşma şansının olduğu bir savaş değildi.

Haesten, "O bir hırsız," dedi.

"Hem de ne hırsız," diye ekledi Eilaf.

Genç adamın yanına gittim, çenesini tutarak başını kaldırdım ve alnında hüküm giymiş bir hırsızın damgasının olduğunu gördüm. "Ne çaldın?" diye sordum.

"Bir ceket, lordum," diye cevap verdi fısıltıyla. "Üşüyordum."

"Bu ilk hırsızlık mıydı?" diye sordum, "yoksa ikincisi mi?"

"İlki bir kuzuydu," dedi Eilaf arkamdan.

"Açtım lordum," dedi genç adam, "ve çocuğum açlıktan ölüyordu."

"İki kez hırsızlık yaptın, bu da ölmen gerektiği anlamına geliyor," dedim. Kanunsuz yerde bile kanun buydu. Genç adam ağlıyordu ama bana bakmaya devam etti. Merhamet edip hayatını bağışlamamı emredebileceğimi düşündü ama arkamı döndüm. Hayatım boyunca pek çok şey çaldım, neredeyse hepsi bir kuzu ya da ceketten daha değerliydi ama sahibi izlerken ve malını kılıcıyla savunabilecekken çaldım. Ölmeyi hak eden karanlıkta çalan hırsızdır.

Huda tekrar tekrar istavroz çıkarıyordu. Çok gergindi. Genç hırsız, muhafızlarından biri ağzına sert bir tokat atana kadar anlaşılmaz kelimelerle bana bağırdı, sonra sadece başını eğip ağladı. Finan ve üç Sakson'un boyunlarındaki haçları tutuyordu.

"Hazır mısınız lordum?" diye sordu Haesten.

"Evet," dedim, kendimden emin görünmeye çalışarak ama aslında ben de Finan kadar gergindim. Bizim dünyamızla ölüler diyarı arasında bir perde bulunur ve bir yanım o perdenin kapalı kalmasını diliyordu. İçgüdüsel olarak Yılan Nefesi'nin kabzasını aradım ama tabii ki yanımda değildi.

Haesten, "Mesajı onun ağzına sokun," diye emretti. Gardiyanlardan biri genç adamın ağzını açmaya çalıştı ama mahkûm bir bıçak dudaklarına saplanana kadar direndi, sonra ağzını sonuna kadar açtı. Dilinin üzerine bir nesne itildi. "Bir arp teli," diye açıkladı Haesten bana, "Bjorn bunun ne anlama geldiğini bilecek. Öldürün onu," diye ekledi muhafızlara.

"Hayır!" diye bağırdı genç adam, sarmal teli ağzından tükürerek. İki adam onu toprak yığınlarından birine sürüklerken çığlık atmaya ve ağlamaya başladı. Tümseğin iki yanında durup tutsaklarını mezarın üzerinde tuttular. Ay bulutların arasındaki bir aralıktan gümüş bir ışık saçıyordu. Kilise avlusu yeni yağmış yağmur kokuyordu. "Hayır, lütfen, hayır," genç adam titriyor, ağlıyordu. "Bir karım var, çocuklarım var, hayır! Lütfen!"

"Öldürün onu," diye emretti Kızıl Eilaf.

Muhafızlardan biri arpın telini habercinin ağzına geri soktu, sonra da çenesini kapalı tuttu. Genç adamın başını sertçe arkaya yatırarak boğazını açığa çıkardı ve ikinci Dan kılıcını hızlı, tecrübe edilmiş bir hamleyle adamın boğazına batırıp sert bir şekilde çekti. Boğuk, gırtlaktan gelen bir ses duydum ve iki adamın üzerine sıçrayan, mezarın ve nemli otların üzerine düşen kanın alev ışığında simsiyah fokurdadığını gördüm. Kan akışı zayıflarken habercinin bedeni bir süre daha seğirdi ve çırpındı. Sonunda genç adam kendisini esir alanların arasına yığıldı ve son kan damlaları da yavaşça mezarın üzerine döküldü. Ancak daha fazla kan akmadığında onu sürükleyerek götürdüler ve cesedini mezarlığın ahşap çitinin yanına bıraktılar. Nefesimi tutuyordum. Hiçbirimiz kımıldamadık. Gecenin karanlığında kanatları şaşırtıcı derecede beyaz bir baykuş hemen üstümden uçtu ve hırsızın ruhunun öteki dünyaya gittiğini gördüğüme inanarak içgüdüsel şekilde çekiç muskama dokundum.

Haesten kana bulanmış mezarın yakınında durdu. "Kanı aldın, Bjorn!" diye bağırdı. "Sana bir hayat verdim! Sana bir mesaj gönderdim!"

Hiçbir şey olmadı. Rüzgâr kilisenin çatısına vuruyordu. Karanlıkta bir yerde bir hayvan kımıldadı, sonra hareketsiz kaldı. Ateşlerin birinde bir kütük devrildi ve kıvılcımlar havaya yükseldi.

"Kanı aldın!" diye bağırdı Haesten tekrar. "Daha fazla mı kana ihtiyacın var?"

Hiçbir şey olmayacağını düşündüm. Bu yolculuğu boşuna yapmıştım.

Ve sonra mezar hareket etti.

İki

Mezarın tümseği yerinden oynadı.

Kalbimi sıkıştıran bir soğukluk ve beni tüketen bir dehşet hatırlıyorum ama ne nefes alabiliyor ne de hareket edebiliyordum. Dehşeti bekleyerek sabit durdum ve izledim.

Toprak sanki bir köstebek küçük tepesinden dışarı tırmanıyormuş gibi hafifçe içeri çöktü. Daha fazla toprak kaydı ve gri bir şey belirdi. Gri şey kıpırdandı. Tümsekten yükselirken toprak daha hızlı kaymaya başladı. Yarı karanlıktaydı, çünkü ateşler arkamızdaydı ve gölgelerimiz o kış toprağından doğan hayalete, parçalanmış mezarından sendeleyerek çıkan pis, hayalet cesede vuruyordu. Kıpırdanan, düşeyazan, dengesini bulmaya çalışan ve sonunda ayağa kalkan ölü bir adam gördüm.

Finan kolumu kavradı. Böyle bir şey yaptığından haberi yoktu. Huda diz çökmüş boynundaki haçı tutuyordu. Bense sadece bakıyordum.

Ceset can çekişen bir adam gibi öksürme ve boğulma sesleri çıkardı. Ağzından bir şey tükürdü, tekrar tıkandı, sonra yavaşça doğrulup tamamen dik durdu. Alevlerin gölgeli ışığında ölü adamın kirli gri bir kefen giymiş olduğunu gördüm. Kirden çizgi çizgi olmuş solgun bir yüzü vardı, hiçbir çürümenin etkilemediği bir yüz. İnce omuzlarına dökülen uzun saçları beyazlamıştı. Güçlükle nefes alıyordu, tıpkı ölmekte olan bir adamın güçlükle nefes alması gibi. O zaman bu gerçek, diye düşündüğümü hatırlıyorum, çünkü bu adam ölümden dönüyordu ve tıpkı ölüm yolculuğuna çıktığında olduğu gibi ses çıkarması gerekiyordu. Uzun bir süre inledikten sonra ağzından bir şey çıkardı. Onu bize doğru fırlattı. Onun sarmal bir arp teli olduğunu görmeden önce istemsizce geriye doğru bir adım attım. O anda, gördüğüm imkânsız şeyin gerçek olduğunu anladım çünkü muhafızların arp telini elçinin ağzına zorla soktuklarını görmüştüm ve işte ceset bize bu işareti aldığını gösteriyordu. "Beni rahat bırakmayacaksınız," diye konuştu ölü adam kuru, kısık bir sesle. Yanımdaki Finan iniltiye benzeyen umutsuz bir inilti çıkardı.

"Hoş geldin Bjorn," dedi Haesten. Haesten içimizde cesedin canlı varlığından endişe duymayan tek kişi gibiydi. Hatta sesi neşeliydi.

"Huzur istiyorum," dedi Bjorn boğuk sesiyle.

"Bu Lord Uhtred," dedi Haesten beni göstererek, "pek çok iyi Dan'ı yaşadığın yere gönderdi."

Bjorn acı bir sesle, "Ben yaşamıyorum," dedi. Homurdanmaya başladı ve sanki gece havası ciğerlerini acıtıyormuş gibi göğsü kasılarak inip kalktı. Haesten'e, "Seni lanetliyorum," dedi, ama o kadar güçsüzdü ki kelimelerinin hiçbir tehdidi yoktu.

Haesten güldü. "Bugün bir kadınla birlikte oldum, Bjorn. Kadınları hatırlıyor musun? Yumuşak kalçalarının verdiği hissi? Tenlerinin sıcaklığını? Onlara bindiğinde çıkardıkları sesi hatırlıyor musun?"

"Hel seni sonsuza dek öpsün," dedi Bjorn, "son kaosa kadar." Hel ölülerin tanrıçası, bir tanrıçanın çürüyen cesediydi ve lanet korkunçtu ama Bjorn yine o kadar güçsüzce konuşmuştu ki bu ikinci lanet de ilki kadar boş kaldı. Ölü adamın gözleri kapalıydı, göğsü hâlâ inip kalkıyordu ve elleri soğuk havayı kavramaya çalışan hareketler yapıyordu.

Dehşet içindeydim. Bunu itiraf etmekte bir sakınca görmüyorum. Bu dünyada ölülerin topraktaki kabirlerine gittikleri ve orada kaldıkları kesindir. Hristiyanlar cesetlerimizin bir gün dirileceğini, havanın bizi çağırmak için boynuzlarını üfleyen meleklerle dolacağını ve ölüler topraktan çıkarken gökyüzünün dövülmüş altın gibi parlayacağını söylüyor ama ben buna hiç inanmadım. Ölürüz, öbür dünyaya gideriz ve orada kalırız ama Bjorn geri dönmüştü. Karanlığın rüzgârlarıyla ve ölümün gelgitleriyle savaşmış, bu dünyaya geri dönmek için mücadele etmişti ve şimdi vıraklayarak cılız, uzun, dipis haliyle karşımızda duruyordu. Titriyordum. Finan tek dizinin üzerine çökmüştü. Diğer adamlarım arkamdaydı ama benim titrediğim gibi onların da titrediğini biliyordum. Sadece Haesten ölü adamın varlığından etkilenmemiş görünüyordu. Bjorn'a, "Lord Uhtred'e Nornların sana söylediklerini anlat," diye emretti.

Nornlar dokumacılardır, hayat ağacı Yggdrasil'in köklerinde yaşamın ipliğini eğiren üç kadın. Ne zaman bir çocuk doğsa yeni bir iplik başlatırlar. İpliğin nereye gideceğini, başka hangi ipliklerle birlikte dokunacağını ve nerede sonlanacağını bilirler. Her şeyi bilirler. Otururlar, eğirirler ve bize gülerler, bazen bize iyi talih yağdırırlar, bazen de bizi acıya ve gözyaşlarına mahkûm ederler.

Haesten sabırsızca "Nornların onun hakkında ne dediğini söyle ona," diye emretti.

Bjorn hiçbir şey söylemedi. Göğsü kabardı ve elleri seğirdi. Gözleri kapalıydı.

"Söyle ona," dedi Haesten, "ben de sana arpını geri vereyim."

"Arpımı, arpımı istiyorum," dedi Bjorn acıklı bir şekilde.

"Onu mezarına geri koyacağım," dedi Haesten, "böylece ölülere şarkı söyleyebileceksin. Ama önce Lord Uhtred ile konuş."

Bjorn gözlerini açıp bana baktı. O kara gözlerden irkildim ama hissetmediğim bir cesaretle bakmaya devam ettim.

"Sen kral olacaksın Lord Uhtred," dedi, sonra acı çeken bir yaratık gibi uzun bir inilti çıkardı. "Kral olacaksın," diye ağladı.

Rüzgâr soğuktu. Yanağıma bir yağmur damlası düştü. Hiçbir şey söylemedim.

"Mersiya Kralı," dedi Bjorn ani ve şaşırtıcı derecede yüksek bir sesle. "Saksonların ve Danların kralı, Galler'in düşmanı, nehirler arasındaki kral. Sen hükmettiğin her şeyin efendisi olacaksın. Kudretli olacaksın Lord Uhtred, çünkü üç dokumacı seni seviyor." Bana baktı ve söylediği kader parlak bir kader olsa da ölü gözlerinde kötü bir niyet vardı. "Kral olacaksın," dedi ve son kelimeyi söylerken ağzından zehir saçar gibiydi.

O anda korkum geçti, yerini bir gurur ve güç duygusu aldı. Bjorn'un mesajından şüphe etmedim çünkü tanrılar öylesine konuşmaz ve dokumacılar kaderimizi bilir. Biz Saksonlar *wyrd bið ful ãræd* deriz ve Hristiyanlar bile bu gerçeği kabul eder. Üç Norn'un varlığını inkâr edebilirler ama onlar da bilirler ki *wyrd bið ful ãræd.* Kader amansızdır. Kader değiştirilemez. Kader bizi yönetir. Hayatlarımız biz onları yaşamadan önce belirlenmişir ve ben Mersiya Kralı olacaktım.

O anda Bebbanburg'u düşünmemiştim. Bebbanburg benim toprağım, kuzey denizi kıyısındaki kalem, evim. Tüm hayatımı ben çocukken onu benden çalan amcamdan geri almaya adadığıma inanıyordum. Rüyalarımda Bebbanburg'un kayalarının gri denizi beyaza bürüdüğünü görürdüm ve fırtınaların salonunun sazdan çatısını parçaladığını hissederdim, ama Bjorn konuştuğunda Bebbanburg'u düşünmedim. Bir kral olmayı düşündüm. Bir ülkeyi yönetmeyi. Düşmanlarımı ezmek için büyük bir orduya liderlik etmeyi.

Alfred'i, ona karşı olan görevimi ve ona verdiğim sözleri düşündüm. Kral olmak için yemin bozan biri olmam gerektiğini biliyordum ama yeminler kime edilir? Krallara, dolayısıyla bir kralın bir adamı yemininden azat etme yetkisi vardır. Kendime bir kral olarak kendimi her türlü yeminden azat edebileceğimi söyledim ve tüm bunlar zihnimde, harman yerinde samanları gökyüzüne savuran bir rüzgâr gibi savruldu. Sağlıklı düşünemiyordum. Rüzgârda savrulan saman kadar kafam karışıktı ve Alfred'e ettiğim yemini kral olacağım geleceğim ile karşılaştırmadım. Sadece önümde iki yol gördüm; biri sert ve engebeli, diğeri krallığa giden geniş ve yeşil bir yol. Ayrıca, başka ne seçeneğim vardı ki? *Wyrd bið ful āræd.*

Sonra, sessizlikte, Haesten aniden önümde diz çöktü. "Kralım," dedi, sesinde beklenmedik bir saygıyla.

"Bana ettiğin yemini bozdun," dedim sertçe. Bunu neden o zaman söyledim? Onunla daha önce, salonda yüzleşebilirdim ama bu suçlamayı o açılan mezarın yanında yapmıştım.

"Bozdum, kralım," dedi, "ve pişmanım."

Durakladım. Ne düşünüyordum ki? Zaten kral olduğumu mu? "Seni affediyorum," dedim. Kalp atışlarımı duyabiliyordum. Bjorn sadece izliyordu ve yanan meşalelerin ışığı yüzüne derin gölgeler düşürüyordu.

Haesten, "Size teşekkür ederim, kralım," dedi. Yanındaki Kızıl Eilaf ve onunla birlikte herkes o nemli mezarlıkta, benim önümde diz çöktü.

"Henüz kral değilim," dedim, Haesten'e karşı kullandığım kibirli ses tonundan birden utanarak.

"Olacaksınız lordum," dedi Haesten. "Nornlar öyle söylüyor."

Cesede döndüm. "Üç dokumacı başka ne söyledi?"

"Kral olacaksın," dedi Bjorn, "diğer kralların da kralı olacaksın. Nehirler arasındaki toprakların efendisi ve düşmanlarının belası olacaksın. Kral olacaksın." Aniden durdu, kasıldı ve vücudunun üst kısmı öne doğru sarsıldı, sonra kasılmalar durdu ve hareketsiz kaldı, öne doğru eğilip ağır ağır öğürerek, yavaşça çürümüş toprağın üzerine yığıldı.

"Onu gömün tekrar," dedi Haesten sert bir sesle, ayağa kalkıp Sakson'un boğazını kesen adamlara seslenerek.

"Arpı," dedim.

Haesten, "Yarın ona geri vereceğim lordum," dedi ve Eilaf'ın salonunu işaret etti. "Yemek ve bira var kralım. Ayrıca sizin için bir kadın. İsterseniz iki tane."

"Benim bir karım var," dedim sertçe.

"O zaman sizin için yemek, bira ve sıcak bir ortam var," dedi alçak gönüllülükle. Diğer adamlar ayağa kalktı. Savaşçılarım bana tuhaf tuhaf baktılar, duydukları mesaj karşısında kafaları karışmıştı ama onları görmezden geldim. Diğer kralların kralı. Nehirler arasındaki toprakların efendisi. Kral Uhtred.

Bir kez arkama baktım ve iki adamın Bjorn'un mezarını yeniden yapmak için toprağı kazdığını gördüm. Haesten'i salona kadar takip ettim. Masanın ortasındaki sandalyeye, lordun sandalyesine oturarak ölünün dirilişine tanık olan adamları izledim ve onların da benim gibi ikna olduklarını gördüm. Bu, askerlerini Haesten'in tarafına çekecekleri anlamına geliyordu. Britanya'ya yayılacak ve Wessex'i yok edecek olan Guthrum'a başkaldırı ölü bir adam tarafından başlatılıyordu. Başımı ellerimin üzerine koyup düşündüm. Kral olduğumu düşündüm. Ordulara liderlik ettiğimi düşündüm.

Haesten "Duyduğuma göre karınız Dan'mış?" diyerek düşüncelerimi böldü.

"Öyle," dedim.

"O zaman Mersiya'daki Saksonların Sakson bir kralı olacak," dedi, "Mersiya'daki Danların da Dan bir kraliçesi olacak. Her iki taraf da mutlu olacak."

Başımı kaldırıp ona baktım. Onun zeki ve sinsi biri olduğunu bilirdim, ama o gece özellikle itaatkâr ve içten bir şekilde saygılıydı. "Ne istiyorsun Haesten?" diye sordum ona.

"Sigefrid ve kardeşi Wessex'i fethetmek istiyorlar," dedi sorumu duymazdan gelerek.

"Eski rüya," dedim küçümseyerek.

"Bunu yapmak için de Northumbria'dan adamlara ihtiyacımız olacak," dedi küçümsememe aldırmadan. "Eğer siz çağırırsanız Ragnar gelecektir."

"Gelecektir," diye kabul ettim.

"Ve eğer Ragnar gelirse diğerleri de onu takip edecektir." Bir somun ekmeği böldü ve büyük kısmını bana doğru itti. Önümde bir kâse güveç vardı ama ona dokunmadım. Bunun yerine öğütme taşından arta kalan granit parçalarını arayarak ekmeği ufalamaya başladım. Ne yaptığımı düşünmüyordum, sadece Haesten'i izlerken ellerimi meşgul ediyordum.

"Soruma cevap vermedin," dedim. "Ne istiyorsun?"

"Doğu Anglia," dedi.

"Kral Haesten?"

"Neden olmasın?" dedi gülümseyerek.

"Neden olmasın, kralım," diye karşılık verdim, daha büyük bir gülümsemeyi tetikleyerek.

"Wessex'te Kral Æthelwold," dedi Haesten, "Doğu Anglia'da Kral Haesten ve Mersiya'da Kral Uhtred."

Alfred'in sarhoş yeğenini düşünerek, "Æthelwold mu?" diye sordum alaycı bir tavırla.

Haesten, "O Wessex'in gerçek kralı, lordum," dedi.

"Peki ne kadar yaşayacak?' diye sordum.

"Çok değil," diye itiraf etti Haesten, "Sigefrid'den daha güçlü olmadığı sürece."

"Yani Wessexli Sigefrid mi olacak?" diye sordum.

Haesten gülümsedi. "Önünde sonunda, lordum, evet."

"Peki ya kardeşi Erik?"

"Erik bir Viking olmayı seviyor," dedi Haesten. "Kardeşi Wessex'i, Erik de gemileri alır. Erik bir deniz kralı olacak."

Böylece Wessex'te Sigefrid, Mersiya'da Uhtred ve Doğu Anglia'da Haesten olacaktı. Bir çuvalda üç sansar, diye düşündüm ama düşüncemi belli etmedim. "Peki, bu rüya nerede başlıyor?" diye sordum onun yerine.

Gülümsemesi kayboldu. Artık ciddiydi. "Sigefrid ve benim adamlarımız var. Yeterli değil, ama sağlam adamlar. Ragnar'ı Northumbrian Danlarıyla birlikte güneye getirirseniz Doğu Anglia'yı almak için fazlasıyla adamımız olur. Guthrum'un kontlarının yarısı sizi ve Ragnar'ı görünce bize katılacaktır. Sonra Doğu Anglia'nın adamlarını alır, ordumuza katar, Mersiya'yı fethederiz."

"Ve Wessex'i almak için Mersiya'nın adamlarını orduya katacaksın?" diye bitirdim.

"Evet," dedi. "Yapraklar döküldüğünde ve ambarlar dolduğunda Wessex'e ilerleyeceğiz," diye devam etti.

"Ama Ragnar olmadan hiçbir şey yapamazsınız," dedim.

Başını onaylarcasına eğdi. "Eğer siz bize katılmazsanız Ragnar gelmeyecektir."

İşe yarayabilir diye düşündüm. Doğu Anglia'nın Dan Kralı Guthrum, Wessex'i fethetmekte defalarca başarısız olmuş ve Alfred ile barış yapmıştı ama Guthrum'un Hristiyan olması ve artık Alfred'in müttefiki olması diğer Danların Wessex'in zengin topraklarının hayalinden vazgeçtiği anlamına gelmiyordu. Yeterli sayıda adam toplanabilirse Doğu Anglia düşecek ve yağmaya her zaman hevesli olan kontları Mersiya'ya ilerleyecekti. Ardından Northumbrialılar, Mersiyalılar ve Doğu Anglialılar, Saksonların ülkesindeki en zengin krallık ve son Sakson krallığı olan Wessex'e saldırabilirdi.

Ama Alfred'e yemin etmiştim. Wessex'i savunmaya yemin etmiştim. Yemin olmadan hayvandan farkımız kalmaz. Ama Nornlar konuşmuştu. Kader amansızdır, kandırılamaz. Hayatımın ipliği çoktan dokunmuştu ve güneşin geriye gitmesini sağlayamayacağım gibi, onu da değiştiremezdim. Nornlar yeminimin bozulması gerektiğini ve bir kral olacağımı söylemek için karanlık boşluğun ötesinden bir haberci göndermişti, bu yüzden başımla onayladım. "Öyle olsun," dedim.

"Sigefrid ve Erik'le buluşmalısın," dedi, "ve yemin etmeliyiz."

"Evet," dedim.

"Yarın Lundene'e doğru yola çıkıyoruz," dedi beni dikkatle izleyerek.

Böylece başlamıştı. Sigefrid ve Erik Lundene'i savunmaya hazırlanıyordu ve bunu yaparak kentin kendilerine ait olduğunu iddia eden Mersiyalılara, Lundene'in bir düşman tarafından garnizon haline getirilmesinden korkan Alfred'e ve Britanya'da barışın korunmasını isteyen Guthrum'a meydan okuyorlardı. Ama barış olmayacaktı.

"Yarın," dedi Haesten tekrar, "Lundene'e doğru yola çıkıyoruz."

Ertesi gün yola çıktık. Ben altı adamımın başındaydım, Haesten'in ise yirmi bir yoldaşı vardı. Wæclingastræt'i güneye doğru, yolun kenarlarını kalın bir çamura çeviren inatçı bir yağmurun içinden takip ettik. Atlar perişan haldeydi, biz perişan haldeydik. Yolda giderken Ölü Bjorn'un bana söylediği her kelimeyi hatırlamaya çalıştım. Gisela'nın bu konuşmayı en ince ayrıntısına kadar anlatmamı isteyeceğini biliyordum.

"Yani?" Finan öğleden hemen sonra benimle yüzleşti. Haesten atını önden sürmüştü ve o da atını benimkine yetişmesi için mahmuzlamıştı.

"Yani?" diye sordum.

"Mersiya'ya kral olacak mısın?"

"Nornlar böyle söylüyor," dedim ona bakmadan. Finan ve ben bir tüccarın gemisinde köle olmuştuk. Acı çekmiş, donmuş, sabretmiş ve birbirimizi kardeş gibi sevmeyi öğrenmiştik, onun fikrini önemsiyordum.

"Nornlar hilebazdır," dedi Finan.

"Bu bir Hristiyan görüşü mü?" diye sordum.

Gülümsedi. Pelerininin kapüşonunu miğferinin üzerine geçirmişti; bu yüzden ince, vahşi yüzünü çok az seçebiliyordum ama gülümsediğinde dişlerinin parladığını gördüm. "İrlanda'da büyük bir adamdım," dedi, "rüzgârı aşacak atlarım, güneşi söndürecek kadınlarım ve dünyayı alt edebilecek silahlarım vardı, ama Nornlar beni lanetledi."

"Yaşıyorsun," dedim, "ve özgür bir adamsın."

"Ben senin yeminli adamınım," dedi, "ve sana yeminimi özgürce verdim. Ve siz, lordum, Alfred'in yeminli adamısınız."

"Evet," dedim.

"Alfred'e yemin etmeye zorlandınız mı?" diye sordu Finan.

"Hayır," diye itiraf ettim.

Yağmur yüzümü acıtıyordu. Gökyüzü alçak, toprak karanlıktı. "Kader amansızsa neden yemin ediyoruz?" diye sordu Finan.

Soruyu duymazdan geldim. "Eğer Alfred'e ettiğim yemini bozarsam," dedim onun yerine, "sen de bana ettiğin yemini bozacak mısın?"

"Hayır lordum," dedi, bir kez daha gülümseyerek. "Arkadaşlığınızı özlerim," diye devam etti, "ama siz Alfred'inkini özlemezsiniz."

"Hayır," diye itiraf ettim. Konuşmamızın rüzgârla savrulan yağmurla birlikte dağılmasına izin verdik ama Finan'ın sözleri aklımda kaldı ve beni rahatsız etti.

O geceyi Aziz Alban'ın büyük tapınağının yakınında geçirdik. Romalılar orada bir kasaba kurmuştu ancak bu kasaba artık çürümüştü, bu yüzden hemen doğudaki bir Dan salonunda kaldık. Ev sahibimiz yeterince misafirperverdi ama konuşurken temkinliydi. Sigefrid'in Lundene'in eski şehrine adamlarını taşıdığını duyduğunu itiraf etti ama bu eylemi ne kınadı ne de övdü. O da benim gibi çekiç muska takıyordu ama aynı zamanda ekmek, domuz pastırması ve fasulyeden oluşan yemekte dua eden bir Sakson rahibi de vardı. Rahip bu salonun Doğu Anglia'da bulunduğunu, Doğu Anglia'nın resmi olarak Hristiyan olduğunu ve Hristiyan komşularıyla barış içinde olduğunu hatırlatıyordu ancak ev sahibimizin kazıklı çitinin kapısı demirliydi ve nemli gece boyunca silahlı adamları nöbet tutuyordu. Bu topraklarda her an bir fırtına kopabilecekmiş gibi bir hava vardı.

Yağmur fırtınası karanlıkta sona erdi. Şafak vakti yola çıkarak don ve durgunluğun hüküm sürdüğü bir dünyaya at sürdük ancak Lundene'e sığır götüren adamlarla karşılaştıkça Wæclingastræt kalabalıklaştı. Hayvanlar cılızdı ama kış boyunca şehri besleyebilmeleri için sonbahar kesiminden muaf tutulmuşlardı. Yanlarından geçtik. Birçok silahlı adamın yanlarından geçtiğini gören çobanlar dizlerinin üzerine çöktü. Doğuda bulutlar açılmış olduğundan, gün ortasında Lundene'e geldiğimizde, şehrin üzerinde her zaman asılı duran yoğun, kara duman bulutunun ardında güneş parlıyordu.

Lundene'i her zaman sevmişimdir. Temes'in kuzey kıyısı boyunca yayılan bir harabeler, ticaret ve kötülük şehridir. Harabeler Romalıların Britanya'yı terk ettiklerinde bıraktıkları binalardı. Eski şehirleri şehrin doğu ucundaki tepeleri taçlandırıyordu ve tuğla ve taştan yapılmış bir surla çevriliydi. Saksonlar hayaletlerinden korktuklarından, Roma binalarını hiç sevmemiş, bu yüzden batıda kendi şehirlerini kurmuşlardı. Sazdan, tahtadan, kamıştan, dar sokaklardan ve lağım sularını nehre taşıması gereken ama genellikle sağanak bir yağmur onları sular altında bırakana kadar pırıl pırıl ve leş gibi duran pis kanallardan oluşan bir yer. Bu yeni Sakson kasabası demirci ateşlerinin dumanıyla kokan ve tüccarların bağırışlarıyla çınlayan, aslında bir savunma suru yapmakla uğraşmayacak kadar meşgul bir yerdi. Saksonlar bir sura ihtiyaç duymadıklarını, çünkü Danların eski şehirde yaşamaktan memnun olduğunu ve yeni şehrin sakinlerini katletmek için istek göstermediğini savunuyordu. Bazı kişilerin hızla büyüyen yeni şehri korumaya çalıştığının kanıtı olarak birkaç yerde kazıklı çit vardı ancak bu işe duyulan heves hiçbir zaman uzun sürmezdi ve çitler ya çürür ya da keresteleri lağım kokan sokaklar boyunca yeni binalar yapmak için çalınırdı.

Lundene'in ticareti nehirden ve Britanya'nın her yerine uzanan yollardan geliyordu. Yollar elbette Romalılarındı ve şehre bu yollardan yün, çanak çömlek, külçe ve kürk akıyordu. Nehir ise dışarıdan lüks eşyalar, Frank Krallığı'ndan köleler ve bela arayan aç adamlar taşıyordu. Bu adamlardan bolca vardı, çünkü üç krallığın birleştiği yerde kurulan şehir o yıllarda gerçek anlamda yönetilmiyordu.

Lundene'in doğusundaki topraklar Doğu Anglia'ydı ve Guthrum tarafından yönetiliyordu. Güneyde, Temes'in uzak kıyısında Wessex, batıda ise şehrin aslen ait olduğu Mersiya bulunuyordu ancak Mersiya, kralı olmayan sakat bir ülkeydi ve bu nedenle Lundene'de düzeni sağlayacak bir reis ya da yasaları uygulayacak büyük bir lord yoktu. Adamlar ara sokaklarda silahlı dolaşıyor, eşler korumalarla geziyor ve geçitlere büyük köpekler zincirleniyordu. Gelgit onları nehrin aşağısına, denize ve Danların Beamfleot'taki büyük kamplarının bulunduğu, Norsların gemilerinin Temes'in geniş ağzında ilerleyen tüccarlardan gümrük ödemelerini talep etmek için yelken açtığı kıyıya taşımadığı sürece her sabah cesetler bulunurdu. Norsların bu tür vergileri dayatma yetkileri yoktu ama gemileri, adamları, kılıçları ve baltaları vardı; bu da yeterli bir yetkiydi.

Haesten bu yasadışı vergilerden yeterince pay almıştı, hatta korsanlık sayesinde zengin ve güçlü biri olmuştu ama şehre girerken hâlâ gergindi. Lundene'e yaklaşırken durmadan konuşuyordu, çoğunlukla da boş konuşuyordu ve ben onun anlamsız sözleri hakkında ters yorumlar yaptığımda hemen gülmeye başlıyordu. Ama sonra, geniş bir geçidin iki yanındaki yarı yıkık kulelerin arasından geçerken sustu. Kapıda nöbetçiler vardı. Haesten'i tanımış olmalılar ki bize meydan okumadılar ve yıkık kemeri tıkayan engelleri kenara çektiler. Kemerin içinde kapının yeniden inşa edildiğini gösteren bir yığın kereste olduğunu görebiliyordum.

Roma kentine, eski kente gelmiştik ve atlarımız aralarından yabani otların sıkça büyüdüğü geniş kaldırım taşlarıyla döşenmiş caddede ağır ağır ilerliyordu. Hava soğuktu. Güneşin gün boyunca taşlara ulaşmadığı karanlık köşelerde hâlâ kırağı vardı. Binaların kepenkli pencerelerinden çıkan odun dumanı sokağın aşağısına doğru süzülüyordu. "Daha önce buraya gelmiş miydin?" diye sordu Haesten, sessizliğini aniden bozarak.

"Birçok kez," dedim. Haesten ve ben şimdi önden gidiyorduk.

"Sigefrid," dedi Haesten, sonra söyleyecek bir şeyi olmadığını fark etti.

"Bir Nors olduğunu duydum," dedim.

"Sağı solu belli olmaz," dedi Haesten. Sesinin tonundan onu tedirgin edenin Sigefrid olduğunu anladım. Haesten gözünü kırpmadan canlı bir cesetle yüzleşmişti ama Sigefrid'in düşüncesi onu tedirgin ediyordu.

"Benim de sağım solum belli olmaz," dedim, "senin de öyle."

Haesten hiçbir şey söylemedi. Onun yerine boynunda asılı duran çekice dokundu, sonra atını hizmetkârların bizi karşılamak için koşuştuğu bir geçide doğru çevirdi. "Kralın sarayı," dedi.

Sarayı biliyordum. Romalılar tarafından yapılmıştı. Sütunlardan ve oyma taşlardan oluşan büyük, tonozlu bir yapıydı. Mersiya kralları tarafından onarılmıştı, yarı yıkık duvarlardaki boşlukları saz, kamış ve kereste dolduruyordu. Büyük salon Roma sütunlarıyla kaplıydı ve duvarları tuğladandı ancak cephenin birkaç yerinde her nasılsa hayatta kalmış mermer kaplamalar vardı. Yüksek duvar işçiliğine baktım ve insanların böyle duvarlar yapabilmiş olmasına hayret ettim. Biz ahşap ve sazdan inşa ederdik, her ikisi de çürüyüp giderdi. Bu da geride hiçbir şey bırakmayacağımız anlamına geliyordu. Romalılar arkalarında mermer, taş, tuğla ve görkem bırakmıştı.

Bir kâhya bize Sigefrid ve küçük kardeşinin sarayın kuzeyinde yer alan eski Roma arenasında olduğunu söyledi. "Ne yapıyor orada?" diye sordu Haesten.

"Kurban veriyor lordum," dedi kâhya.

"O zaman biz de ona katılacağız," dedi Haesten, onay için bana bakarak.

"Katılacağız," dedim.

Kısa bir mesafe at sürdük. Dilenciler bizden çekiniyordu. Paramız vardı ve bunu biliyorlardı ama silahlı yabancılar olduğumuz için istemeye cesaret edemiyorlardı. Kılıçlar, kalkanlar, baltalar ve mızraklar atlarımızın çamurlu böğürlerine asılmıştı. Dükkân sahipleri bizi selamlıyor, kadınlar çocuklarını eteklerinin arasına saklıyordu. Lundene'in Roma kısmında yaşayan halkın çoğu Dan'dı, ancak bu Danlar bile gergindi. Şehirleri Sigefrid'in paraya ve kadına aç tayfaları tarafından işgal edilmişti.

Roma arenasını biliyordum. Çocukken gemi ustası Toki bana kılıcın temel vuruşlarını öğretmişti ve bu dersleri bana bir zamanlar tahta sıraların yerleştirildiği, çürümüş taş katmanlarla çevrili büyük oval arenada vermişti. Yabani otlarla kaplı arenanın ortasındaki adamları izleyen birkaç aylak insan dışında taş katmanlar neredeyse boştu. Orada kırk ya da elli adam olmalıydı ve uzak uçta bir sürü eyerli at bağlıydı ama girişin yüksek duvarlarından geçerken beni en çok şaşırtan şey, küçük kalabalığın ortasına dikilmiş bir Hristiyan haçı oldu.

"Sigefrid Hristiyan mı?" diye sordum Haesten'e şaşkınlıkla.

"Hayır!" dedi Haesten sertçe.

Toynak seslerimizi duyan adamlar bize doğru döndü. Hepsi zırh ya da deri içinde, kılıç ya da baltalarla silahlanmış olarak savaş için giyinmişti ama neşeliydiler. Derken kalabalığın ortasından, haça yakın bir yerden Sigefrid belirdi.

Kim olduğu söylenmeden de onu tanımıştım. İri bir adamdı ve boynundan ayak bileklerine kadar uzanan siyah ayı kürkünden büyük bir pelerin giydiği için daha da iri görünüyordu. Uzun siyah deri çizmeleri, parlak bir deri zırhı, gümüş perçinlerle süslü bir kılıç kemeri ve gümüş desenlerle süslü demir miğferinin altından fırlayan gür, siyah bir sakalı vardı. Bize doğru yürürken miğferini çıkardı. Saçları da sakalı gibi siyah ve gürdü. Geniş yüzünde koyu renk gözleri, kırılmış ve ezilmiş bir burnu ve ona zalim bir görünüm veren geniş bir ağzı vardı. Yüzü bize dönük bir şekilde durdu ve sanki bir saldırı bekliyormuş gibi ayaklarını iki yana açtı.

"Lord Sigefrid!" diye selamladı Haesten onu zoraki bir neşeyle.

"Lord Haesten! Tekrar hoş geldiniz! Gerçekten hoş geldiniz." Sigefrid'in sesi tuhaf bir şekilde tizdi, kadınsı değildi ama böylesine büyük ve gaddar görünümlü bir adamdan gelmesi tuhaftı. "Ve siz!" siyah eldivenli eliyle bana doğru işaret etti, "Lord Uhtred olmalısınız!"

"Bebbanburglu Uhtred," diye tanıttım kendimi.

"Siz de hoş geldiniz, gerçekten hoş geldiniz!" Bir adım öne çıkarak dizginlerimi kendi eline aldı, bunu beni onurlandırmak için yapmıştı, sonra bana gülümsedi ve o çok korkutucu olan yüzü birdenbire yaramaz, neredeyse dostça bir ifadeye büründü.

"Uzun boylu olduğunuzu söylüyorlar Lord Uhtred!"

"Öyle söylüyorlar," dedim.

"O zaman kimin daha uzun olduğunu görelim," diye önerdi nazikçe, "siz mi ben mi?" Eyerden kaydım ve bacaklarımdaki sertliği hafiflettim. Kürk pelerininin içindeki Sigefrid hâlâ dizginlerimi tutuyor ve gülümsüyordu. "Eee?" diye sordu en yakınındaki adamlara.

İçlerinden biri aceleyle, "Siz daha uzunsunuz lordum," dedi.

"Size kimin daha güzel olduğunu sorsam," dedi Sigefrid, "ne derdiniz?"

Adam Sigefrid'den bana, benden Sigefrid'e baktı ve ne diyeceğini bilemedi. Korkmuş görünüyordu.

"Yanlış cevap verirse," dedi Sigefrid bana eğlenen bir sesle, "onu öldüreceğimden korkuyor."

"Peki öldürür müydünüz?" diye sordum.

"Bunu düşünürdüm. İşte!" diye seslendi adama, adam endişeyle öne çıktı. "Dizginleri al," dedi, "ve atı yürüt. Peki kim daha uzun?" Bu son soru Haesten'e yöneltilmişti.

"Aynı boydasınız," dedi Haesten.

"Ve ikiniz de aynı derecede güzelsiniz," dedi Sigefrid, sonra da güldü. Kollarını bana doladı. Kürk pelerininin pis kokusunu aldım. Bana sarıldı. "Hoş geldiniz Lord Uhtred, hoş geldiniz!" Geri çekildi ve sırıttı. O anda ondan hoşlandım çünkü gülümsemesi gerçekten samimiydi. "Hakkınızda çok şey duydum!" dedi.

"Ben de sizin hakkınızda, lordum."

"Ve şüphesiz ikimize de birçok yalan söylendi! Ama iyi yalanlar. Ayrıca sizinle bir meselem var." Sırıtarak bekledi ama ona yanıt vermedim. "Jarrel!" diye açıkladı, "onu öldürdünüz."

"Evet," dedim. Jarrel Temes'te katlettiğim Viking mürettebatının başındaki adamdı.

Sigefrid, "Jarrel'i severdim," dedi.

"O zaman ona Bebbanburglu Uhtred'den uzak durmasını tavsiye etmeliydiniz," dedim.

"Haklısınız," dedi Sigefrid, "Ubba'yı öldürdüğünüz de doğru mu?"

"Öldürdüm."

"Öldürülmesi zor bir adam olmalı! Peki ya Ivarr?"

"Ivarr'ı da öldürdüm," diye onayladım.

"Ama yaşlanmıştı ve gitme vakti gelmişti. Oğlu sizden nefret ediyor, bunu biliyor musunuz?"

"Biliyorum."

Sigefrid alayla homurdandı. "Oğlu bir hiç. Güçsüz bir kemik torbası. Sizden nefret ediyor ama serçenin nefreti şahinin neden umurunda olsun ki?" Bana sırıttı, sonra uzun yolculuğunun ardından yavaşça soğuması için arenada dolaştırılan aygırım Smoca'ya baktı. "İşte bu gerçek bir at!" dedi hayranlıkla.

"Öyle," diye onayladım.

"Belki de onu sizden almalıyım?"

"Birçok kişi denedi," dedim.

Bu hoşuna gitti. Tekrar güldü ve beni haça doğru götürmek için ağır elini omzuma koydu. "Bana Sakson olduğunuzu söylediler."

"Öyleyim."

"Ama Hristiyan değilsiniz?"

"Gerçek tanrılara tapıyorum," dedim.

"Bunun için sizi sevsinler ve ödüllendirsinler," dedi ve omzumu sıktı. Gücünü zırhın ve derinin içinden bile hissedebiliyordum. Sonra döndü. "Erik! Utangaç mısın?"

Kardeşi kalabalığın arasından çıktı. Aynı siyah gür saçlar onda da vardı ama Erik'in saçları bir iple arkadan sıkıca bağlanmıştı. Sakalı kesilmişti. Gençti, belki sadece yirmi ya da yirmi bir yaşındaydı ve aynı anda hem merak hem de hoşnutlukla parlayan gözleri olan geniş bir yüzü vardı. Sigefrid'den hoşlandığımı keşfettiğimde şaşırmıştım ama Erik'ten hoşlanmam sürpriz olmadı. Gülümsemesi doğaldı, açık ve dürüst bir yüzü vardı. O da Gisela'nın kardeşi gibi, tanıştığınız andan itibaren hoşlanacağınız bir adamdı.

"Ben Erik," diye selamladı beni.

"O benim danışmanım," dedi Sigefrid, "vicdanım ve kardeşim."

"Vicdan mı?"

"Erik yalan söylediği için bir adamı öldürmez, değil mi kardeşim?"

"Hayır," dedi Erik.

"Yani o bir aptal, ama sevdiğim bir aptal." Güldü. "Ama bu aptalın zayıf biri olduğunu düşünmeyin Lord Uhtred. Niflheim'dan çıkmış bir iblis gibi dövüşür." Kardeşinin omzuna vurdu, sonra beni dirseğimden tutarak alakasız haçın yanına götürdü. "Tutsaklarım var," diye açıkladı haça yaklaştığımızda. Beş adamın elleri arkadan bağlı bir şekilde diz çökmüş olduğunu gördüm. Pelerinleri, silahları ve tunikleri çıkarılmıştı, üzerlerinde sadece içlikleri vardı. Soğuk havada titriyorlardı.

Birbirine kabaca çivilenmiş iki ahşap kirişten gelişigüzel yapılmış haç aceleyle kazılmış bir çukura gömülmüştü. Hafifçe eğilmişti. Dibinde birkaç ağır çivi ve büyük bir çekiç vardı. Sigefrid bana, "Haçla ölümü heykellerinde ve oymalarında görüyorsun," diye açıkladı, "ve taktıkları muskalarda görüyorsun, ama ben gerçeğini hiç görmedim. Siz gördünüz mü?"

"Hayır," diye itiraf ettim.

"Ve bunun bir insanı neden öldürebileceğini anlayamıyorum," dedi sesinde içten bir şaşkınlıkla. "Sadece üç çivi! Savaşta bundan çok daha kötülerine maruz kaldım."

"Ben de," dedim.

"Bu yüzden bir öğreneyim dedim!" diye bitirdi sözlerini neşeyle, sonra koca sakalını çarmıhın dibine en yakın tutsağa doğru salladı. "Şu sondaki iki piç Hristiyan rahipler. Onlardan birini çivileyip ölüp ölmediğine bakacağız. Ölmeyeceğine dair on gümüşe bahse girerim."

İki rahipten birinin koca göbeği dışında neredeyse hiçbir şey göremiyordum. Başı eğikti, dua etmek için değil, çok dayak yediği için. Çıplak sırtı ve göğsü morarmış, kan içindeydi ve kıvırcık kahverengi saçlarının arasında daha fazla kan vardı. "Kim bunlar?" diye sordum Sigefrid'e.

"Siz kimsiniz?" diye hırladı tutsaklara. Hiçbiri cevap vermeyince en yakındaki adamın kaburgalarına sert bir tekme attı. "Kimsin sen?" diye sordu tekrar.

Adam başını kaldırdı. Yaşlıydı, en az kırk yaşındaydı ve ölmek üzere olduğunu bilenlerin teslimiyetini taşıyan derin çizgili bir yüzü vardı. "Ben Kont Sihtric," dedi, "Kral Æthelstan'ın danışmanıyım."

"Guthrum!" diye çığlık attı Sigefrid ve bu öyle bir çığlıktı ki. Birdenbire patlayan saf bir öfke çığlığı. Sigefrid bir an cana yakın davranıyorken aniden bir şeytana dönüşmüştü. İsmi ikinci kez haykırırken ağzından tükürükler saçıldı. "Guthrum! Onun adı Guthrum, seni piç!" Sihtric'in göğsüne tekme attı. Tekmenin bir kaburgayı kıracak kadar sert olduğunu düşündüm. "Adı neymiş?" diye sordu Sigefrid.

"Guthrum," dedi Sihtric.

"Guthrum!" diye bağırdı Sigefrid ve yaşlı adamı tekrar tekmeledi. Guthrum Alfred ile barış yaptığında Hristiyan olmuş ve Hristiyan ismi olarak Æthelstan ismini almıştı. Ben onu hâlâ Guthrum olarak görüyordum, tıpkı şimdi Sihtric'i öldüresiye dövmeye çalışıyor gibi görünen Sigefrid gibi. Yaşlı adam darbelerden kaçmaya çalıştı ama Sigefrid onu kaçamayacağı bir yere sürüklemişti. Erik kardeşinin zalim öfkesinden etkilenmemiş gibi görünüyordu ama bir süre sonra öne çıkıp Sigefrid'in kolunu tuttu ve iri adam kendisini çekmesine izin verdi. "Piç kurusu!" diye tükürdü Sigefrid inleyen adama. "Guthrum'a Hristiyan ismiyle hitap ediyor!" diye açıkladı bana. Sigefrid ani öfkesi yüzünden hâlâ titriyordu. Gözleri kısılmış, yüzü buruşmuştu ama ağır kolunu omzuma atarken kendini kontrol etmeyi başarmış gibiydi. "Onları Guthrum gönderdi," dedi, "bana Lundene'den ayrılmamı söylemek için. Ama bu Guthrum'u ilgilendirmez! Lundene Doğu Anglia'ya ait değil! Mersiya'ya ait! Mersiya Kralı Uhtred'e!" Bu unvanı ilk kez biri bu kadar resmi bir şekilde kullanıyordu ve kulağa hoş geliyordu. Kral Uhtred. Sigefrid dudakları kan içinde kalmış Sihtric'e döndü. "Guthrum'un mesajı neydi?"

Sihtric, "Şehir Mersiya'ya ait, bu yüzden buradan gitmeniz gerek," demeyi başardı.

"O zaman Mersiya bizi buradan atabilir," diye alay etti Sigefrid.

"Tabii Kral Uhtred kalmamıza izin vermezse?" diye önerdi Erik gülümseyerek.

Bir şey söylemedim. Unvan kulağa hoş geliyordu ama sanki üç dokumacının ipliklerine aykırıymış gibi tuhaftı.

"Alfred kalmanıza izin vermeyecek." Diğer mahkûmlardan biri konuşmaya cesaret etmişti.

"Alfred kimin umurunda?" diye hırladı Sigefrid. "Bırakalım o piç kurusu ordusunu burada ölüme göndersin."

"Cevabınız bu mu lordum?" diye sordu mahkûm alçak gönüllülükle.

"Cevabım kesik kafalarınız olacak," dedi Sigefrid.

O zaman Erik'e baktım. Küçük kardeşti ama belli ki düşünme işini yapan oydu. Omuz silkti. "Eğer müzakere edersek düşmanlarımıza güçlerini toplamaları için zaman vermiş oluruz," diye açıkladı. "Meydan okumak daha iyi."

"Hem Guthrum hem Alfred ile savaşacak mısınız?" diye sordum.

"Guthrum savaşmayacak," dedi Erik, kendinden çok emin bir sesle. "Tehdit ediyor ama savaşmayacak. Yaşlanıyor, Lord Uhtred ve kendisine kalan hayatın tadını çıkarmayı tercih edecektir. Peki ya ona kesik kafalar gönderirsek? Sanırım bizi rahatsız ederse kendi başının da tehlikede olduğu mesajını anlayacaktır."

"Peki ya Alfred?" diye sordum.

"İhtiyatlı biri, öyle değil mi?" dedi Erik.

"Evet."

"Şehri terk etmemiz için bize para mı teklif edecek?"

"Muhtemelen."

"Belki de kabul eder, ama yine de kalırız," dedi Sigefrid.

"Alfred yaza kadar bize saldırmayacaktır," dedi Erik, kardeşini duymazdan gelerek, "ve o zamana kadar Lord Uhtred, Kont Ragnar'ı güneye, Doğu Anglia'ya götürmüş olacağınızı umuyoruz. Alfred bu tehdidi görmezden gelemez. Lundene'deki garnizona karşı değil, birleşik ordularımıza karşı yürüyecek, bizim işimiz ise Alfred'i öldürüp tahta yeğenini geçirmek."

"Æthelwold mu?" diye sordum kuşkuyla. "O bir sarhoş."

"Sarhoş ya da değil," dedi Erik, "bir Sakson kralı Wessex'i fethetmemizi daha cazip hale getirecektir."

"Artık ona ihtiyacınız kalmayana kadar," dedim.

"Artık ona ihtiyacımız kalmayana kadar," diye onayladı Erik.

Diz çökmüş rahiplerin oluşturduğu sıranın sonundaki iri göbekli rahip beni dinliyordu. Önce bana, sonra da onun bakışlarını gören Sigefrid'e baktı. "Neye bakıyorsun, pislik?" diye sordu Sigefrid. Rahip cevap vermedi, sadece dönüp tekrar bana baktı, sonra başını eğdi. "Onunla başlayacağız," dedi Sigefrid, "şişko piçi çarmıha çivileyeceğiz ve ölüp ölmeyeceğini göreceğiz."

"Neden dövüşmesine izin vermiyorsunuz?" diye önerdim.

Sigefrid doğru duyduğundan emin olamayarak bana baktı. "Bırakalım dövüşsün mü?" diye sordu.

"Diğer rahip sıska," dedim, "çarmıha germek çok daha kolay. O şişman olanın eline bir kılıç verip dövüştürmek lazım."

Sigefrid alaycı bir şekilde gülümsedi. "Bir rahibin dövüşebileceğini mi sanıyorsun?"

Öyle ya da böyle umurumda değilmiş gibi omuz silktim. "Sadece o şişko göbeklilerin dövüş kaybettiğini görmek hoşuma gidiyor," diye açıkladım. "Karınlarının yarıldığını görmeyi seviyorum. Bağırsaklarının dışarı dökülmesini izlemeyi seviyorum." Konuşurken rahibe bakıyordum, o da tekrar başını kaldırıp gözlerimin içine baktı. "Bağırsaklarının metrelerce dışarı döküldüğünü görmek istiyorum," dedim acımasız bir şekilde, "ve sonra hâlâ hayattayken köpeklerinizin onun bağırsaklarını yemesini izlemek istiyorum."

Sigefrid düşünceli bir ifadeyle, "Ya da kendisi yesin," dedi. Birden bana sırıttı. "Sizden hoşlandım Lord Uhtred!"

"Çok kolay ölecek," dedi Erik.

"O zaman ona uğruna savaşacağı bir şey verin," dedim.

"Bu şişko domuz ne için dövüşebilir ki?" diye sordu Sigefrid küçümseyerek.

Hiçbir şey söylemedim. Cevabı veren Erik oldu. "Özgürlüğü?" diye sordu. "Eğer kazanırsa tüm mahkûmlar serbest kalır, ama kaybederse hepsini çarmıha gereriz. Bu onu savaşmaya itecektir."

"Yine de kaybedecek," dedim.

"Evet, ama çaba gösterecektir," dedi Erik.

Sigefrid güldü, önerinin tutarsızlığı onu eğlendirmişti. Sırayla her birimize bakan yarı çıplak, koca göbekli ve dehşet içindeki rahip gözlerimizde eğlenceden ve vahşetten başka bir şey göremedi. "Hiç kılıç tuttun mu, rahip?" diye sordu Sigefrid şişman adama. Rahip hiçbir şey söylemedi.

Sessizliğini kahkahalarla alaya aldım. "Sadece bir domuz gibi debelenecek," dedim.

"Onunla dövüşmek istiyor musun?" diye sordu Sigefrid.

"O elçi olarak bana gönderilmedi lordum," dedim saygıyla. "Ayrıca, duyduğuma göre kılıç kullanma konusunda sizinle boy ölçüşebilecek kimse yokmuş. Göbek deliğinin tam ortasından bir kesik atmanız için size meydan okuyorum."

Sigefrid bu meydan okumayı sevdi. Rahibe döndü. "Kutsal adam! Özgürlüğün için savaşmak istiyor musun?"

Rahip korkudan titriyordu. Arkadaşlarına baktı ama onların yapabileceği bir şey yoktu. Rahip başıyla onaylamayı başardı. "Evet lordum," dedi.

"O zaman benimle dövüşebilirsin," dedi Sigefrid mutlulukla, "ve eğer kazanırsam? Hepiniz ölürsünüz. Ya sen kazanırsan? Atına atlayıp buradan uzaklaşabilirsin. Dövüşebilir misin?"

"Hayır, lordum," dedi rahip.

"Hiç kılıç tuttun mu, rahip?"

"Hayır, lordum."

"Öyleyse ölmeye hazır mısın?" diye sordu Sigefrid.

Rahip Nors'a baktı. Yaralarına ve kesiklerine rağmen gözlerinde, sesindeki alçak gönüllülüğü yalanlayan bir öfke vardı. "Evet lordum," dedi, "ölmeye ve kurtarıcımla buluşmaya hazırım."

Sigefrid yandaşlarından birine, "Onu serbest bırakın," diye emretti. "Pisliği serbest bırakın ve ona bir kılıç verin."

Uzun, iki ağızlı bir kılıç olan kendi kılıcını çekti. "Bu Korku Salan," dedi, "ve onun egzersize ihtiyacı var."

"İşte," dedim, kendi güzel kılıcım Yılan Nefesi'ni çekerek. Kılıcı bıçağından tutacak şekilde çevirip az önce elleri serbest kalan rahibe fırlattım. Yakalamayı beceremedi. Yılan Nefesi solgun kış otlarının arasına düştü. Rahip sanki daha önce hiç böyle bir şey görmemiş gibi bir an kılıca baktı, sonra eğilip onu aldı. Onu sağ elinde mi yoksa sol elinde mi tutacağından emin değildi. Sol elinde karar kıldı ve onu izleyen adamların gülmesine neden olan beceriksiz bir deneme vuruşu yaptı.

"Neden kılıcını ona verdin?" diye sordu Sigefrid.

"Onunla hiçbir şey yapamaz," dedim küçümseyerek.

"Peki ya onu kırarsam?" diye sordu Sigefrid ısrarla.

"O zaman onu yapan demircinin işini bilmediğini anlarım," dedim.

"Senin kılıcın, senin seçimin," dedi Sigefrid umursamazca, sonra Yılan Nefesi'ni ucu yere değecek şekilde tutan rahibe döndü. "Hazır mısın rahip?" diye sordu.

"Evet lordum," dedi rahip. Bu cevap Nors'a verdiği ilk doğru cevaptı. Çünkü rahip daha önce birçok kez kılıç tutmuştu ve nasıl dövüşüleceğini biliyordu, ayrıca ölmeye hazır olduğundan da şüpheliydim. O Peder Pyrlig'di.

Eğer tarlanız balçıktan ağırlaşırsa iki öküzü bir sabana koşabilir ve sabanın toprağınızı sürmesi için hayvanları acımasızca güdebilirsiniz. Hayvanlar birlikte çekmelidir, bu yüzden birlikte boyunduruklanırlar ve bir öküze Kader, diğerine de Yeminler denir.

Ne yapacağımıza kader karar verir. Kader amansızdır. *Wyrd bið ful ãræd.* Hayatta hiçbir seçeneğimiz yok, nasıl olabilir ki? Üç kız kardeş doğduğumuz andan itibaren ipliğimizin nereye gideceğini, hangi desenleri öreceğini ve nerede son bulacağını bilir. *Wyrd bið ful āræd.*

Ama yeminlerimizi biz seçeriz. Alfred kılıcını ve ellerini ellerime verdiğinde bana yemin etmemi emretmedi. O teklif etti, ben de bir seçim yaptım. Ama bu benim seçimim miydi? Yoksa Nornlar benim yerime mi seçmişti? Ve eğer seçtilerse, yeminle neden uğraşsınlardı ki? Bunu sık sık merak etmişimdir ve şimdi bile, yaşlı bir adam olarak, hâlâ merak ediyorum. Alfred'i ben mi seçtim? Yoksa diz çöküp kılıcını ve ellerini elime aldığımda, Nornlar gülüyor muydu?

Lundene'deki o soğuk aydınlık günde üç Norn kesinlikle gülüyordu, çünkü koca göbekli rahibin Peder Pyrlig olduğunu gördüğüm an hiçbir şeyin basit olmadığını anlamıştım. O anda beni tahta götürecek altın bir iplik dokumadıklarını anlamıştım. Hayat ağacı Yggdrasil'in köklerinden gülüyorlardı. Bir şaka yapmışlardı, ben de o şakanın kurbanı olmuştum ve bir seçim yapmak zorundaydım.

Ya da değildim? Belki seçimi Nornlar yapmıştı ama o anda, derme çatma haçın gölgesinde, Thurgilson kardeşler ile Pyrlig arasında bir seçim yapmam gerektiğine inanıyordum.

Sigefrid dostum değildi ama heybetli bir adamdı ve onun ittifakıyla Mersiya'da kral olabilirdim. Gisela kraliçe olurdu. Sigefrid, Erik, Haesten ve Ragnar'ın Wessex'i yağmalamasına yardım edebilirdim. Zengin olabilirdim. Ordulara liderlik edebilirdim. Kurt başlı sancağımı dalgalandırabilirdim. Smoca'nın peşinde mızraklılardan oluşan bir ordu dolaşırdı. Düşmanlarım kâbuslarında toynaklarımızın gürültüsünü duyardı. Sigefrid ile müttefik olmayı seçersem bunların hepsi benim olacaktı.

Pyrlig'i seçersem de ölü adamın bana vaat ettiği her şeyi kaybedecektim. Bu da Bjorn'un yalan söylediği anlamına geliyordu, ancak mezarından Nornlardan bir mesajla gönderilen bir adam nasıl yalan söyleyebilirdi? Tüm bunları seçimimi yapmadan önceki bir kalp atımlık sürede düşündüğümü hatırlıyorum, ama aslında hiç tereddüt etmemiştim. Bir an bile tereddüt etmedim.

Pyrlig bir Galli, bir Britondu ve biz Saksonlar Britonlardan nefret ederiz. Onlar hain hırsızlardır. Tepelerdeki ücra yerlerinde saklanır, topraklarımızı yağmalamak için at sürerler. Sığırlarımızı, bazen de kadınlarımızı ve çocuklarımızı alırlar; peşlerine düştüğümüzde de sislerin, kayalıkların, bataklıkların ve sefaletin kol gezdiği yabani toprakların daha da derinlerine inerler. Pyrlig de bir Hristiyan'dı ve Hristiyanları hiç sevmem. Seçim çok basit görünüyordu! Bir tarafta bir krallık, Viking dostlar ve zenginlik, diğer tarafta gün ışığını yutan alacakaranlık gibi bu dünyadan neşeyi emen bir dinin rahibi olan bir Briton. Yine de düşünmedim. Bir seçim yaptım ya da kader bir seçim yaptı ve ben dostluğu seçtim. Pyrlig benim arkadaşımdı. Onunla Wessex'in en karanlık kışında Danların krallığı fethetmiş gibi göründüğü ve Alfred'in birkaç yandaşıyla birlikte batı bataklıklarına sığınmak zorunda kaldığı zaman tanışmıştım. Pyrlig Galler kralı tarafından Alfred'in zayıf yönlerini keşfetmesi ve belki de kullanması için bir elçi olarak gönderilmişti ama bunun yerine Alfred'in yanında saf tutmuş ve onun için savaşmıştı. Pyrlig ve ben kalkan duvarları arasında birlikte durmuştuk. Yan yana savaşmıştık. Galli ve Sakson, Hristiyan ve pagandık. Düşman olmamız gerekirken onu kardeşim gibi seviyordum.

Bu yüzden kılıcımı uzatarak ona çarmıha gerilmesini izlemek yerine hayatı için savaşma şansı verdim.

Ve tabii ki bu adil bir dövüş değildi. Bir anda bitti! Aslında, zaten hiç başlamadan bitmişti ve sadece ben bu sona şaşırmamıştım.

Sigefrid şişman, acemi bir rahiple karşılaşmayı bekliyordu ama Pyrlig'in tanrısını keşfetmeden önce bir savaşçı olduğunu biliyordum. Büyük bir savaşçıydı. Saksonların katiliydi ve halkının hakkında şarkılar yazdığı bir adamdı. O anda büyük bir savaşçı gibi görünmüyordu. Yarı çıplaktı, şişmandı, üstü başı dağınıktı, yara bere içindeydi ve dövülmüştü. Yüzünde korku dolu bir ifadeyle ve Yılan Nefesi'nin ucu hâlâ yere dayalı bir şekilde Sigefrid'in saldırısını bekledi. Sigefrid yaklaştıkça geri çekildi ve miyavlamaya benzer sesler çıkarmaya başladı. Sigefrid güldü ve kılıcını neredeyse gelişigüzel savurdu. Pyrlig'in kılıcını yolundan çekmeyi, böylece bağırsaklarını deşmek için o koca göbeğini Korku Salan'ın darbesine maruz bırakmayı umuyordu.

Ama Pyrlig bir gelincik gibi hareket etti.

Yılan Nefesi'ni zarifçe kaldırdı. Sigefrid'in dikkatsizce savurduğu kılıcın onun kılıcının altından geçmesi için geriye doğru bir adım attı, ardından düşmanına doğru bir hamle yaparak Yılan Nefesi'ni bileğinin tüm gücüyle indirdi ve Sigefrid'in hâlâ dışarı doğru savrulmakta olan kılıç koluna sapladı. Bu darbe zırhı kıracak kadar güçlü değildi ama Sigefrid'in kılıç kolunu daha da dışarı itip Nors'u darbeye açık bıraktı. Ve Pyrlig atıldı. O kadar hızlıydı ki Yılan Nefesi'nin Sigefrid'in göğsüne sertçe çarpan darbeleri gümüş bir bulanıklığa dönüştü.

Bıçak bir kez daha Sigefrid'in zırhını delemedi ama iri adamı geriye doğru itti. Nors'un gözlerinde öfke vardı. Korku Salan'ı Pyrlig'in başını anında koparacak kadar güçlü bir savuruşla ona doğru salladığını gördüm. O muazzam darbede çok büyük bir güç ve vahşet vardı ama ölümden bir kalp atışı kadar uzak görünen Pyrlig, tekrar yalnızca bileğini kullandı. Hareket eder gibi görünmüyordu ama Yılan Nefesi yine de yukarı ve yana doğru hareket etti.

Yılan Nefesi'nin ucu o ölümcül darbeyi Sigefrid'in bileğinin iç kısmında karşıladı. Havaya kırmızı bir sis gibi püskü-ren kanı gördüm.

Ve Pyrlig'in gülümsediğini fark ettim. Daha çok yüzünü buruşturuyor gibiydi ama o gülümsemede bir savaşçının gururu ve bir savaşçının zaferi vardı. Kılıcı Sigefrid'in ön kolunu parçalamış, zırhı yarmış ve bilekten dirseğe kadar eti, deriyi ve kasları açığa çıkarmış, Sigefrid'in gücünü yitiren darbesini durdurmuştu. Nors'un kılıç kolu gevşedi. Pyrlig aniden geri adım atarak Yılan Nefesi'ni aşağıya doğru kesebilecek şekilde çevirdiğinde en sonunda kılıçla biraz çaba sarf eder gibi göründü. Galli onu Sigefrid'in kanayan bileğine saplarken kılıç bir ıslık sesi çıkardı. Neredeyse bileği koparıyordu ama bıçak bir kemikten sıyrılıp Nors'un başparmağını aldı ve Korku Salan arenanın zeminine düştü. Yılan Nefesi Sigefrid'in sakalında ve boğazındaydı.

"Hayır!" diye bağırdım.

Sigefrid kızamayacak kadar dehşete düşmüştü. Olanlara inanamıyordu. O ana kadar rakibinin bir kılıç ustası olduğunu anlamış olmalıydı ama yine de kaybettiğine inanamıyordu. Kanayan ellerini Pyrlig'in kılıcını yakalamak istercesine kaldırdı. Gallinin kılıcı titriyordu. Ölümü ensesinde hisseden Sigefrid hareketsiz kaldı.

"Hayır," diye tekrarladım.

"Onu neden öldürmeyeyim?" diye sordu Pyrlig. Sesi artık bir savaşçının sesiydi, sert ve acımasız ve gözleri bir savaşçının gözleriydi, çakmak taşı gibi soğuk ve öfkeli.

"Hayır," dedim tekrar. Pyrlig Sigefrid'i öldürürse Sigefrid'in adamlarının intikam alacağını biliyordum.

Erik de bunu biliyordu. "Sen kazandın rahip," dedi usulca. Kardeşine doğru yürüdü. "Sen kazandın," dedi Pyrlig'e tekrar, "o yüzden kılıcını indir."

"Onu yendiğimi biliyor mu?" diye sordu Pyrlig, Sigefrid'in kara gözlerinin içine bakarak.

"Onun adına ben konuşuyorum," dedi Erik. "Dövüşü sen kazandın rahip ve artık özgürsün."

Pyrlig, "Önce mesajımı iletmeliyim," dedi. Hâlâ Galli'ye bakmakta olan Sigefrid'in elinden kan damlıyordu.

"Kral Æthelstan'dan getirdiğimiz mesaj," dedi Pyrlig, Guthrum'u kastederek, "Lundene'den ayrılmanız gerektiğidir. Burası Alfred tarafından Dan egemenliğine bırakılan toprakların bir parçası değil. Bunu anlıyor musunuz?" Sigefrid bir şey söylemeyince Yılan Nefesi'ni tekrar oynattı. "Şimdi atlar istiyorum," diye devam etti Pyrlig, "Lord Uhtred ve adamları da bize Lundene'den çıkarken eşlik edecekler. Anlaşıldı mı?"

Erik bana baktı, ben de başımla onayladım. "Anlaşıldı," dedi Pyrlig'e.

Yılan Nefesi'ni Pyrlig'in elinden aldım. Erik kardeşinin yaralı kolunu tutuyordu. Bir an Sigefrid'in silahsız Galliye saldıracağını sandım ama Erik onu uzaklaştırmayı başardı.

Atlar getirildi. Arenadaki adamlar sessiz ve kırgındı. Liderlerinin aşağılandığını görmüş, Pyrlig'in diğer elçilerle birlikte gitmesine neden izin verildiğini anlamamışlardı, yine de Erik'in kararını kabul ettiler.

Erik bana, "Kardeşim dikkafalıdır," dedi. Atlar eyerlenirken konuşmak için beni bir kenara çekmişti.

"Görünüşe göre rahip nasıl savaşılacağını biliyormuş," dedim özür diler bir tavırla.

Erik kaşlarını çattı, öfkeyle değil şaşkınlıkla. "Onların tanrısını merak ediyorum," diye itiraf etti. Yaraları sarılmakta olan kardeşini izliyordu. "Tanrılarının gücü var gibi görünüyor," dedi. Yılan Nefesi'ni kınına soktum Erik kabzasının topuzunu süsleyen gümüş haçı gördü. "Sen de öyle düşünüyor olmalısın?"

"O bir hediyeydi," dedim, "bir kadından. İyi bir kadından. Bir âşıktan. Sonra Hristiyan tanrısı onu etkisi altına aldı ve artık erkekleri sevmiyor."

Erik uzanıp temkinli bir şekilde haça dokundu. "Kılıca güç verdiğini düşünmüyor musun?" diye sordu.

"Aşkının hatırası verebilir," dedim, "ama güç buradan geliyor." Muskama, Thor'un çekicine dokundum.

"Onların tanrısından korkuyorum," dedi Erik.

"O sert, zalim bir tanrı. Kanunlar koymayı seviyor."

"Kanunlar mı?"

"Komşunun karısına şehvet duymana izin yok," dedim.

Erik buna güldü, sonra ciddi olduğumu anladı. "Gerçekten mi?" diye sordu şüphe dolu bir sesle.

"Rahip!" diye seslendim Pyrlig'e. "Tanrınız erkeklerin komşularının karılarını arzulamasına izin veriyor mu?"

"İzin veriyor lordum," dedi Pyrlig alçak gönüllülükle, sanki benden korkuyormuş gibi, "ama onaylamıyor."

"Bu konuda bir kanun koydu mu?"

"Evet efendim, koydu. Ayrıca, komşunun öküzüne şehvet duymaman gerektiğini söyleyen bir yasa daha yaptı."

"İşte," dedim Erik'e. "Eğer Hristiyan'san bir öküz bile isteyemezsin."

"Tuhaf," dedi düşünceli bir ifadeyle. Kafalarını kaybetmekten kıl payı kurtulan Guthrum'un elçilerine bakıyordu. "Onlara eşlik etmenin bir sakıncası var mı?"

"Hayır."

"Yaşamaları kötü bir şey olmayabilir," dedi sessizce. "Neden Guthrum'a bize saldırması için sebep verelim ki?"

"Guthrum onları öldürsen de öldürmesen de saldırmayacak," dedim kendimden emin bir şekilde.

"Muhtemelen hayır," diye kabul etti, "ama rahip kazanırsa hepsinin yaşayacağı konusunda anlaşmıştık, o yüzden bırakalım yaşasınlar. Onlara eşlik etmenin bir sakıncası olmadığına emin misin?"

"Elbette yok," dedim.

"O zaman buraya dön," dedi Erik sıcak bir sesle, "sana ihtiyacımız var."

"Sizin Ragnar'a ihtiyacınız var," diye düzelttim.

"Doğru," diye itiraf etti ve gülümsedi. "O adamları şehirden güvenli bir şekilde çıkar, sonra da geri dön."

"Önce karımı ve çocuklarımı almam gerekiyor," dedim.

"Evet," dedi ve yine gülümsedi. "Bu konuda şanslısın. Ama geri geleceksin, değil mi?"

"Ölü Bjorn öyle söyledi," dedim, sorusunu itinayla geçiştirerek.

"Evet öyle söyledi," dedi Erik. Bana sarıldı. "Sana ihtiyacımız var, birlikte tüm adayı ele geçirebiliriz," dedi.

Şehrin sokaklarından geçerek Ludd Kapısı olarak bilinen batı kapısından çıktık ve Fleot Nehri'nin geçidine doğru ilerledik. Sihtric eyerin dizginine eğilmişti, hâlâ Sigefrid'den yediği tekmenin acısını çekiyordu. Geçitten ayrılırken Sigefrid'in kardeşinin kararına karşı çıkıp bizi takip etmeleri için adam göndermesini bekleyerek arkama baktım ama kimse yoktu. Bataklık araziden geçip Sakson kasabasına giden hafif yokuşu tırmandık. Batıya doğru giden yolda kalmayıp bir düzine geminin demirlediği iskelelere yöneldim. Bunlar Wessex ve Mersiya ile ticaret yapan nehir tekneleriydi. Romalıların Temes'in üzerine bıraktığı yıkık köprünün tehlikeli aralığını çok az gemi kaptanı kullanmayı tercih ediyordu, bu yüzden kürekçilerin çektiği bu gemiler daha küçüktü ve her biri Cocham'da bana vergi ödemişti. Beni tanıyorlardı çünkü her yolculukta benimle iş yapıyorlardı.

Mal yığınlarının arasından, açık ateşlerin yanından ve yükleri yükleyen ya da boşaltan köle gruplarının arasından güçlükle ilerledik. Sadece bir gemi sefere hazırdı. Adı *Kuğu*'ydu. Onu iyi tanıyordum. Sakson bir mürettebatı vardı ve yola çıkmak üzereydi çünkü Osric adında bir adam olan gemi kaptanı mallarını taşıdığı tüccarla işini bitirirken kürekçileri iskelede bekliyordu. "Bizi de götürüyorsun," dedim ona.

Atların çoğunu geride bıraktık, ancak Smoca'ya yer bulunması için ısrar ettim. Finan da kendi aygırını tutmak istedi, böylece hayvanlar *Kuğu*'nun titreyerek durdukları açık ambarına çekildi. Sonra ayrıldık. Gelgit yükseliyordu, kürekler suya indirildi ve nehrin yukarısına doğru süzüldük. "Sizi nereye götürüyorum lordum?" diye sordu gemi kaptanı Osric.

"Coccham'a," dedim.

Ve Alfred'e.

Nehir geniş, gri ve kasvetliydi, kuvvetli bir şekilde akıyor, yükselen gelgitin giderek daha az direnç gösterdiği kış yağmurlarıyla besleniyordu. On kürekçi akıntıyla mücadele ederken Kuğu ilk kürek çekişlerde çok zorlandı. Finan'la göz göze gelip gülümsedik. O da benim gibi köleler tarafından çekilen bir ticaret gemisinin küreklerinde geçirdiğimiz uzun ayları düşünüyordu. Acı çekmiş, kan kaybetmiş, titremiştik ve bizi bu kaderden sadece ölümün kurtarabileceğini düşünmüştük, ama şimdi *Kuğu* Temes'in su çayırlarına uzanan büyük sellerle yumuşatılmış geniş kıvrımlarında cebelleşirken başka adamlar kürek çekiyordu.

Geminin küt pruvasına inşa edilmiş küçük platforma oturdum. Peder Pyrlig de bana katıldı. Ona pelerinimi vermiştim, o da onu etrafına sımsıkı sarmıştı. Biraz ekmek ve peynir bulmuştu, bu beni şaşırtmadı çünkü bir adamın bu kadar çok yediğini hiç görmemiştim. "Sigefrid'i yeneceğimi nereden biliyordun?" diye sordu.

"Bilmiyordum," dedim. "Aslında onun seni yenmesini ve bir Hristiyan'ın daha eksilmesini ummuştum."

Bunun üzerine gülümseyip sel sularının üzerindeki su kuşlarına baktı. "Ne yaptığımı bildiğimi anlamadan önce sadece iki ya da üç vuruşum olduğunu biliyordum," dedi. "Sonra adamlarına etimi kemiklerimden ayırmalarını söylerdi."

"Söylerdi," diye onayladım, "ama ben senin o üç darbeyi vuracak becerinin olduğunu ve bunun yeterli olacağını düşündüm."

"Teşekkür ederim, Uhtred," dedi, sonra bir parça peynir koparıp bana verdi. "Bugünlerde nasılsın?"

"Sıkıldım."

"Evlendiğini duydum?"

"Ondan sıkılmadım," dedim aceleyle.

"Aferin sana! Ya ben? Karıma katlanamıyorum. Tanrım, o engerek yılanının nasıl bir dili var! Sadece konuşarak bir taşı bile ortadan ikiye ayırabilir! Karımla tanışmadın, değil mi?"

"Hayır."

"Bazen Âdem'in kaburga kemiğini alıp Havva'yı yarattığı için Tanrı'ya lanet ediyorum, ama sonra genç bir kız gördüğümde kalbim yerinden fırlıyor ve Tanrı'nın ne yaptığını bildiğini düşünüyorum."

Gülümsedim. "Hristiyan rahiplerin örnek olması gerektiğini sanıyordum?"

"Tanrı'nın yarattıklarına hayranlık duymanın nesi yanlış?" diye sordu Pyrlig öfkeyle. "Özellikle büyük, yuvarlak göğüsleri ve güzel, dolgun bir poposu olan genç bir kıza? Onun lütfunun bu tür emarelerini görmezden gelmek benim için günah olur." Sırıttı, sonra endişeli göründü. "Esir alındığını duydum?"

"Evet."

"Senin için dua ettim."

"Bunun için teşekkür ederim," dedim ve bunda ciddiydim. Hristiyan tanrısına tapmıyordum ama Erik gibi ben de onun bir gücü olduğundan korkuyordum, bu yüzden ona edilen dualar boşa gitmiş sayılmazdı.

"Ama seni serbest bıraktıranın Alfred olduğunu duydum?" diye sordu Pyrlig.

Durakladım. Her zamanki gibi Alfred'e olan borcumu kabul etmekten nefret ediyordum ama istemeye istemeye de olsa yardım ettiğini itiraf ettim. "Beni serbest bırakan adamları o gönderdi," dedim, "evet."

"Ve sen de onu kendini Mersiya Kralı ilan ederek ödüllendiriyorsun, öyle mi Lord Uhtred?"

"Bunu duydun mu?" diye sordum temkinli bir şekilde.

"Tabii ki duydum! O koca Nors hödüğü kulağımdan beş adım ötede bağırdı. Sen Mersiya Kralı mısın?"

"Hayır," dedim, "henüz değil" diye ekleme dürtüsüne karşı koyarak.

"Ben de öyle olduğunu düşünmemiştim," dedi Pyrlig yumuşak bir sesle. "Bunu duymuş olurdum, değil mi? Alfred istemediği sürece de olacağını sanmıyorum."

"Alfred bok çukuruna düşüp kendi bokunda boğulabilir, umurumda değil," dedim.

"Ve tabii ki duyduklarımı ona anlatmalıyım," dedi Pyrlig.

"Evet, anlatmalısın," dedim buruk bir şekilde.

Geminin baş bodoslamasının kıvrımlı kerestesine yaslanıp kürekçilerin sırtına baktım. Takip eden bir gemiye dair herhangi bir işaret olup olmadığını da izliyordum, bir yanım uzun küreklerin sürüklediği hızlı bir savaş gemisi görmeyi bekliyordu ama nehrin uzun kıvrımlarının üzerinde hiçbir direk görünmüyordu, bu da Erik'in kardeşini Pyrlig'in kendisine yaşattığı aşağılanmanın intikamını hemen almaması için ikna ettiğini gösteriyordu.

"Peki, Mersiya'ya kral olman kimin fikriydi?" diye sordu Pyrlig. Cevap vermemi bekledi ama hiçbir şey söylemedim. "Sigefrid, değil mi?" diye sordu. "Sigefrid'in çılgın fikri."

"Çılgın mı?" diye sordum masumca.

"Adam aptal değil," dedi Pyrlig, "kardeşi ise hiç değil. Doğu Anglia'da Æthelstan'ın yaşlandığını biliyorlar ve ondan sonra kimin kral olacağını soruyorlar. Mersiya'da kral yok. Ama Mersiya'yı öylece alamaz, değil mi? Mersiyalı Saksonlar onunla savaşacak, Alfred onların yardımına gelecek ve Thurgilson kardeşler kendilerini Saksonların öfkesiyle karşı karşıya bulacaklar! Bu yüzden Sigefrid'in aklına adam toplayıp önce Doğu Anglia'yı, sonra Mersiya'yı, sonra da Wessex'i alma fikri gelmiş! Ve tüm bunları yapmak için Kont Ragnar'ın Northumbria'dan adam getirmesine gerçekten ihtiyacı var."

Alfred'in arkadaşı olan Pyrlig'in Sigefrid, Erik ve Haesten'in planladığı her şeyi bilmesi beni dehşete düşürmüştü ama tepki göstermedim. "Ragnar savaşmayacak," dedim konuşmayı bitirmeye çalışarak.

"Tabii sen ondan istemezsen," dedi Pyrlig sertçe. Sadece omuz silktim.

"Peki Sigefrid sana ne sunabilir?" diye sordu Pyrlig, ben yine bir şey söylemeyince cevabı kendisi verdi. "Mersiya."

Küçümser bir şekilde gülümsedim. "Kulağa çok karmaşık geliyor."

"Sigefrid ve Haesten kral olmak gayretindeler," dedi Pyrlig, benim küstahça yorumumu görmezden gelerek. "Ama burada sadece dört krallık var! Northumbria'yı alamazlar çünkü Ragnar buna izin vermez. Mersiya'yı alamazlar çünkü Alfred izin vermez. Ama Æthelstan yaşlanıyor, bu yüzden Doğu Anglia'yı alabilirler ve neden Wessex'i de alarak işi bitirmesinler? Sigefrid Alfred'in sarhoş yeğenini tahta geçireceğini söylüyor ve bu Saksonları Sigefrid onu öldürene kadar birkaç ay sakinleştirir. O zamana kadar Haesten Doğu Anglia Kralı ve birisi, belki sen, Mersiya Kralı olur. Şüphesiz o zaman sana düşman olacaklar ve Mersiya'yı aralarında paylaşacaklar. Fikir bu Lord Uhtred ve hiç de fena değil! Ama kim o iki haydudun peşinden gider ki?"

"Hiç kimse," diye yalan söyledim.

"Nornların kendi taraflarında olduğuna ikna olmadıkları sürece," dedi Pyrlig neredeyse kayıtsızca, sonra bana baktı. "Ölü adamla tanıştın mı?" diye sordu masumca. Soru karşısında o kadar afallamıştım ki cevap veremedim. Sadece onun yuvarlak, hırpalanmış yüzüne baktım. "Adı Bjorn," dedi Galli, ağzına bir parça daha peynir atarak.

"Ölüler yalan söylemez," diye söyledim düşünmeden.

"Yaşayanlar söyler! Tanrı şahidim, söyler! Ben bile yalan söylüyorum Lord Uhtred," dedi muzipçe sırıtarak. "Karıma bir mesaj gönderdim ve Doğu Anglia'da olmaktan nefret edeceğini söyledim!" Güldü. Alfred Pyrlig'den Doğu Anglia'ya gitmesini istemişti çünkü o bir rahipti, Danca konuşuyordu ve oradaki görevi Guthrum'u Hristiyanlık konusunda eğitmekti. "Aslında orayı çok severdi!" diye devam etti Pyrlig. "Memleketinden daha sıcak ve hiç tepesi yok. Düz ve ıslak, işte Doğu Anglia bu ve hiçbir yerde doğru dürüst bir tepe yok! Karım tepeleri asla sevmemiştir, muhtemelen bu yüzden Tanrı'yı buldum. Sırf ondan uzak durmak için tepelerde yaşardım ve bir tepede Tanrı'ya daha yakın olursun. Bjorn ölü değil."

Son üç kelimeyi ani bir acımasızlıkla söylemişti, ben de ona aynı sertlikte cevap verdim. "Onu gördüm."

"Mezardan çıkan bir adam gördün, gördüğün buydu."

"Onu gördüm!" diye ısrar ettim.

"Elbette gördün! Ve gördüklerini sorgulamayı hiç düşünmedin, değil mi?" diye sordu Galli adam sert bir şekilde. "Bjorn sen gelmeden hemen önce o mezara konmuştu! Üzerine toprak yığmışlardı ve bir kamıştan nefes alıyordu."

Bjorn'un sendeleyerek ayağa kalkıp ağzından bir şey tükürdüğünü hatırlıyorum. Arp teli değil, başka bir şey. Bir toprak parçası olduğunu düşünmüştüm ama aslında daha soluk bir şeydi. O zaman bunu düşünmemiştim ama artık dirilişin bir oyun olduğunu anlıyor, *Kuğu*'nun ön güvertesinde otururken hayallerimin son kırıntılarının da ufalandığını hissediyordum. Kral olamayacaktım. "Bütün bunları nereden biliyorsun?" diye sordum buruk bir sesle.

"Kral Æthelstan aptal değil. Casusları var." Pyrlig elini koluma koydu. "Çok ikna edici miydi?"

"Çok," dedim, hâlâ buruk bir şekilde.

"O Haesten'in adamlarından biri ve eğer onu yakalarsak cehenneme kadar yolu var. Peki sana ne söyledi?"

"Mersiya'ya kral olacağımı," dedim usulca. Saksonların ve Danların kralı, Galler'in düşmanı, nehirler arasındaki kral ve yönettiğim her şeyin efendisi olacaktım. "Ona inandım," dedim hayıflanarak.

"Eğer Alfred seni kral yapmazsa Mersiya'ya nasıl kral olabilirsin?" diye sordu Pyrlig.

"Alfred mi?"

"Ona yemin etmedin mi?"

Gerçeği söylemekten utanıyordum ama başka seçeneğim yoktu. "Evet," diye itiraf ettim.

"İşte bu yüzden ona söylemeliyim," dedi Pyrlig kararlı bir şekilde, "çünkü bir adamın yeminini bozması ciddi bir meseledir Lord Uhtred."

"Öyledir," diye kabul ettim.

"Ve ona söylediğimde Alfred'in seni öldürmeye hakkı olacak."

Omuz silktim.

Pyrlig, "Yaşayan bir adamdan bir ceset yaratan adamlar tarafından kandırılmaktansa yeminini tutman daha iyi," dedi. "Kader sizden yana değil Lord Uhtred. Güvenin bana."

Ona baktım ve gözlerindeki hüznü gördüm. Benden hoşlanıyordu ama yine de kandırıldığımı söylüyordu ve haklıydı, hayallerim yıkılıyordu. "Başka ne seçeneğim var?" diye sordum ona acı acı. "Onlara katılmak için Lundene'e gittiğimi biliyorsun ve bunu Alfred'e söylemelisin, bana bir daha asla güvenmeyecek."

"Sana şimdi de güvendiğinden şüpheliyim," dedi Pyrlig neşeyle. "Alfred akıllı bir adam. Ama seni tanıyor Uhtred, senin bir savaşçı olduğunu biliyor ve savaşçılara ihtiyacı var." Boynunda asılı duran tahta haçı çıkarmak için durakladı. "Üzerine yemin et," dedi.

"Ne yemini?"

"Ona ettiğin yemini tutacağına yemin et! Bunu yaparsan sessiz kalacağım. Bunu yaparsan olanları inkâr edeceğim. Bunu yaparsan seni koruyacağım."

Tereddüt ettim.

"Eğer Alfred'e ettiğin yemini bozarsan o zaman benim düşmanım olursun ve seni öldürmek zorunda kalırım," dedi Pyrlig.

"Sence bunu yapabilir misin?" diye sordum.

Yaramazca sırıttı. "Ah, bir Galli ve bir rahip olmama rağmen beni seviyorsunuz lordum ve beni öldürmek konusunda isteksiz olurdunuz. Tehlikenin farkına varmadan önce üç vuruşum olurdu, bu yüzden evet lordum, sizi öldürürdüm."

Sağ elimi haçın üzerine koydum. "Yemin ederim," dedim. Ve hâlâ Alfred'in adamıydım.

Üç

O akşam Cocchamʼa vardık. Hristiyanlığı en az benim kadar sevmeyen Giselaʼnın Peder Pyrligʼe ısındığını gördüm. Peder Pyrlig Giselaʼyla açıkça flört ediyor, ona abartılı iltifatlar yağdırıyor ve çocuklarımızla oynuyordu. O zamanlar iki çocuğumuz vardı. Şanslıydık çünkü her iki bebek de anneleri gibi hayattaydı. Uhtred en büyükleriydi. Oğlum. Dört yaşındaydı. Saçları benimki gibi altın rengindeydi; küçük, güçlü bir yüzü, küt bir burnu, mavi gözleri ve inatçı bir çenesi vardı. O zamanlar onu çok severdim. Kızım Stiorra iki yaşındaydı. Tuhaf bir ismi vardı. İsim ilk başta hoşuma gitmemişti ama Gisela çok ısrar etti ve bırakın bir kıza isim vermeyi, onun istediği hiçbir şeye karşı çıkamazdım. Stiorra basitçe "yıldız" anlamına geliyordu. Gisela onunla şanslı bir yıldızın altında tanıştığımıza ve kızımızın da aynı yıldızın altında doğduğuna yemin etmişti. Artık bu isme alışmıştım; annesinin siyah saçlarına, uzun yüzüne ve ani, muzip gülümsemesine sahip çocuğu sevdiğim gibi bu ismi de seviyordum. "Stiorra, Stiorra!" Onu gıdıklarken ya da kol halkalarımla oynamasına izin verirken böyle söylerdim. Stiorra, o kadar güzel ki.

Gisela ile Wintanceasterʼa gitmeden önceki gece onunla oynadım. İlkbahardı ve Temes yatışmıştı. Nehir çayırları yeniden ortaya çıkmış ve yapraklar tomurcuklanırken dünya yeşile bürünmüştü. İlk kuzular çuha çiçekleriyle ışıldayan tarlalarda oynuyor ve karatavuklar gökyüzünü dalga dalga yayılan şarkılarla dolduruyordu. Somon balığı nehre geri dönmüştü ve söğüt ağından ördüğümüz tuzaklarımız iyi yemek sağlıyordu. Coccham'daki armut ağaçları tomurcuklarla ve yaz aylarında meyve alabilmemiz için küçük çocuklar tarafından korkutulmaları gereken bir o kadar da şakrak kuşuyla doluydu. Yılın güzel bir zamanıydı, dünyanın hareketlendiği bir zaman. Alfred'in kızı Æthelflaed ile kuzenim Æthelred'in düğünü için başkente çağrılmıştık. O gece dizim bir atmış ve Stiorra da atın binicisiymiş gibi yaparken Æthelred'in düğün hediyesini sağlayacağıma dair verdiğim sözü düşündüm. Hediye olarak bir şehir. Lundene.

Gisela yün eğiriyordu. Ona Mersiya Kraliçesi olmayacağını söylediğimde omuz silkmiş, Alfred'e olan yeminimi tutacağımı söylediğimde de ciddi bir şekilde başıyla onaylamıştı. Kaderi benden daha kolay kabul ediyordu. "Kader ve o talihli yıldız, dünyanın bizi ayırmak için yaptığı her şeye rağmen bizi bir araya getirdi," diye söylerdi. "Eğer Alfred'e verdiğin yemini tutarsan," dedi aniden, Stiorra'yla oyunumu bölerek, "o zaman Lundene'i Sigefrid'den alman mı gerekiyor?"

"Evet," dedim, çoğu zaman olduğu gibi onun düşünceleriyle benimkilerin bu kadar sıklıkla aynı olmasına hayret ederek.

"Yapabilir misin?" diye sordu.

"Evet," dedim. Sigefrid ve Erik hâlâ eski şehirdeydiler ve adamları keresteyle onardıkları Roma surlarını koruyordu. Artık hiçbir gemi kardeşlere geçiş ücretini ödemeden Temes'ten yukarı çıkamıyordu ve bu ücret fahişti, bu yüzden tüccarlar Wessex'e mal getirmek için başka yollar aradığından nehir trafiği durmuştu. Doğu Anglia Kralı Guthrum Sigefrid ve Erik'i savaşla tehdit etmiş ama tehdidi boş çıkmıştı. Guthrum savaş istemiyordu, sadece Alfred'i barış anlaşmasını korumak için elinden geleni yaptığına ikna etmek istiyordu, bu yüzden Sigefrid ortadan kaldırılacaksa işi yapan Batı Saksonlar olacaktı ve onların liderliğinden ben sorumlu olacaktım.

Planlarımı yapmıştım. Krala yazdım, o da vilayetlerin hanedan reislerine yazdı ve bana Berrocscire milisleriyle birlikte dört yüz eğitimli savaşçı sözü verdi. Milisler çiftçilerden, ormancılardan ve işçilerden oluşan bir orduydu ve sayıca çok olsalar da eğitimsiz olacaklardı. Güvendiğim dört yüz eğitimli adam olacaktı ve casuslar Sigefrid'in şu anda eski şehirde en az altı yüz adamı olduğunu söylüyordu. Aynı casuslar Haesten'in Beamfleot'taki kampına geri döndüğünü, ama kampının Lundene'den çok uzakta olmadığını ve Guthrum'un Hristiyanlığından nefret eden ve Sigefrid ile Erik'in fetih savaşına başlamasını isteyen Doğu Anglia Danları gibi müttefiklerini takviye etmeye can atacağını da söylüyordu. Düşmanın en az bin kişi olacağını ve hepsinin kılıç, balta ya da mızrak kullanmada yetenekli olacağını düşündüm. Onlar savaşçı Danlar olacaktı. Korkulacak düşmanlar.

"Kral bunu nasıl yapmayı planladığını bilmek isteyecektir," dedi Gisela yumuşak bir sesle.

"O zaman ona söyleyeceğim," dedim.

Bana kuşkulu bir bakış attı. "Söyleyecek misin?"

"Elbette," dedim, "o kral."

Elindeki örekeyi kucağına koydu ve kaşlarını çatarak bana baktı. "Ona gerçeği söyleyecek misin?"

"Tabii ki hayır," dedim. "O kral olabilir ama ben aptal değilim."

Güldü, gülüşü Stiorra'yı da güldürdü. "Keşke seninle Lundene'e gelebilseydim," dedi Gisela hasretle.

"Gelemezsin," dedim sertçe.

"Biliyorum," diye cevap verdi alışılmadık bir uysallıkla, sonra bir elini karnına götürdü. "Gerçekten gelemem."

Ona baktım. Verdiği haber zihnime yerleşirken uzun süre bakakaldım. Baktım, gülümsedim ve sonra güldüm. Stiorra'yı havaya fırlattım, öyle ki koyu renk saçları neredeyse dumanla kararmış sazlara değiyordu. "Annen hamile," dedim mutlulukla ciyaklayan çocuğa.

Gisela sert bir şekilde, "Ve hepsi babanın suçu," diye ekledi.

Çok mutluyduk.

Æthelred benim kuzenimdi, annemin kardeşinin oğluydu. Bir Mersiyalıydı, ancak yıllardır Wessexli Alfred'e sadıktı ve o gün Wintanceaster'da, Alfred'in inşa ettirdiği büyük kilisede, Mersiyalı Æthelred bu sadakatin ödülünü aldı.

Ona Alfred'in en büyük kızı ve ikinci çocuğu olan Æthelflaed verildi. Æthelflaed altın saçlıydı, gözleri bir yaz göğü renginde ve parlaklığındaydı. O zamanlar bir kızın evlenmesi için uygun yaş olan on üç ya da on dört yaşındaydı ve uzun boylu, dik duruşlu, cesur bakışlı genç bir kadın olmuştu. Şimdiden kocası olacak adam kadar uzun boyluydu.

Æthelred artık bir kahraman. Onun hakkında hikâyeler duyuyorum. İngiltere'nin dört bir yanındaki Sakson salonlarında ateş altında anlatılan hikâyeler. Cesur Æthelred, Savaşçı Æthelred, Sadık Æthelred. Hikâyeleri duyduğumda gülümsüyorum ama hiçbir şey söylemiyorum, insanlar bir zamanlar Æthelred'i tanıdığımın doğru olup olmadığını sorduklarında bile. Elbette Æthelred'i tanıyordum. Hastalık onu yavaşlatıp hareketsiz bırakmadan önce bir savaşçı olduğu doğrudur ve aynı zamanda cesurdu da gerçi en kurnazca hamlesi sarayına hizmet etmeleri ve cesareti hakkında şarkılar uydurmaları için şairlere para ödemekti. Bir adam Æthelred'in sarayında kelimeleri boncuk gibi dizerek zengin olabilirdi.

İstemesine rağmen asla Mersiya Kralı olamadı. Alfred bundan emin oldu çünkü Alfred Mersiya'da kral istemiyordu. Mersiya'nın hükümdarı olacak sadık bir takipçi istiyordu, ayrıca bu sadık takipçinin Batı Sakson parasına bağımlı olmasını istiyordu. Seçtiği adam Æthelred'di. Kendisine Mersiya hükümdarı unvanı verildi. Kuzey Mersiyalı Danlar onun otoritesini hiçbir zaman tanımamış olsalar da adı dışında her şeyiyle kraldı. Yine de onun gücünü tanıdılar ve bu güç Alfred'in damadı olmasından kaynaklanıyordu. Güney Mersiya'daki Sakson soylularının onu kabul etmesinin nedeni de buydu. Hükümdar Æthelred'i sevmiyor olabilirlerdi ama onun Danların güneye doğru olası bir hareketine karşı Batı Sakson birliklerini getirebileceğini biliyorlardı.

Ve Wintanceaster'da bir bahar günü, kuş sesleri ve güneş ışığıyla aydınlanan bir gün, Æthelred istediği güce kavuştu. Kızıl sakallı yüzünde bir gülümsemeyle Alfred'in büyük yeni kilisesine kasıla kasıla girdi. Her zaman başkalarının onu sevdiği yanılgısı içinde olmuştu ve belki bazı insanlar onu seviyordu da ama ben değil. Kuzenim kısa boylu, kavgacı ve kibirliydi. Çenesi geniş ve sertti, gözleri meydan okur gibi bakardı. Gelininden iki kat daha yaşlıydı, neredeyse beş yıldır Alfred'in hanedan birliklerinin komutanlığını yapıyordu ve bu görevi yeteneğinden çok doğuştan geliyordu. Güney Mersiya'nın büyük bir kısmına yayılan topraklar ona miras kalmıştı, bu da onu Mersiya'nın en önde gelen soylusu ve, kabul etmek istemesem de, bu hüzünlü ülkenin doğal lideri yapıyordu. Aynı zamanda, çekinmeden söyleyebilirim ki, boktan biriydi.

Alfred bunu asla göremedi. Æthelred'in katı dindarlığı ve her zaman Wessex Kralı ile aynı fikirde olmaya hazır olması gözünü boyamıştı. Evet lordum, hayır lordum, izin verin gece bok kovanızı boşaltayım lordum, izin verin kraliyet kıçınızı yalayayım lordum. İşte Æthelred buydu ve ödülü de Æthelflaed'di.

Æthelflaed ondan birkaç dakika sonra kiliseye geldi, o da Æthelred gibi gülümsüyordu. Aşka âşıktı, tatlı yüzü o gün doruğa ulaşan neşesiyle ışıl ışıldı. Daha şimdiden kıvrımlı kalçaları olan esnek vücutlu, genç bir kadındı. Uzun bacaklı, ince yapılı ve hastalıktan etkilenmemiş kalkık burunlu bir yüzü vardı. Üzerinde haleli ve haçlı azizleri gösteren desenler dikilmiş soluk mavi, keten bir elbise giymişti. Püsküllü, üzerinde küçük gümüş çanların asılı olduğu altın kumaştan bir kuşağı ve omuzlarında boğazından kristal bir broşla tutturulmuş beyaz ketenden bir pelerini vardı. Pelerin yürürken döşeme taşlı zemindeki çalı çırpıyı süpürüyordu. Başına dolanmış altın sarısı saçları fildişi taraklarla tutturulmuştu. O bahar günü, evliliğinin bir işareti olarak saçlarını topladığı ilk gündü ve uzun ince boynu açıktaydı. O gün çok zarifti.

Beyaz sunağa doğru yürürken bakışlarımı yakaladı ve zaten sevinçle dolu olan gözleri yeni bir ışıltıyla parladı. Bana gülümsedi, ben de ona gülümsemek zorunda kaldım, sonra babasına ve kocası olacak adama doğru yürümeye başlamadan önce sevinçle güldü.

Gisela tebessümle, "Sana çok düşkün," dedi.

"Çocukluğundan beri arkadaşız," dedim.

Gelin çiçeklerle bezeli, haçlı sunağa ulaştığında Gisela yumuşak bir sesle, "O hâlâ bir çocuk," dedi.

Æthelflaed'in o sunakta kurban edildiğini düşündüğümü hatırlıyorum ama eğer bu doğruysa o zaman çok istekli bir kurbandı. Her zaman yaramaz, hınzır bir çocuk olmuştu ve huysuz annesinin bakışları ve sert babasının kuralları altında ezildiğinden hiç şüphem yoktu. Evliliği Alfred'in kasvetli ve dindar sarayından bir kaçış olarak görüyordu ve o gün, Alfred'in yeni kilisesi onun mutluluğuyla doldu. Wessex'in belki de en büyük savaşçısı olan Steapa'yı ağlarken gördüm. Steapa da benim gibi, Æthelflaed'e düşkündü.

Kilisede üç yüze yakın insan vardı. Elçiler denizin ötesindeki Frank krallıklarından ya da Northumbria, Mersiya, Doğu Anglia ve Galler krallıklarından gelmişti. Hepsi de rahip ya da soylu olan bu adamlara sunağın yakınında onur yerleri verilmişti. Wessex'in hükümdarları ve üst düzey reisleri de oradaydı, sunağın en yakınında ise rahipler ve keşişlerden oluşan karanlık bir sürü vardı. Ayinden çok az şey duydum çünkü Gisela ile kilisenin arka tarafında arkadaşlarımızla sohbet ediyorduk. Arada sırada bir rahip tarafından sertçe sessizlik çağrısı yapılıyordu ama kimse bunu dikkate almıyordu.

Wintanceaster'daki bir rahibe manastırının başrahibesi olan Hild Gisela'yı kucakladı. Gisela'nın iki iyi Hristiyan arkadaşı vardı. Birincisi, bir zamanlar kiliseden kaçıp sevgilim olan Hild, diğeri de birlikte büyüdüğüm ve bir kız kardeş gibi sevdiğim Ragnar'ın kız kardeşi Thyra. Thyra bir Dan'dı elbette, Thor ile Odin'e taparak büyümüştü ama din değiştirip güneye, Wessex'e gelmişti. Bir rahibe gibi giyinmişti. Üzerinde şaşırtıcı güzelliğini gizleyen kapüşonlu, donuk gri bir cübbe vardı. Normalde Gisela'nınki kadar ince olan ama artık hamilelikten dolayı dolgunlaşmış belini siyah bir kuşak çevreliyordu. Kuşağın üzerine nazikçe elimi koydum. "Bir tane daha mı?" diye sordum.

"Hem de yakında," dedi Thyra. Üç çocuk doğurmuştu ve bunlardan biri, oğlan, hâlâ yaşıyordu.

"Kocan doymak bilmiyor," dedim alaycı bir sertlikle.

Thyra ciddiyetle, "Bu Tanrı'nın isteği," dedi. Çocukluğundan hatırladığım mizah duygusu din değiştirmesiyle birlikte buharlaşıp gitmişti, ama aslında mizah duygusunu muhtemelen Dunholm'da ağabeyinin düşmanları tarafından köleleştirildiğinde kaybetmişti. Onu esir alanlar tarafından tecavüze uğramış, taciz edilmiş ve delirtilmişti. Ragnar ve ben onu kurtarmak için savaşarak Dunholm'a girmiştik ama onu delilikten kurtaran ve şimdi bana ciddi bir şekilde bakan sakin kadına dönüştüren Hristiyanlık olmuştu.

"Peki kocan nasıl?" diye sordum.

"Teşekkür ederim," derken yüzü aydınlandı. Thyra sadece Tanrı'nın değil, iyi bir adamın da sevgisine sahipti ve bunun için minnettardım.

"Elbette çocuk erkek olursa adını Uhtred koyacaksın," dedim ciddi bir ifadeyle.

"Kral izin verirse adını Alfred koyacağız, kız olursa da Hild olacak," dedi Thyra.

Bunun üzerine Hild ağladı, ardından Gisela da hamile olduğunu açıkladı ve üç kadın bitmek bilmeyen bir bebek muhabbetine girişti. Kendimi dışarı attım ve cemaatin geri kalanından bir baş yüksekte duran Steapa'yı buldum. "Sigefrid ve Erik'i Lundene'den atacağımı biliyor musun?" diye sordum.

"Haberim var," dedi o ağırbaşlı ve temkinli haliyle.

"Gelecek misin?"

Bana geleceğini düşündüren bir şekilde hızlıca gülümsedi. Korkutucu bir yüzü vardı, derisi iri kemikli kafatası boyunca gerilmişti, bu yüzden sürekli yüzünü buruşturuyormuş gibi görünürdü. Savaşta korkunçtu, kılıç becerisine sahip, acımasız, devasa bir savaşçıydı. Köle olarak doğmuştu ama cüssesi ve dövüş yeteneği onu şimdiki konumuna yükseltmişti. Alfred'in korumalığını yapmış, kendi köleleri olmuş ve Wiltunscir'de geniş bir arazide çiftçilik yapmıştı. Yüzünden hiç eksik olmayan öfke yüzünden erkekler Steapa'ya ihtiyatlı yaklaşırdı ama ben onun nazik bir adam olduğunu biliyordum. Zeki değildi. Steapa asla düşünen biri olmamıştı ama nazik ve sadık biriydi. "Kraldan seni azat etmesini isteyeceğim," dedim.

"Æthelred ile gitmemi isteyecektir," dedi Steapa.

"Savaşan adamla birlikte olmayı tercih edersin, değil mi?" diye sordum.

Steapa kuzenime ettiğim hakareti anlayamayacak kadar ağır bir şekilde bana göz kırptı. "Savaşacağım," dedi ve kocaman kolunu, endişeli bir yüzü ve küçük gözleri olan karısının omuzlarına koydu. Karısının adını bir türlü hatırlayamadım, bu yüzden onu kibarca selamlayarak kalabalığın arasından ilerledim.

Æthelwold beni buldu. Alfred'in yeğeni yeniden içmeye başlamıştı ve gözleri kan çanağına dönmüştü. Eskiden yakışıklı bir genç adamdı ama artık yüzü şişmişti ve derisinin altında kırmızı, çatlak damarlar vardı. Beni kilisenin kenarına, üzerine kırmızı yünle uzun bir öğüt işlenmiş bir sancağın altına çekti. Sancakta "İnanırsan Tanrı'dan İstediğin Her Şeyi Alırsın," yazıyordu. "Dua Et, Dileğin Yerine Gelecektir." nakışlarını Alfred'in karısı ve hanımlarının işlediğini düşündüm ama duygular Alfred'e ait gibiydi. Æthelwold dirseğimi öyle sert tutuyordu ki canımı yakıyordu. "Benim tarafımda olduğunu sanıyordum," diye tısladı sitemle.

"Öyleyim," dedim.

Bana şüpheyle baktı. "Bjorn'la tanıştın mı?"

"Ölü taklidi yapan bir adamla tanıştım," dedim.

Bunu duymazdan geldi, ki bu beni şaşırttı. Bjorn'la karşılaşmasından ne kadar etkilendiğini hatırlıyordum, o kadar etkilenmişti ki Æthelwold bir süreliğine ayılmıştı ama şimdi benim dirilmiş cesedi önemsiz bir şey olarak görmemi umursamıyordu. "Anlamıyor musun," dedi, hâlâ dirseğimi tutarak, "bu bizim en büyük fırsatımız!"

"Neden en büyük fırsatımız?" diye sordum sabırla.

"Ondan kurtulmak için," diye konuştu hararetli bir şekilde, öyle ki yakınlarda duran bazı insanlar dönüp bize baktı. Hiçbir şey söylemedim. Elbette Æthelwold amcasından kurtulmak istiyordu ama bu darbeyi kendi başına vuracak cesareti yoktu, bu yüzden sürekli benim gibi müttefikler arıyordu. Yüzüme baktı ve belli ki orada bir destek bulamadı çünkü kolumu bıraktı. "Ragnar'a sorup sormadığını bilmek istiyorlar," dedi sesini alçaltarak.

Yani Æthelwold hâlâ Sigefrid ile temas halinde miydi? Bu ilginçti belki ama şaşırtıcı değildi. "Hayır, sormadım," dedim.

"Tanrı aşkına, neden?"

"Çünkü Bjorn yalan söyledi. Mersiya'ya kral olmak benim kaderim değil," dedim.

"Eğer Wessex'te kral olursam o zaman canını kurtarmak için kaçsan iyi edersin," dedi Æthelwold buruk bir şekilde. Bunun üzerine gülümsedim, sonra gözlerimi kırpmadan ona baktım, bir süre sonra arkasını dönüp muhtemelen özür mahiyetinde duyulmayan bir şeyler mırıldandı. Yüzü asık bir şekilde kiliseye baktı. "Şu Dan kaltak," dedi hararetle.

"Hangi Dan kaltak?" diye sordum, bir an için Gisela'yı kastettiğini sanarak.

"O kaltak," dedi, başını Thyra'ya doğru sallayarak. "O salakla evli olan. Dindar kaltak. Karnı burnunda olan."

"Thyra mı?"

"O çok güzel," dedi Æthelwold hınçla.

"Öyle."

"Ve yaşlı bir aptalla evli!" dedi Æthelwold, yüzünde nefretle Thyra'ya bakarak. "İçindeki yavruyu doğurduğunda onun sırtına bineceğim ve ona gerçek bir erkeğin bir tarlayı nasıl sürdüğünü göstereceğim," dedi.

"Onun benim arkadaşım olduğunu biliyorsun, değil mi?" diye sordum.

Telaşlanmış göründü. Thyra'ya olan ezeli sevgimden haberi olmadığı belliydi ve sözünü geri almaya çalıştı. "Sadece güzel olduğunu düşünüyorum," dedi asık suratla, "hepsi bu."

Gülümsedim ve kulağına doğru eğildim. "Ona dokunursan," diye fısıldadım, "kıç deliğine bir kılıç sokarım ve seni kasıklarından boğazına kadar deşip iç organlarını domuzlarıma yediririm. Ona bir kez dokunursan Æthelwold, sadece bir kez, ölürsün."

Yürüyüp gittim. Aptalın, sarhoşun ve şehvet düşkününün tekiydi ve ben onu zararsız biri olarak görüp başımdan savmıştım. Yanıldığım ortaya çıkacaktı. Ne de olsa Wessex'in gerçek kralıydı, ama sadece kendisi ve diğer birkaç aptal Alfred'in yerine kral olması gerektiğine gerçekten inanıyordu. Alfred yeğeninin olmadığı her şeye sahipti: Ağırbaşlı, zeki, çalışkan ve ciddiydi.

O gün mutluydu da. Kızının neredeyse oğlu gibi sevdiği bir adamla evlenmesini izledi, keşişlerin ilahilerini dinledi ve yaldızlı kirişleri ve boyalı heykelleriyle yaptırdığı kiliseye baktı. Bu evlilikle güney Mersiya'nın kontrolünü ele geçirdiğini biliyordu.

Bu da Wessex'in Thyra ve Gisela'nın içindeki bebekler gibi büyüdüğü anlamına geliyordu.

Peder Beocca beni kilisenin dışında, düğün davetlilerinin güneşin altında Alfred'in salonundaki ziyafete çağrılmayı bekledikleri yerde buldu. "Çok fazla insan kilisede konuşuyordu!" diye yakındı Beocca. "Bu kutsal bir gündü Uhtred, kutsal bir gün, dini bir törendi ve insanlar sanki pazardaymış gibi konuşuyordu!"

"Ben de onlardan biriydim," dedim.

"Öyle miydin?" diye sordu, gözlerini kısıp bana bakarak. "Konuşmaman gerekirdi. Bu düpedüz görgüsüzlük! Ve Tanrı'ya hakaret! Sana hayret ediyorum Uhtred, gerçekten hayret ediyorum! Şaşırdım ve hayal kırıklığına uğradım."

"Evet, peder," dedim gülümseyerek. Beocca beni yıllardır azarlıyordu. Ben çocukken babamın rahibi ve günah çıkardığı papazıydı. Amcam Bebbanburg'u gasp ettiğinde o da benim gibi Northumbria'dan kaçmıştı. Beocca Alfred'in sarayına sığınmış ve orada sofuluğu, bilgisi ve coşkusu kral tarafından takdir edilmişti. Bu kraliyet lütfu gerçekte tüm Wessex'te bulabileceğiniz en çirkin adam olan Beocca ile alay edilmesini bir yere kadar engellemişti. Çarpık bir ayağı, şaşı bir gözü ve felçli bir sol eli vardı. Artık neredeyse elli yaşında olduğu için saçları kadar beyazlamış olan diğer gözü de görmüyordu. Sokaklarda çocuklar onunla alay ederdi ve bazı insanlar çirkinliğin şeytanın bir işareti olduğuna inanarak istavroz çıkarırdı ama o tanıdığım en iyi Hristiyanlardan biriydi. "Seni görmek güzel," dedi küçümseyici bir ses tonuyla, sanki ona inanmamdan korkuyormuş gibi. "Kralın seninle konuşmak istediğini biliyorsun değil mi? Ziyafetten sonra görüşmenizi önerdim."

"Sarhoş olacağım."

İç çekti, sonra boynumda görünen Thor'un çekiç muskasını örtmek için sağlam elini uzatıp onu tuniğimin altına sıkıştırdı. "Ayık kalmaya çalış," dedi.

"Belki yarın?"

"Kral meşgul, Uhtred! Senin keyfini bekleyemez!"

"O zaman benimle sarhoşken konuşmak zorunda kalacak," dedim.

"Ve seni uyarıyorum, Lundene'i ne kadar çabuk alabileceğini bilmek istiyor. Bu yüzden seninle konuşmak istiyor." Konuşmayı aniden kesti çünkü Gisela ve Thyra bize doğru yürüyordu ve Beocca'nın yüzü aniden mutlulukla doldu. Hayal gören bir adam gibi Thyra'ya baktı. Thyra ona gülümsediğinde kalbinin gurur ve bağlılıkla patlayacağını düşündüm. "Üşümüyorsun, değil mi canım?" diye sordu şefkatle. "Sana bir pelerin getirebilirim."

"Üşümüyorum."

"Mavi pelerinin?"

"Sıcağım canım," deyip elini koluna koydu.

"Sorun olmaz!" dedi Beocca.

"Üşümüyorum, sevgilim," dedi Thyra ve Beocca yine mutluluktan ölecekmiş gibi baktı.

Beocca hayatı boyunca kadınların hayalini kurmuştu. Güzel kadınların. Onunla evlenecek, ona çocuk verecek bir kadının. Garip görünüşü hayatı boyunca onu küçümsenen bir nesne haline getirmişti, ta ki kanlı bir tepede Thyra ile tanışana ve onun ruhundaki şeytanları kovana kadar. Dört yıldır evliydiler. Onlara baktığınızda hiçbir insanın birbirine bu kadar uyumsuz olamayacağını düşünürdünüz. Yaşlı, çirkin, titiz bir rahip ve genç, altın saçlı bir Dan, ama onların yanında olmak, bir kış gecesinde büyük bir ateşin sıcaklığını hisseder gibi sevinçlerini hissetmek demekti. "Ayakta durmamalısın canım," dedi ona, "bu halinle olmaz. Sana bir tabure getireyim."

"Yakında oturacağım, sevgilim."

"Bir tabure, sanırım, ya da bir sandalye. Bir pelerine ihtiyacın olmadığına emin misin? Bir tane getirmek hiç de zor olmaz!"

Gisela bana bakıp gülümsedi. Beocca ve Thyra birbirleriyle uğraşırken bizden habersizdiler. Sonra Gisela başını hafifçe sallayınca genç bir keşişin yakınımda durduğunu ve bana baktığını gördüm. Belli ki benimle göz göze gelmeyi bekliyordu ve oldukça da gergindi. Zayıftı, çok uzun boylu değildi, kahverengi saçlıydı ve Alfred'inkine çok benzeyen solgun bir yüzü vardı. Aynı bitkin ve endişeli bakış, aynı ciddi gözler, aynı ince ağız ve keşiş cübbesine bakılırsa aynı sofuluğa sahipti. Keşiş adayıydı çünkü başının tepesi tıraş edilmemişti. Ona baktığımda tek dizinin üzerine çöktü. "Lord Uhtred," dedi alçak gönüllülükle.

"Osferth!" dedi Beocca, genç keşişin varlığının farkına vararak. "Ders çalışıyor olmalısın! Düğün sona erdi ve keşiş adayları ziyafete davet edilmiyor."

Osferth Beocca'yı görmezden geldi. Onun yerine, başını eğerek benimle konuştu. "Amcamı tanırdınız, lordum."

"Tanır mıydım?" diye sordum şüpheyle. "Pek çok adam tanıdım," dedim, benden isteyeceği şeye vereceğim ret cevabına onu hazırlayarak.

"Leofric, lordum."

Şüphelerim ve hasmane tutumum bu ismi duyunca yok oldu. Leofric. Hatta gülümsedim bile. "Onu tanırdım," dedim içtenlikle, "ve onu severdim." Leofric bana savaşı öğreten sert bir Batı Sakson savaşçısıydı. Bana kıçından sarkan anlamına gelen Earsling* derdi. Beni güçlendirmiş, bana zorbalık etmiş, hırlamış, beni dövmüş, dostum olmuş ve Ethandun'da-

* Earsling, Arseling: Leofric tarafından bu şekilde kullanılmış olsa da o çağlarda "arseling" kelimesi aslında doğası gereği aşağılayıcı değildi. Kelime "Arkaya doğru/arkada" anlamına gelir. Örneğin Uhtred kılıcını genellikle "arseling" (sırtında) taşır. Büyük olasılıkla İngilizcedeki "arşe" (kıç) kelimesi burdan gelmektedir -çn.

ki yağmurlu savaş alanında öldüğü güne kadar da dostum olarak kalmıştı.

"Annem onun kız kardeşi, lordum," dedi Osferth.

"Çalışmalarına dön, genç adam!" diye çıkıştı Beocca sertçe.

Elimi felçli koluna koyarak Beocca'yı tuttum. "Annenin adı ne?" diye sordum Osferth'e.

"Eadgyth, lordum."

Eğildim ve Osferth'in yüzünü yukarı kaldırdım. Alfred'e benzemesine şaşmamak gerekirdi, çünkü bu Alfred'in saraydaki bir hizmetçi kızdan peydahladığı piç oğluydu. Bilinen bir sır olmasına rağmen kimse Alfred'in çocuğun babası olduğunu kabul etmezdi. Alfred Tanrı'yı bulmadan önce, saray hizmetkârlarının hazzını keşfetmişti. Osferth de bu gençlik coşkusunun ürünüydü. "Eadgyth yaşıyor mu?" diye sordum.

"Hayır lordum. İki yıl önce hummadan öldü."

"Peki sen burada, Wintanceaster'da ne yapıyorsun?"

"Kilise için çalışıyor," diye tersledi Beocca, "çünkü keşiş olmak istiyor."

Osferth endişeyle yüzüme bakarak, "Size hizmet etmek isterdim lordum," dedi.

"Git!" Beocca genç adamı uzaklaştırmaya çalıştı. "Git! Git buradan! Derslerine geri dön, yoksa seni ustana kırbaçlatırım!"

"Hiç kılıç tuttun mu?" diye sordum Osferth'e.

"Amcamın bana verdiği kılıç, lordum, bende."

"Ama onunla hiç dövüşmedin mi?"

"Hayır, lordum," dedi bakışlarını benden ayırmayarak, çok endişeliydi ve korkmuştu. Yüzü babasının yüzüne çok benziyordu.

Beocca Osferth'e, "Aziz Cedd'in hayatını inceliyoruz," dedi, "ve gün batımına kadar ilk on sayfayı kopyalamış olmanı bekliyorum."

"Keşiş olmak istiyor musun?" diye sordum Osferth'e.

"Hayır lordum," dedi.

İtirazlar savuran ama kendisini tutan kılıç kolumu geçip ilerleyemeyen Peder Beocca'yı görmezden gelerek "Peki ne olmak istiyorsun?" diye sordum.

Osferth, "Amcamın izinden gideceğim, lordum," dedi.

Neredeyse gülecektim. Leofric şimdiye kadar yaşamış ve ölmüş en sert savaşçılardandı, Osferth ise çelimsiz, solgun bir gençti ama yüz ifademi korumayı başardım. "Finan!" diye bağırdım.

İrlandalı yanımda belirdi. "Lordum?"

"Bu genç adam hanedan birliklerime katılıyor," dedim ona birkaç gümüş uzatarak.

"Yapamazsınız..." diye itiraz etmeye çalıştı Beocca, sonra hem Finan hem de ben ona bakınca sustu.

"Osferth'i götür," dedim Finan'a, "ona bir erkeğe uygun giysiler bul ve silah ver."

Finan kuşkuyla Osferth'e baktı. "Silah mı?" diye sordu.

"Onda savaşçı kanı var," dedim, "bu yüzden ona savaşmayı öğreteceğiz."

"Evet lordum," dedi Finan, ses tonundan deli olduğumu düşündüğü anlaşılıyordu ama sonra ona verdiğim paralara baktı ve bir kazanç şansı gördü. Sırıttı. "Onu bir savaşçı yapacağız lordum," dedi, şüphesiz yalan söylüyordu, sonra Osferth'i götürdü.

Beocca bana doğru döndü. "Az önce ne yaptığının farkında mısın?" diye homurdandı.

"Evet," dedim.

"O çocuğun kim olduğunu biliyor musun?"

"O kralın piçi," dedim acımasızca, "bu yüzden Alfred'e bir iyilik yapmış oldum."

"Öyle mi?" diye sordu Beocca hâlâ sinirli bir şekilde, "Ne tür bir iyilik?"

"Sence onu kalkan duvarına koyduğumda, ne kadar dayanır?" diye sordum. "Bir Dan kılıcı onu taze bir ringa balığı gibi kesmeden önce ne kadar dayanır? İşte iyilik bu, peder. Dindar kralınızı bu uygunsuz piçten kurtardım."

Ziyafete gittik.

Düğün ziyafeti beklediğim gibi korkunçtu. Alfred'in yemekleri asla iyi olmazdı, nadiren bol olurdu ve birası her zaman kötüydü. Konuşmalar yapıldı ama ben hiçbirini duymadım, arpçılar şarkı söyledi ama onları da duymadım. Arkadaşlarımla konuştum, çekiç muskamı beğenmeyen bazı rahiplere kaşlarımı çattım ve Æthelflaed'e nazik bir öpücük vermek için platforma tırmandım. Mutluluktan uçuyordu. "Ben dünyanın en şanslı kızıyım," dedi bana.

"Sen artık bir kadınsın," dedim, bir kadınınki gibi yukarı doğru taranmış saçlarına gülümseyerek.

Utangaç bir ifadeyle alt dudağını ısırdı, sonra Gisela yaklaşırken muzipçe sırıttı. Kucaklaştılar, birinin koyu saçlarına karşılık diğerinin altın sarısı saçları vardı. Alfred'in huysuz karısı Ælswith ters ters bana baktı. Eğilerek selam verdim. "Mutlu bir gün leydim," dedim.

Ælswith beni duymazdan geldi. Elinde domuz pirzolasıyla bana işaret eden kuzenimin yanında oturuyordu. "Seninle konuşmamız gereken işler var," dedi.

"Var," dedim.

"Var, lordum," diye düzeltti Ælswith beni sertçe. "Lord Æthelred Mersiya'nın hükümdarıdır."

"Ben de Bebbanburg lorduyum," dedim onunkine benzer bir sertlikle. "Nasılsın kuzen?"

"Sabahleyin sana planlarımızı anlatacağım," dedi Æthelred.

Alfred'in benden Lundene'i ele geçirme planlarını tasarlamamı istediği gerçeğini görmezden gelerek, "Bana bu gece kralla buluşacağımız söylendi," dedim.

"Bu gece ilgilenmem gereken başka konular var," dedi, genç gelinine bakarak ve bir an için yüz ifadesi yabanileşti, neredeyse vahşileşti, sonra bana gülümsedi. "Sabah, dualardan sonra." Domuz pirzolasını tekrar sallayarak beni başından savdı.

Gisela ve ben o gece İki Turna tavernasının büyük odasında yatıyorduk. Birbirimize yakın yattık, kolumu ona doladım ve çok az konuştuk. Tavernanın ocağından çıkan duman gevşek döşeme tahtalarının arasından süzülüyordu ve altımızda şarkı söyleyen adamlar vardı. Çocuklarımız odanın diğer ucunda Stiorra'nın bakıcısıyla birlikte uyurken, sazdan çatıda fareler koşturuyordu. "Sanırım şimdi," dedi Gisela hüzünle, sessizliğimizi bozarak.

"Şimdi mi?"

"Zavallı küçük Æthelflaed kadın oluyor," dedi.

"Bunun olması için sabırsızlanıyor," dedim.

Gisela başını salladı. "Ona bir yaban domuzu gibi tecavüz edecek," dedi fısıldayarak. Bir şey söylemedim. Gisela başını göğsüme yasladığından saçları ağzıma değiyordu. "Aşk şefkatli olmalı," diye devam etti.

"Şefkatli," dedim.

"Seninle, evet," dedi ve bir an için ağladığını zannettim.

Saçlarını okşadım. "Ne oldu?"

"Onu seviyorum, hepsi bu."

"Æthelflaed'i mi?"

"Onun bir ruhu var ama kocasının yok." Bana bakmak için yüzünü çevirdi. Karanlıkta sadece gözlerinin parıltısını görebiliyordum. "Bana İki Turna'nın bir genelev olduğunu hiç söylemedin," dedi azarlarcasına.

"Wintanceaster'da çok fazla yatak yok," dedim, "tüm davetlilere yetecek kadar ise hiç yok, o yüzden bu odayı bulduğumuz için çok şanslıyız."

"Ve seni burada çok iyi tanıyorlar, Uhtred," dedi suçlar bir şekilde.

"Burası aynı zamanda bir meyhane," dedim savunmacı bir tavırla.

Güldü, sonra uzun, ince kolunu uzatıp yıldızlarla dolu gökyüzünü görmek için kepenklerden birini açtı.

Ertesi sabah saraya gidip iki kılıcımı teslim ettiğimde ve genç, çok ciddi bir rahip tarafından Alfred'in odasına götürüldüğümde gökyüzü hâlâ açıktı. Parşömenlerle dolu o küçük, sade odada onunla sık sık görüşmüştüm. Onu bir keşiş gibi gösteren kahverengi cüppesiyle orada bekliyordu ve Mersiya hükümdarı olarak bu ayrıcalığa sahip olduğundan kılıçlarını kuşanmış olarak Æthelred de oradaydı. Üçüncü bir adam da odadaydı. Galli keşiş Asser bana gizlemediği bir nefretle bakıyordu. Kısa boylu, zayıf bir adamdı, çok solgun görünen yüzü tıraşlıydı. Benden nefret etmek için iyi bir nedeni vardı. Onunla Cornwalum'da, elçi olarak bulunduğu krallığa bir katliam düzenlediğimde tanışmıştım. Asser'i de öldürmeye çalışmıştım ama hayatım boyunca pişmanlık duyduğum bir başarısızlık yaşamıştım. Bana kaşlarını çattı, ben de onu kızacağını bildiğim neşeli bir sırıtışla ödüllendirdim.

Alfred başını işinden kaldırmadı ama kalemiyle bana bir işaret yaptı. Bu jestin bir hoş geldin anlamına geldiği belliydi. Yazı yazmak için kullandığı dik masanın başında duruyordu ve bir an için tek duyabildiğim tüy kaleminin deride çıkardığı cızırtılar oldu. Æthelred sırıttı, kendinden memnun görünüyordu, ama o zaten her zaman öyle görünürdü.

"*De consolatione philosophiae,*"* dedi Alfred başını işinden kaldırmadan.

"Sanki yağmur geliyor gibi," dedim, "batıda bir pus var lordum ve rüzgâr da sert."

Bana bezmiş bir bakış attı. "Bu hayatta krala hizmet etmekten ve ona yakın olmaktan daha güzel ve tatlı ne olabilir?" diye sordu.

"Hiçbir şey!" dedi Æthelred coşkuyla.

Cevap vermedim çünkü çok şaşırmıştım. Alfred görgü kurallarının resmiyetinden hoşlanırdı ama nadiren dalkavukluk isterdi, yine de bu soru ona aptalca bir hayranlık duymamı istediğini gösteriyordu. Alfred şaşkınlığımı görüp iç çekti. "Bu bir soru," diye açıkladı, "kopyalamakta olduğum eserde soruluyor."

"Okumak için sabırsızlanıyorum," dedi Æthelred. Asser hiçbir şey söylemedi, sadece koyu Galli gözleriyle beni izledi. Zeki bir adamdı, ancak topal bir sansar kadar güvenilirdi.

Alfred kalemini bıraktı. "Kral, bu bağlamda, Lord Uhtred, Yüce Tanrı'nın temsilcisi olarak düşünülebilir ve soru, Tanrı'ya yakınlıktan elde edilecek teselliyi akla getirmiyor mu? Yine de korkarım ki ne felsefede ne de dinde teselli bulabiliyorsunuz." Başını salladı, sonra ellerindeki mürekkebi nemli bir bezle silmeye çalıştı.

"Eğer ruhunun ebedi ateşte yanmasını istemiyorsa Tanrı'da bir teselli bulması iyi olur, kralım," diye konuştu ilk kez Asser.

"Amin," dedi Æthelred.

---

* *Lat.* Felsefenin tesellisi üzerine

Alfred üzgün bir şekilde artık mürekkep bulaşmış olan ellerine baktı. "Lundene," dedi, konuyu değiştirerek.

"Ticareti öldüren haydutlar tarafından zapt edilmiş," dedim.

"O kadarını biliyorum," dedi buz gibi. "Sigefrid denen adam."

"Dört parmaklı Sigefrid," dedim, "Peder Pyrlig sayesinde."

"Bunu da biliyorum," dedi kral, "ama Sigefrid'in yanında ne yaptığını bilmek isterim?"

"Onları gözlüyordum lordum," dedim neşeli bir sesle, "tıpkı yıllar önce sizin Guthrum'u gözlediğiniz gibi." Alfred'in bir aptal gibi müzisyen kılığına girip Wessex'in düşmanı olduğu günlerde Guthrum tarafından işgal edilen Cippanhamm'a gittiği bir kış gecesinden bahsediyordum. Alfred'in cesur girişimi fena halde kötü gitmişti ve eğer orada olmasaydım, Guthrum'un Wessex kralı olacağını rahatlıkla söyleyebilirim. Alfred'e gülümsedim, ona hayatını kurtardığımı hatırlattığımı biliyordu ama minnettarlık göstermek yerine tiksinmiş gibi baktı.

"Bizim duyduğumuz bu değildi," diye saldırıya geçti keşiş Asser.

"Peki sen ne duydun, peder?" diye sordum.

Uzun, ince parmaklarından birini kaldırdı. "Lundene'e korsan Haesten'le birlikte geldiğinizi," ikinci parmağı birincisine katıldı, "Sigefrid ve kardeşi Erik tarafından karşılandığınızı," durakladı, kara gözleri kötü niyetliydi, üçüncü parmağını kaldırdı, "ve paganların size Mersiya kralı olarak hitap ettiğini." Sanki suçlamaları reddedilemezmiş gibi üç parmağını yavaşça büktü.

Sahte bir şaşkınlıkla başımı salladım. "Haesten'i yıllar önce hayatını kurtardığımdan beri tanıyorum," dedim, "bu tanışıklığı Lundene'e davet edilmek için kullandım. Peki Sigefrid bana istemediğim ya da sahip olmadığım bir unvan veriyorsa bu kimin suçu?" Asser cevap vermedi. Alfred bana bakarken Æthelred arkamda kıpırdandı. "Eğer bana inanmıyorsanız Peder Pyrlig'e sorun," dedim.

"Görevine devam etmek için Doğu Anglia'ya geri gönderildi," dedi Asser kaba bir şekilde, "ama ona soracağız. Hiç şüphen olmasın."

Alfred Asser'e doğru teskin edici bir hareket yaparak, "Ben sordum bile," dedi, "Peder Pyrlig size kefil oldu." diye ekledi ihtiyatlı bir şekilde.

"Peki Guthrum elçilerine yapılan hakaretlerin intikamını neden almadı?" diye sordum.

"Kral Æthelstan," dedi Alfred, Guthrum'un Hristiyan adını kullanarak, "Lundene üzerindeki tüm hak iddialarından vazgeçti. Orası Mersiya'ya ait. Askerleri oraya izinsiz girmeyecek. Ama ona Sigefrid ve Erik'i esir olarak göndereceğime söz verdim. Bu senin işin." Başımla onayladım ama bir şey söylemedim. "Peki Lundene'i nasıl ele geçirmeyi planlıyorsun?" diye sordu Alfred.

Durakladım. "Şehri fidye karşılığı kurtarmaya çalıştınız mı lordum?" diye sordum.

Alfred soruya sinirlenmiş gibi baktı, sonra aniden başını salladı. "Gümüş teklif ettim," dedi sertçe.

"Daha fazlasını teklif edin," diye önerdim.

Bana çok ters bir bakış attı. "Daha fazlasını mı?"

"Şehri almak zor olacak lordum," dedim. "Sigefrid ve Erik'in yüzlerce adamı var. Haesten yürüyüşe geçtiğimizi duyar duymaz onlara katılacaktır. Taş surlara saldırmak zorunda kalacağız lordum ve böyle saldırılarda insanlar sinekler gibi ölür."

Æthelred yine arkamda kıpırdandı. Endişelerimi korkaklık olarak nitelendirmek istediğini biliyordum ama sessiz kalacak kadar aklı vardı.

Alfred başını salladı. "Onlara gümüş teklif ettim," dedi buruk bir sesle, "bir insanın hayal edebileceğinden çok daha fazla gümüş. Onlara altın teklif ettim. Bir şey daha eklersem teklif ettiğimin yarısını alacaklarını söylediler." Bana hırçın bir ifadeyle baktı. Pazarlığı reddettiğini ima edercesine hafifçe omuz silktim.

"Æthelflaed'i istediler," dedi.

"Onun yerine benim kılıcımı alabilirler," dedi Æthelred hırçın bir şekilde.

"Kızınızı mı istediler?" diye sordum hayretle.

"İstediler," dedi Alfred, "çünkü isteklerini yerine getirmeyeceğimi biliyorlardı ve beni aşağılamak istiyorlardı." Omuz silkti, sanki hakaretin çocukça olduğu kadar zayıf da olduğunu ima eder gibiydi. "Yani Thurgilson kardeşler Lundene'den atılacaksa bunu sen yapmalısın. Bana nasıl yapacağını söyle."

Düşüncelerimi toparlıyormuş gibi yaptım. "Sigefrid'in surların tüm çevresini koruyacak kadar adamı yok," dedim, "bu yüzden batı kapısına büyük bir saldırı gönderir, sonra asıl saldırıyı kuzeyden başlatırız."

Alfred kaşlarını çatıp pencere kenarına yığılmış parşömenleri karıştırdı. İstediği sayfayı buldu ve yazılanlara baktı. "Anladığım kadarıyla eski şehrin altı kapısı var," dedi. "Hangisinden bahsediyorsun?"

"Batıda, nehre en yakın kapı," dedim. "Yerel halk oraya Ludd Kapısı diyor."

"Peki kuzey tarafında?"

"İki kapı var," dedim, "biri doğrudan eski Roma kalesine açılıyor, diğeri ise pazar yerine gidiyor."

Alfred beni "Foruma," diye düzeltti.

"Pazara giden yolu kullanacağız," dedim.

"Kaleye değil mi?"

"Kale surların bir parçası," diye açıkladım, "yani o kapıyı ele geçirirsek yine de kalenin güney surunu geçmek zorunda kalırız. Ama pazar yerini ele geçirirsek adamlarımız Sigefrid'in geri çekilmesini engellemiş olur."

Saçmalamamın bir nedeni vardı ama bu saçmalık makul bir saçmalıktı. Fleot Nehri'nin karşısındaki yeni Sakson kasabasından eski şehrin surlarına bir saldırı başlatmak, savunmacıları Ludd Kapısı'na çekecekti ve daha küçük, daha iyi eğitilmiş bir kuvvet kuzeyden saldırabilirse bu surları savunmasız bulabilirdi. Şehre girdikten sonra bu ikinci kuvvet Sigefrid'in adamlarına arkadan saldırabilir ve ordunun geri kalanını içeri almak için Ludd Kapısı'nı açabilirdi. Aslında bu, şehre saldırmanın en açık yoluydu, hatta o kadar açıktı ki Sigefrid'in buna karşı önlem alacağından emindim.

Alfred bu fikri düşündü.

Æthelred hiçbir şey söylemedi. Kayınpederinin fikrini bekliyordu.

"Nehir," dedi Alfred tereddütlü bir ses tonuyla, sonra düşüncesi hiçbir yere varmıyormuş gibi başını salladı.

"Nehir mi, lordum?"

"Gemiyle yaklaşsan?" diye sordu hâlâ tereddüt ederek.

Eğitimsiz bir köpek yavrusunun önünde bir parça kemik sallar gibi, fikri askıda bıraktım.

Ve köpek yavrusu gerektiği gibi kemiğe atladı. "Gemiyle saldırı açıkçası daha iyi bir fikir," dedi Æthelred kendinden emin bir şekilde. "Dört ya da beş gemi mi? Akıntıyla hareket edeceğiz? İskelelere inebilir ve surlara arkadan saldırabiliriz."

"Karadan saldırı tehlikeli olur," dedi Alfred kuşkuyla, ama kuşkusu damadının fikrini desteklediğini gösteriyordu.

Æthelred kendinden emin bir şekilde, "Ve muhtemelen sonumuz olur," diye ekledi. Planımı küçümsediğini gizlemeye çalışmıyordu.

"Gemiyle saldırmayı düşündün mü?" diye sordu Alfred.

"Düşündüm lordum."

"Bana çok iyi bir fikir gibi geldi!" dedi Æthelred kararlı bir şekilde.

Ben de yavru köpeğe hak ettiği kırbacı indirdim. "Bir nehir suru var lordum," dedim. "İskelelere inebiliriz ama yine de geçmemiz gereken bir sur var." Sur iskelelerin hemen arkasına inşa edilmişti. Yine bir Roma eseriydi; tamamen taş, tuğla ve dairesel burçlarla donatılmıştı.

"Ah," dedi Alfred.

"Ama elbette lordum, eğer kuzenim nehir suruna bir saldırı düzenlemek isterse..."

Æthelred sessizdi.

"Nehir suru yüksek mi?" diye sordu Alfred.

"Yeterince yüksek ve yeni onarıldı," dedim, "ama elbette damadınızın tecrübesine güveniyorum."

Alfred damadının tecrübesine güvenmediğimi biliyordu. Æthelred'i tokatladığım gibi beni de tokatlamaya karar vermeden önce, bana sinirli bir bakış attı. "Peder Beocca bana Kardeş Osferth'i hizmetine aldığını söyledi."

"Aldım lordum," dedim.

"Kardeş Osferth için istediğim bu değil," dedi Alfred kararlı bir şekilde, "bu yüzden onu geri göndereceksin."

"Elbette lordum."

"Kiliseye hizmet etmek için çağrıldı," dedi Alfred, benim hazır onayımdan şüphelenerek. Döndü ve küçük penceresinden dışarı baktı. "Sigefrid'in varlığına tahammül edemiyorum," dedi. "Nehir geçidini ticarete açmalıyız ve bunu bir an önce yapmalıyız." Mürekkep lekeli ellerini arkasında kavuşturmuştu, parmaklarını sıkıp açtığını görebiliyordum. "İlk guguk kuşu ötmeden bu işin bitmesini istiyorum. Lord Æthelred kuvvetlere komuta edecek."

"Teşekkür ederim lordum," dedi Æthelred, dizlerinin üzerine çökerek.

Kral damadına dönerek, "Ama Lord Uhtred'in tavsiyesine uyacaksın," diye ısrar etti.

"Elbette lordum," dedi Æthelred yalan söyleyerek.

"Lord Uhtred savaş konusunda senden daha tecrübeli," diye açıkladı kral.

"Onun yardımını dikkate alacağım, lordum," diye yalan söyledi Æthelred çok inandırıcı bir şekilde.

"Ve ilk guguk kuşu ötmeden şehrin alınmasını istiyorum!" diye tekrarladı kral.

Bu da belki altı haftamız olduğu anlamına geliyordu. "Hemen adam çağıracak mısınız?" diye sordum Alfred'e.

"Çağıracağım," dedi, "ve her biriniz kendi erzakından sorumlu olacak."

"Ben de size Lundene'i vereceğim," dedi Æthelred coşkuyla. "Dua et ve dileğin yerine gelecektir."

"Lundene'i istemiyorum," diye karşılık verdi Alfred biraz sertçe, "orası Mersiya'ya, yani sana ait," başını Æthelred'e doğru hafifçe eğdi, "ama belki bir piskopos ve bir temsilci atamama izin verirsin?"

"Elbette lordum," dedi Æthelred.

Baba ve damadı asık suratlı Asser ile baş başa bırakarak oradan ayrıldım. Dışarıdaki güneşin altında durup Lundene'i nasıl alacağımı düşündüm, çünkü bunu yapmak zorunda olduğumu biliyordum ve bunu Æthelred planlarımdan şüphelenmeden yapmalıydım. Bu yapılabilir, diye düşündüm, ama sadece gizlice ve talihin yardımıyla. *Wyrd biđ ful ăræd.*

Gisela'yı bulmaya gittim. Dış avluyu geçince kapılardan birinin yanında bir grup kadın gördüm. Eanflæd de onların arasındaydı ve onu selamlamak için döndüm. Bir zamanlar fahişeydi, sonra Leofric'in sevgilisi olmuştu ve artık Alfred'in karısına yoldaşlık ediyordu. Ælswith'in, arkadaşının bir zamanlar fahişe olduğunu bildiğinden şüpheliydim, belki de biliyordu ve umursamıyordu çünkü iki kadın arasındaki bağ benzer bir acıdan kaynaklanıyordu. Ælswith Wessex kralının karısına kraliçe dememesine içerliyordu, Eanflæd ise erkeklerden herhangi birine düşkün olamayacak kadar onları iyi tanıyordu. Yine de ondan hoşlanıyordum ve onunla konuşmak için yolumdan saptım, ama geldiğimi görünce beni uyarırcasına başını salladı.

O anda durdum ve Eanflæd'in kolunu bir sandalyede başını eğmiş oturan genç bir kadına dolamış olduğunu gördüm. Genç kadın birden başını kaldırdı ve beni gördü. Bu Æthelflaed'di. Güzel yüzü üzüntüden kırışmış, solmuştu. Ağlıyordu ve yaşlı gözleri parlıyordu. Beni tanımamış gibi göründü, sonra tanıdı ve bana üzgün, isteksiz bir şekilde gülümsedi. Gülümseyerek selam verip yoluma devam ettim ve Lundene'i düşündüm.

İKİNCİ BÖLÜM

Şehir

Dört

Wintanceaster'da Æthelred'in nehrin aşağısındaki Coccham'a gelmesi, yanında Alfred'in hanedan birliklerinden askerler, kendi savaşçıları ve güney Mersiya'daki geniş topraklarından toplayabileceği adamları getirmesi konusunda anlaşmıştık. Oraya vardığında Berrocscire milisleri ve benim kendi hanedan birliklerimle birlikte Lundene üzerine yürüyecektik. Alfred acele edilmesi gerektiğini vurgulamıştı ve Æthelred de iki hafta içinde hazır olacağına söz vermişti.

Yine de koca bir ay geçmiş, Æthelred hâlâ gelmemişti. Yılın ilk yavruları henüz tam yapraklanmamış ağaçların arasında kanat çırpıyordu. Armut çiçekleri bembeyazdı ve kuyruksallayanlar evimizin saz saçaklarının altındaki yuvalarına girip çıkıyordu. Bu yuvalara dikkatle bakan ve yumurtasını ne zaman kuyruksallayanların arasına bırakacağını planlayan bir guguk kuşunu izledim. Guguk kuşu henüz ötmeye başlamamıştı ama yakında ötecekti ve Alfred'in Lundene'i ele geçirmek istediği zaman da bu zamandı.

Bekledim. Savaşa hazır olan ve barıştan mustarip hanedan birliğim gibi ben de sıkılmıştım. Sadece elli altı savaşçı vardı. Bir gemiyi doldurmaya ancak yetecek kadar, ama adamlar masraf demekti ve o günlerde gümüşlerimi istifliyordum. Bu adamlardan beşi kalkan duvarında durmak anlamına gelen nihai savaş sınavından hiç geçmemiş gençlerdi. Bu yüzden,

Æthelred'i beklerken bu beş adamı günlerce zorlu bir eğitimden geçirdim. Alfred'in piçi Osferth de onlardan biriydi. "O işe yaramaz," dedi Finan bana defalarca.

Ben de aynı sıklıkta, "Ona zaman ver," dedim.

"Ona bir Dan kılıcı ver," dedi Finan acımasızca, "ve dua et de keşiş göbeğini kessin." Tükürdü. "Kralın onu Wintanceaster'a geri istediğini sanıyordum?"

"Öyle."

"Öyleyse neden onu geri göndermiyorsun? Bize bir faydası yok."

"Alfred'in kafasında çok fazla şey var," dedim Finan'ın sorusunu duymazdan gelerek, "Osferth'i hatırlamayacaktır." Bu doğru değildi. Alfred'in çok metodik bir zekâsı vardı ve Osferth'in Wintanceaster'dan ayrılışını da, benim onu eğitimine geri göndermeyerek yaptığım itaatsizliği de unutmazdı.

"Ama neden onu geri göndermiyorsun?" diye ısrar etti Finan.

"Çünkü amcasını seviyordum," dedim ve bu doğruydu. Leofric'i sevmiştim ve onun hatırı için de olsa yeğenine karşı nazik davranacaktım.

"Yoksa sadece kralı kızdırmaya mı çalışıyorsunuz, lordum?" diye sordu Finan, sonra sırıttı ve cevap beklemeden uzaklaştı. "Baltayı kalkanın üstüne geçir ve çek, seni piç!" diye bağırdı Osferth'e. "Geçir ve çek!"

Osferth Finan'a bakmak için döndü ve hemen ardından Clapa'nın kullandığı meşe bir sopa kafasına indi. Eğer bu bir balta olsaydı bıçak Osferth'in miğferini yaracak, kafatasını derinlemesine kesecekti, fakat sopa onu sadece biraz sersemletti ve dizlerinin üzerine düştü.

"Kalk ayağa, seni zayıf piç kurusu!" diye hırladı Finan. "Ayağa kalk, baltayı geçir ve çek!"

Osferth ayağa kalkmaya çalıştı. Solgun yüzü ona verdiğim hırpalanmış miğferin altında perişan görünüyordu. Ayağa kalkmayı başardı ama hemen ardından yalpalayıp tekrar dizlerinin üzerine çöktü.

"Ver şunu bana," dedi Finan ve baltayı Osferth'in güçsüz ellerinden kaptı. "Şimdi izle! Bunu yapmak zor değil! Karım bile yapabilir!"

Beş yeni adam benim beş deneyimli savaşçımla karşı karşıyaydı. Gençlere baltalar, gerçek silahlar verilmiş ve karşılarındaki kalkan duvarını yarmaları söylenmişti. Bu sadece tahta sopalarla korunan üst üste binmiş beş kalkandan ibaret küçük bir duvardı. Finan yaklaşırken Clapa sırıttı.

"Yapacağın şey," diyordu Finan Osferth'e, "baltayı düşman piçin kalkanının üstünden geçirmek. Bu çok mu zor? Geçir, kalkanı aşağı çek ve yanındaki askerin kalkanın arkasındaki piçi öldürmesine izin ver. Yavaşça yapacağız Clapa, nasıl yapıldığını göstermek için ve sırıtmayı kes."

Baltayı kalkanın üzerine geçirdiler ve gülünç derecede yavaş bir hareketle çektiler. Balta Clapa'nın kalkanını kilitlemek için aşağı indi ve Clapa daha sonra Finan'ın kalkanın üst kısmını kendisine doğru çekmesine izin verdi. "İşte," dedi Finan, Clapa'nın vücudu darbeye açık hale geldiğinde Osferth'e dönerek, "bir kalkan duvarı böyle aşılır! Şimdi bunu gerçekten yapacağız, Clapa."

Clapa yine sırıttı, Finan'a sopayla vurmak için eline geçen fırsatın tadını çıkarıyordu. Finan geri çekildi, dudaklarını yaladı ve hızla saldırdı. Baltayı tıpkı gösterdiği gibi savurdu ama Clapa kalkanı geriye yatırınca baltanın başı tahta yüzeye saplandı ve aynı anda sopasını kalkanın altına sokarak Finan'ın kasıklarına güçlü bir hamle yaptı.

İrlandalının dövüşünü izlemek her zaman bir zevkti. Gördüğüm en hızlı kılıç kullanan adamdı ve kılıç kullanan çok adam gördüm. Clapa'nın hamlesinin onu iki büklüm edeceğini ve acı içinde çimenlere düşüreceğini düşünmüştüm ama Finan yana kaçtı, sol eliyle kalkanın alt kenarını yakaladı ve üstteki demir kenarı Clapa'nın yüzüne saplamak için kalkanı sertçe yukarı doğru savurdu. Clapa geriye doğru sendeledi, burnu çoktan kan içindeydi. Finan her nasılsa baltayı sokan bir yılanın hızıyla düşürdü ve bıçağını Clapa'nın ayak bileğine doladı. Baltayı çekince Clapa sırtüstü düştü, artık sırıtan İrlandalıydı. "Bu geçirmek ve çekmek değil," dedi Osferth'e, "ama bir o kadar etkili."

"Elinde bir kalkan olsaydı, işe yaramazdı," diye yakındı Clapa.

"Yüzündeki o şey var ya Clapa?" dedi Finan, "açılıp kapanan o şey. İçine yemek attığın o çirkin şey. Onu kapalı tut." Baltayı, sapını havada yakalamaya çalışan Osferth'e fırlattı. Osfert ıskaladı ve balta bir su birikintisine düştü.

Bahar yağmurları başladı, nehir genişledi ve her yer çamur oldu. Çizmeler ve giysiler çürüdü. Depoda kalan az miktardaki tahıl filizlendi ve ben de adamlarımı bize yiyecek sağlamaları için ava ya da balığa gönderdim. Sıvıyla ve kanla kaplı ilk buzağılar ıslak bir dünyaya doğdu. Her gün Alfred'in gelip Coccham'ın ilerleyişi denetlemesini bekliyordum ama o sırılsıklam günlerde Wintanceaster'da kaldı. Bir ulak gönderdi, yağlanmış kuzu derisinden bir keseye dikilmiş bir mektup getiren soluk benizli bir rahip. "Eğer okuyamıyorsanız, lordum," dedi rahip keseyi açarken, "ben okuyabilirim..."

"Okuyabilirim," diye homurdandım. Okuyabiliyordum da. Bu gurur duyduğum bir başarı değildi, çünkü sadece rahipler ve keşişler bu beceriye gerçekten ihtiyaç duyardı, ama

Peder Beocca çocukken bana harfleri öğretmişti ve dersler işe yaramıştı. Alfred tüm lordlarının okuyabilmesini emretmişti, sadece kralın hediye olarak göndermekte ısrar ettiği İncil kitaplarını okuyabilmeleri için değil, mesajlarını okuyabilmeleri için de.

Mektubun Æthelred'den haber getireceğini, belki de adamlarını Coccham'a getirmenin neden bu kadar uzun sürdüğüne dair bir açıklama sunacağını düşünmüştüm, ama onun yerine Lundene'e giderken her otuz adam için bir rahip almam gerektiğine dair bir emir içeriyordu. "Ne yapacakmışım?" diye sordum yüksek sesle.

"Kral adamlarının ruhları için endişeleniyor lordum," dedi rahip.

"Yani işe yaramaz boğazları doyurmamı istiyor! Bana tahıl göndermesini söyle, ben de onun lanet olası rahiplerinden birkaçını alayım." Kraliyet kâtiplerinden biri tarafından yazılmış mektuba tekrar baktım, en altta Alfred'in kalın el yazısıyla bir satır vardı. "Osferth nerede?" yazıyordu. "Bugün dönecek. Onu Peder Cuthbert ile gönder."

"Peder Cuthbert sen misin?" diye sordum gergin rahibe.

"Evet, lordum."

"Osferth'i geri götüremezsin," dedim, "o hasta."

"Hasta mı?"

"Bir köpek kadar hasta," dedim, "ve muhtemelen ölecek."

"Ama sanırım onu gördüm," dedi Peder Cuthbert, açık kapıdan Finan'ın Osferth'i biraz beceri ve heves göstermeye teşvik etmeye çalıştığı yeri işaret ediyordu. "Bakın," dedi parlak bir sesle, yardımcı olmaya çalışarak.

"Büyük olasılıkla ölecek," dedim yavaşça ve hunharca. Peder Cuthbert konuşmak için döndü, benimle göz göze geldi ve sustu. "Finan!" diye bağırdım ve İrlandalı elinde bir kılıçla eve girene kadar bekledim. "Genç Osferth'in ne kadar yaşayacağını düşünüyorsun?" diye sordum.

"Bir gün hayatta kalırsa, şanslı sayılır," dedi Finan, Osferth'in savaşta ne kadar dayanacağını kastettiğimi varsayarak.

"Gördün mü?" dedim Peder Cuthbert'e. "O hasta. Ölecek. Krala onun için yas tutacağımı söyle. Ve krala kuzenim ne kadar uzun süre beklerse düşmanın Lundene'de o kadar güçleneceğini söyle."

Peder Cuthbert, "Hava yüzünden, lordum," dedi. "Lord Æthelred yeterli erzak bulamıyor."

"Ona Lundene'de yiyecek olduğunu söyle," dedim ama nefesimi boşa harcadığımı biliyordum.

Æthelred nihayet nisan ortasında geldi. Ortak kuvvetlerimiz dört yüzden azı işe yarar olmak üzere yaklaşık sekiz yüz kişiye ulaşmıştı. Geri kalanlar Berrocscire milislerinden oluşuyordu ya da Æthelred'e annemin kardeşi olan babasından miras kalan güney Mersiya'daki topraklardan çağrılmıştı. Milisler çiftçiydi ve yanlarında balta ya da yay getirmişlerdi. Çok azının kılıcı ya da mızrağı vardı ve deri bir yelekten başka bir zırhı olanların sayısı daha da azdı, bazıları ise bilenmiş çapalardan başka bir şeyle yürümüyordu. Bir çapa sokak kavgasında korkutucu bir silah olabilir ama kalkan, balta, kısa ve uzun kılıçla donanmış bir Viking'i yenmek için pek uygun değildir.

İşe yarar adamlar benim hanedan askerlerim, Æthelred'in hane halkından bir o kadar asker ve Alfred'in asık suratlı, heybetli Steapa tarafından komuta edilen kendi muhafızlarından üç yüz kişiydi. Gerçek savaşı bu eğitimli adamlar yapacaktı, geri kalanlar ise sadece gücümüzü büyük ve tehditkâr göstermek için oradaydı.

Ancak gerçekte Sigefrid ve Erik gücümüzün ne kadar tehditkâr olduğunu çok iyi biliyordu. Kış boyunca ilkbaharın başlarında da Lundene'den nehrin yukarısına gelen yolcular olmuştu ve bazıları şüphesiz kardeşlerin casuslarıydı. Kaç adam getirdiğimizi, bu adamlardan kaçının gerçek savaşçı olduğunu biliyorlardı ve aynı casuslar nehrin kuzey kıyısına geçtiğimiz gün Sigefrid'e rapor vermiş olmalıydı.

Coccham'ın yukarısından geçtik ve bu bütün gün sürdü. Æthelred gecikmeden dolayı homurdandı, ama kullandığımız ve bütün kış geçit vermeyen sular tekrar yükselmişti, ayrıca atların karşıya geçmeleri için ikna edilmeleri ve erzakların gemilere yüklenmesi gerekiyordu, ancak Æthelred'in yük taşıyamayacağı konusunda ısrar ettiği gemisine değil.

Alfred damadına seferde kullanması için *Heofonhlaf*'ı vermişti, nehir gemilerinin en küçüğüydü ve Æthelred dümen platformunun hemen önünde korunaklı bir yer yapmak için kıç tarafına bir gölgelik kurdurmuştu. Orada minderler, postlar, bir masa ve tabureler vardı. Hizmetkârlar ona yiyecek ve bira getirirken o bütün gününü gölgeliğin altından geçişi izleyerek geçirdi.

Beni şaşırtan bir şekilde, kocasına eşlik eden Æthelflaed de onunla birlikte izledi. Onu ilk kez *Heofonhlaf*'ın küçük, yükseltilmiş güvertesinde yürürken gördüm. Beni görünce selam vermek için elini kaldırdı. Öğle vakti Gisela ve ben kocasının huzuruna çağrıldık. Æthelred Gisela'yı eski bir dost gibi karşıladı, üzerine titredi ve onun için bir kürk pelerin getirilmesini istedi. Æthelflaed tüm bu yaygarayı izledi, sonra boş gözlerle bana baktı. "Wintanceaster'a geri mi dönüyorsunuz leydim?" diye sordum. O artık bir kadındı, bir hükümdar ile evliydi, bu yüzden ona leydim diye hitap etmiştim.

"Sizinle geliyorum," dedi kibarca.

Şaşırdım. "Bizimle..." diye başladım ama sözümü bitirmedim.

"Kocam böyle istiyor," dedi çok resmi bir şekilde, sonra bana kısacık gülümserken gözlerinde eski Æthelflaed'in bir parıltısı belirdi, "ve bundan memnunum. Bir savaş görmek istiyorum."

"Savaş bir hanımefendiye göre değil," dedim kesin bir tavırla.

"Kadını endişelendirme, Uhtred!" diye seslendi Æthelred güverteden. Son sözlerimi duymuştu. "Karım tamamen güvende olacak, ona bu konuda güvence verdim."

"Savaş kadınlara göre bir yer değil," diye ısrar ettim.

"Zaferimizi görmek istiyor," diye üsteledi Æthelred, "öyle de olacak, değil mi ördeğim?"

"Vak, vak," dedi Æthelflaed sadece benim duyabileceğim kadar yumuşak bir sesle. Sesi buruktu ama ona baktığımda kocasına tatlı tatlı gülümsüyordu.

"Elimden gelse gelirdim," dedi Gisela ve sonra karnına dokundu. Bebek henüz belli olmuyordu.

"Gelemezsin," dedim ve alaycı bir yüz ifadesiyle ödüllendirildim, sonra *Heofonhlaf*'ın pruvasından bir öfke çığlığı duyduk.

"Bir adam uyuyamaz mı!" diye bağırdı ses. "Seni aptal Sakson! Beni uyandırdın!"

Peder Pyrlig geminin baş tarafındaki küçük platformun altında uyuyordu ve zavallı bir adam istemeden onu rahatsız etmişti. Galli şimdi kasvetli gün ışığına doğru emekliyor ve gözlerini kırpıştırarak bana bakıyordu. "Yüce Tanrım," dedi sesinde bir tiksintiyle, "bu Lord Uhtred."

"Doğu Anglia'da olduğunu sanıyordum," diye seslendim ona.

"Öyleydim, ama Kral Æthelstan beni siz işe yaramaz Saksonların Lundene'in surlarında Norsları gördüğünüzde bacaklarınıza işemememeniz için gönderdi." Æthelstan'ın Guthrum'un Hristiyan adı olduğunu hatırlamam birkaç saniyemi aldı.

Pyrlig bize doğru geldi, kirli gömleği tahta haçının sarktığı göbeğini örtüyordu. "Günaydın leydim," diye seslendi neşeyle Æthelflaed'e.

"Öğleden sonra oldu, peder," dedi Æthelflaed. Sesindeki sıcaklıktan Galli rahipten hoşlandığını anlamıştım.

"Öğleden sonra mı? Tanrım, bir bebek gibi uyumuşum. Leydi Gisela! Ne büyük bir zevk. Aman Tanrı'm, bütün güzeller burada toplanmış!" İki kadına gülümsedi. "Eğer yağmur yağmıyor olsaydı cennete gittiğimi düşünecektim. Lordum," son kelime kuzenime hitap ediyordu ve ses tonlarından iki adamın arkadaş olmadığı anlaşılıyordu. "Tavsiyeye ihtiyacınız var mı lordum?" diye sordu Pyrlig.

"Hayır," dedi kuzenim sert bir sesle.

Peder Pyrlig bana sırıttı. "Alfred benden danışman olarak gelmemi istedi." Göbeğindeki bir pire ısırığını kaşımak için durakladı. "Lord Æthelred'e danışmanlık yapacağım."

"Ben de öyle," dedim.

"Ve şüphesiz Lord Uhtred'in tavsiyesi de benimkiyle aynı olacaktır," diye devam etti Pyrlig, "yani bir Gallinin kılıcını gören bir Sakson'un hızıyla hareket etmeliyiz."

"Hızlı hareket etmemiz gerektiğini kastediyor," diye açıkladım Æthelred'e, oysa Gallinin ne demek istediğini gayet iyi biliyordu.

Kuzenim beni duymazdan geldi. "Kasıtlı olarak mı saldırgan davranıyorsun?" diye sordu Pyrlig'e sertçe.

"Evet, lordum!" Pyrlig sırıttı, "Kasıtlı olarak!"

"Düzinelerce Galli öldürdüm," dedi kuzenim.

"O zaman Danlar sizin için sorun olmayacaktır, değil mi?" diye karşılık verdi Pyrlig üzerine alınmadan. "Ama tavsiyem hâlâ geçerli lordum. Acele edin! Paganlar geldiğimizi biliyor ve onlara ne kadar çok zaman tanırsanız, savunmaları da o kadar çetin olacaktır!"

Bizi nehrin aşağısına taşıyacak gemilerimiz olsaydı hızlı hareket edebilirdik ama Sigefrid ve Erik geleceğimizi bildiklerinden Temes'teki tüm trafiği kapatmışlardı. *Heofonhlaf*'ı saymazsak sadece yedi gemi toplayabilmiştik, bu da adamlarımızı taşımak için yeterli değildi. Bu yüzden sadece yavaş hareket edenler, erzak ve Æthelred'in yandaşları su yoluyla seyahat etti. Böylece ilerledik ve bu dört günümüzü aldı, her gün kuzeyimizde atlılar ya da nehrin aşağısında gemiler görüyorduk. Bunların Sigefrid'in gözcüleri olduğunu biliyordum, hantal ordumuz Lundene'e yaklaşırken son kez sayım yapıyorlardı. Bütün bir günü boşa harcamıştık çünkü pazar günüydü ve Æthelred orduya eşlik eden rahiplerin ayin yapmasında ısrar etti. Seslerin uğultusunu dinleyip düşman atlılarının etrafımızda dönmesini izledim. Haesten'in çoktan Lundene'e ulaşmış olacağını ve en az iki ya da üç yüz adamıyla surları takviye edeceğini biliyordum.

Æthelred *Heofonhlaf*'ın güvertesinde seyahat ediyordu, sadece akşamları karaya çıkıp yerleştirdiğim nöbetçilerin çevresinde dolaşıyordu. Sanki işimi bilmediğimi ima edercesine nöbetçilerin yerini değiştirdi ve ben de bunu yapmasına izin verdim. Yolculuğun son gecesinde kuzey kıyısından dar bir geçitle ulaşılan bir adada kamp kurduk. Sazlıklarla çevrili kıyı çamurla kaplıydı, öyle ki Sigefrid'in bize saldırmaya niyeti olsa bile kampımıza yaklaşması zor olacaktı. Gemilerimizi adanın kuzeyine doğru kıvrılan dereye soktuk ve gelgit azalıp kurbağaların vıraklamaları alacakaranlığı doldururken gövdeler kalın çamurun içine gömüldü. Ana karada herhangi bir düşmanın yaklaştığını belli edecek ateşler yaktık ve adanın her tarafına adamlar gönderdim.

Æthelred o akşam karaya çıkmadı. Onun yerine *Heofonhlaf*'ın güvertesinde kendisine katılmamı söyleyen bir hizmetkâr gönderdi. Çizmelerimi ve pantolonumu çıkarıp yapışkan çamurun içinden geçerek kendimi geminin bordasına attım. Alfred'in muhafız birliğindeki adamlarla birlikte yürüyen Steapa da benimle geldi. Bir hizmetkâr geminin uzak tarafından kovalarla nehir suyu getirdi, bacaklarımızdaki çamuru temizledik, sonra tekrar giyinerek *Heofonhlaf*'ın kıç tarafındaki gölgeliğin altında Æthelred'e katıldık. Kuzenime hanedan birliklerinin komutanı eşlik ediyordu. Aldhelm adında uzun, kibirli bir yüzü, koyu renk gözleri olan ve yağlanmış saçları göz alıcı bir şekilde parlayan Mersiyalı genç bir asilzade.

Æthelflaed de oradaydı, yanında bir hizmetçi ve gülümseyen Peder Pyrlig vardı. Ona selam verdim. Coşkusuzca gülümsedi, sonra pencereleri boynuzdan bir fenerin aydınlattığı nakışına eğildi. Koyu gri bir alana beyaz yünden iplik geçiriyor, kocasının sancağı olan şaha kalkmış at figürünü işliyordu. Aynı sancak, çok daha büyük bir şekilde, geminin direğinde hareketsiz bir şekilde asılı duruyordu. Rüzgâr yoktu, bu yüzden Lundene'in iki kasabasının ateşlerinden çıkan duman, kararan doğuda kıpırtısız bir leke oluşturuyordu.

"Şafakta saldırıyoruz," diye duyurdu Æthelred selam bile vermeden. Zırhı üzerindeydi ve hem kısa hem uzun kılıçlarını kuşanmıştı. Sesini sıradanlaştırmaya çalışsa da alışılmadık derecede ukala görünüyordu. "Ama sizin saldırınızın başladığını duyana kadar birliklerime ilerleme emri vermeyeceğim," diye devam etti.

Bu sözler karşısında kaşlarımı çattım. "Benim saldırımın başladığını duyana kadar kendi saldırınızı başlatmayacaksınız," diye tekrarladım ihtiyatla.

"Bu çok açık, değil mi?" diye sordu Æthelred saldırgan bir şekilde.

"Çok açık," dedi Aldhelm alaycı bir tavırla. Æthelred'e onun Alfred'e davrandığı gibi davranıyordu ve kuzenimin gözüne girmiş olmanın verdiği güvenle bana üstü kapalı hakaret etmekten çekinmiyordu.

"Benim için açık değil!" diye söze girdi Peder Pyrlig enerjik bir şekilde. "Kararlaştırılan plan," diye devam etti Galli adam, Æthelred ile konuşarak, "sizin batı surlarına sahte bir saldırı yapmanız ve savunmacıları kuzey surlarından çektikten sonra Uhtred'in adamlarının gerçek saldırıyı yapmasıydı."

"Fikrimi değiştirdim," dedi Æthelred havalı bir şekilde. "Dikkat dağıtıcı saldırıyı Uhtred'in adamları yapacak ve benim saldırım gerçek saldırı olacak." Geniş çenesini yukarı kaldırıp ona karşı çıkmam için meydan okurcasına bana baktı.

Æthelflaed de bana baktı. Kocasına karşı çıkmamı istediğini hissettim, ama bunun yerine başımı kabul eder gibi eğerek herkesi şaşırttım. "Madem ısrar ediyorsunuz," dedim.

"Ediyorum," dedi Æthelred, bu kadar kolay bir şekilde üstünlük sağlamaktan duyduğu memnuniyeti gizleyemeyerek. "Kendi hanedan askerlerini alabilirsin," diye devam etti isteksizce, sanki onları benden alma yetkisine sahipmiş gibi, "ve otuz adam daha."

"Elli tane alabileceğim konusunda anlaşmıştık," dedim.

"O konuda da fikrimi değiştirdim!" dedi hırçın bir şekilde. Berrocscire milislerinin, yani benim adamlarımın onun saflarını sıklaştırması konusunda zaten ısrar etmişti ve ben de bunu uysalca kabul etmiştim, tıpkı şimdi başarılı bir saldırının zaferini onun sahiplenmesini kabul ettiğim gibi. "Otuz kişi alabilirsin," diye devam etti sertçe. Tartışabilirdim, belki tartışmalıydım da ama bunun bir işe yaramayacağını biliyordum. Æthelred tartışmaya açık değildi, tek istediği genç karısının önünde otoritesini sergilemekti. "Unutma," dedi, "Alfred burada komutayı bana verdi."

"Unutmamıştım," dedim. Peder Pyrlig dikkatle beni izliyor, kuzenimin zorbalığına neden bu kadar kolay boyun eğdiğimi merak ediyordu. Muhtemelen Æthelred tarafından tamamen sindirildiğimi düşünen Aldhelm hafifçe gülümsüyordu,

"Bizden önce ayrılacaksın," diye devam etti Æthelred.

"Çok yakında gideceğim," dedim, "gitmek zorundayım."

Æthelred bu sefer Steapa'ya bakarak, "Hanedan birliklerim asıl saldırıyı yönetecekler," dedi. "Sen kraliyet birliklerini hemen arkadan getireceksin."

"Ben Uhtred ile gidiyorum," dedi Steapa.

Æthelred gözlerini kırpıştırdı. "Sen komutansın," dedi yavaşça, sanki küçük bir çocukla konuşuyormuş gibi, "Alfred'in muhafızlarının komutanı! Adamlarım merdivenleri yerleştirir yerleştirmez onları surlara getireceksin."

Steapa tekrar, "Ben Uhtred ile gidiyorum," dedi. "Kral öyle emretti."

"Kral böyle bir şey yapmadı!" dedi Æthelred küçümser bir tavırla.

"Yazılı olarak," dedi Steapa. Kaşlarını çattı, sonra bir keseyi karıştırıp küçük kare bir parşömen çıkardı. Yazının ne tarafa doğru gittiğinden emin olamayarak parşömene baktı, sonra omuz silkip onu kuzenime verdi.

Æthelred karısının fenerinin ışığında mesajı okurken kaşlarını çattı. "Bunu bana daha önce vermeliydin," dedi aksi bir şekilde.

"Unuttum," dedi Steapa, "ayrıca kendi seçtiğim altı adamı yanıma alacağım." Steapa'nın insanı tartışmadan caydıran bir konuşma tarzı vardı. Yavaş, sert ve donuk bir şekilde konuşur ve sözlerine karşı yapılan itirazları anlayamayacak kadar aptal olduğu izlenimi vermeyi başarırdı. Ayrıca kendisine karşı çıkmakta ısrar eden herhangi bir adamı katledebileceği düşüncesini vermeyi de başarırdı. Æthelred Steapa'nın inatçı sesi, uzun boyu, geniş ve kemikli suratı karşısında savaşmadan teslim oldu.

"Eğer kral emrediyorsa," dedi parşömen parçasını geri uzatarak.

"Öyle," diye ısrar etti Steapa. Parşömeni aldı, onunla ne yapacağından emin değil gibiydi. Bir an için onu yiyeceğini sandım, ama sonra onu geminin bordasına fırlattı ve kaşlarını çatarak doğuya, şehrin üzerinde asılı duran büyük duman bulutuna baktı.

Æthelred bana, "Yarın vaktinde geldiğinizden emin olun," dedi, "başarı buna bağlı."

Belli ki oradan gitmemiz söylenmişti. Başka biri bize bira ve yiyecek ikram edebilirdi, ama Æthelred bize sırtını döndü, böylece Steapa ve ben çıplak bacaklarımızla iğrenç çamurun içinden tekrar kıyıya doğru yürüdük. "Alfred'e benimle gelip gelemeyeceğini mi sordun?" diye sordum Steapa'ya sazlıkların arasından ilerlerken.

"Hayır," dedi, "seninle gelmemi isteyen kraldı. Onun fikriydi."

"Güzel, sevindim," dedim. Ciddiydim de. Steapa ve ben düşman olarak başlamıştık, ama kalkanla düşman karşısında durarak kurulan bir bağla dost olmuştuk. "Yanımda olmasını tercih edeceğim başka kimse yok," dedim ona içtenlikle, çizmelerimi giymek için eğilirken.

"Seninle geliyorum çünkü seni öldürmem gerekiyor," dedi yavaş sesiyle.

Durdum ve karanlıkta ona baktım. "Ne yapman gerekiyor?"

"Seni öldürmem gerekiyor," dedi, sonra Alfred'in emirlerinde daha fazlası olduğunu hatırladı, "eğer Sigefrid'in tarafında olduğun ortaya çıkarsa."

"Ama öyle değilim," dedim.

"Sadece bundan emin olmak istiyor," dedi Steapa, "ayrıca o keşiş? Asser? Sana güvenilmeyeceğini söylüyor, bu yüzden kralın emirlerine itaat etmezsen seni öldüreceğim."

"Bunu bana neden söylüyorsun?" diye sordum.

Omuz silkti. "Benim için hazır olup olmaman önemli değil," dedi, "seni yine de öldüreceğim."

"Hayır," dedim, sözlerini değiştirerek, "beni öldürmeye çalışacaksın."

Bunu uzunca bir süre düşündü, sonra başını salladı. "Hayır," dedi, "seni öldüreceğim." Ve öyle de yapardı.

Gecenin karanlığında, bulutlara boğulmuş bir gökyüzünün altında yola çıktık. Bizi izleyen düşman atlıları alacakaranlıkta şehre çekilmişti ama Sigefrid'in karanlıkta hâlâ gözcüleri olacağından emindim, bu yüzden bir saat ya da daha uzun bir süre bataklıkların içinden kuzeye giden bir patikayı takip ettik. Patikayı takip etmek zordu ama bir süre sonra zemin sertleşti ve saz yığınlarıyla dolu kerpiç duvarlı kulübelerin içinde küçük ateşlerin yandığı bir köye tırmandı. Bir kapıyı iterek açtığımda ocaklarının başında dehşet içinde çömelmiş bir aile gördüm. Korkmuşlardı çünkü bizi duymuşlardı ve geceleri tehlikeli, uğursuz ve ölümcül yaratıklar dışında hiçbir şeyin hareket etmediğini biliyorlardı. "Buranın adı ne?" diye sordum. Bir an kimse cevap vermedi, sonra bir adam istemsizce başını eğip yerleşim yerinin adının Padintune olduğunu düşündüğünü söyledi. "Padintune? Padda'nın arazisi mi?" diye sordum. "Padda burada mı?"

"O öldü, lordum," dedi adam, "yıllar önce öldü, lordum. Burada onu tanıyan kimse yok, lordum."

"Biz arkadaşız," dedim ona, "ama buradaki herhangi biri evini terk ederse arkadaş olmayız." Bir köylünün Lundene'e koşup Sigefrid'i Padintune'de durduğumuz konusunda uyarmasını istemiyordum. "Bunu anlıyor musun?" diye sordum adama.

"Evet, lordum."

"Evini terk edersen ölürsün," dedim.

Adamlarımı küçük sokakta topladım ve Finan'a her kulübeye bir nöbetçi yerleştirmesini söyledim. "Kimse ayrılmayacak," dedim ona. "Yataklarında uyuyabilirler ama kimse köyü terk etmeyecek."

Steapa karanlıkta belirdi. "Kuzeye yürümemiz gerekmiyor muydu?" diye sordu.

"Evet, ama yürümüyoruz," diye karşılık verdim. "Yani beni öldürmen gereken zaman bu. Emirlere itaatsizlik ediyorum."

"Ah," diye homurdandı, sonra çömeldi. Zırhının derisinin gıcırdadığını ve zincirinin şangırdadığını duydum.

"Kılıcını şimdi çekebilirsin," diye önerdim, "ve beni tek hamlede deşebilirsin. Karnıma bir kesik? Sadece hızlı ol, Steapa. Karnımı aç ve kalbime ulaşana kadar kılıcını hareket ettir. Ama önce kılıcımı çekmeme izin ver, olur mu? Senin üzerinde kullanmayacağıma söz veriyorum. Sadece öldüğümde Odin'in salonuna gitmek istiyorum."

Kıkırdadı. "Seni asla anlayamayacağım Uhtred," dedi.

"Ben çok basit bir ruhum," dedim ona. "Sadece eve gitmek istiyorum."

"Odin'in salonuna değil mi?"

"Önünde sonunda," dedim, "evet, ama önce eve."

"Northumbria'ya mı?"

"Deniz kenarında bir kalemin olduğu yere," dedim hüzünle ve yüksek kayalığının üzerindeki Bebbanburg'u, kayalıkları dövmek için mütemadiyen kabaran vahşi gri denizi, kuzeyden esen soğuk rüzgârı ve dalgaların arasında çığlık atan beyaz martıları düşündüm. "Evim," dedim.

"Amcanın senden çaldığı ev mi?" diye sordu Steapa.

"Ælfric," dedim hınçla ve yine kaderi düşündüm. Ælfric babamın küçük kardeşiydi. Ben babamın peşinden Eoferwic'e giderken o Bebbanburg'da kalmıştı. Daha çocuktum. Babam bir Dan kılıcıyla Eoferwic'te öldürülmüş, ben de beni oğlu gibi yetiştiren Yaşlı Ragnar'a köle olarak verilmiştim. Amcam babamın dileklerini görmezden gelmiş ve Bebbanburg'u kendine saklamıştı. Bu ihanet her zaman kalbimdeydi, öfkem her zaman tazeydi ve bir gün bunun intikamını alacaktım. "Bir gün," dedim Steapa'ya, "Ælfric'i kasıklarından göğüs kemiğine kadar deşeceğim ve ölümünü izleyeceğim, ama bunu hemen yapmayacağım. Kalbini deşmeyeceğim. Ölmesini izleyeceğim ve o çırpınırken üzerine işeyeceğim. Sonra oğullarını öldüreceğim."

"Peki ya bu gece?" diye sordu Steapa. "Bu gece kimi öldüreceksin?"

"Bu gece Lundene'i alacağız," dedim.

Karanlıkta yüzünü göremiyordum ama gülümsediğini hissettim. "Alfred'e sana güvenebileceğini söyledim," dedi.

Gülümseme sırası bendeydi. Padintune'de bir yerlerde bir köpek uludu ve sustu. "Ama Alfred'in bana güvenebileceğinden emin değilim," dedim uzun bir aradan sonra.

"Neden?" diye sordu Steapa şaşkınlıkla.

"Çünkü bir açıdan çok iyi bir Hristiyanım," dedim.

"Sen mi? Hristiyan mı?"

"Düşmanlarımı severim," dedim.

"Danları mı?"

"Evet."

"Ben sevmiyorum," dedi hüzünlü bir şekilde. Steapa'nın ailesi Danlar tarafından katledilmişti. Cevap vermedim. Kaderi düşünüyordum. Eğer üç dokumacı kaderimizi biliyorsa o zaman neden yemin ediyoruz? Çünkü eğer bir yemini bozarsak, bu ihanet mi sayılır? Yoksa kader mi? "Peki yarın onlarla savaşacak mısın?" diye sordu Steapa.

"Elbette," dedim. "Ama Æthelred'in beklediği şekilde değil. Yani emirlere itaatsizlik ediyorum ve bunu yaparsam beni öldürme emri aldın."

"Seni sonra öldüreceğim," dedi Steapa.

Æthelred zaten hiçbir zaman uymaya niyetli olmadığımdan şüphelenmeden kararlaştırdığımız planı değiştirmişti. Bu çok açıktı. Bir ordu savunmacıları hedeflenen surlardan uzaklaştırmaya çalışmadan bir şehre nasıl saldırabilirdi ki? Sigefrid ilk saldırımızın bir aldatmaca olduğunu anlayacak ve gerçek tehdidi tespit ettiğinden emin olana kadar garnizonunu yerinde bırakacaktı, sonra biz onun surlarının altında ölecektik ve Lundene Norsların kalesi olarak kalacaktı.

Bu yüzden Lundene'i ele geçirmenin tek yolu aldatmaca, gizlilik ve tehlikeli bir risk almaktan geçiyordu. "Yapacağım şey Æthelred'in adadan ayrılmasını beklemek," dedim Steapa'ya. "Sonra oraya geri dönüp gemilerden ikisini alacağız. Bu çok tehlikeli olacak, çünkü karanlıkta köprünün aralığından geçmek zorundayız ve gemiler orada gün ışığında bile telef olur. Ama eğer geçebilirsek eski şehre giden kolay bir yol var."

"Nehir boyunca bir sur olduğunu sanıyordun?"

"Öyle," dedim, "ama bir yerde yıkılmış." Bir Romalı nehir kıyısında büyük bir ev inşa etmiş ve evinin yanında küçük bir kanal açmıştı. Kanal suru delmiş ve yıkmıştı. Zengin Romalı gemisini yanaştıracak bir yer istediğinden kanal açmak için nehir surunun bir kısmını yıkmıştı. Bunun Lundene'e giden yolum olabileceğini düşünmüştüm.

"Neden Alfred'e söylemedin?" diye sordu Steapa.

"Alfred sır tutabilir," dedim, "ama Æthelred tutamaz. Birine söyleyebilir ve Danlar iki gün içinde ne planladığımızı öğrenirlerdi ve bu doğruydu. Bizim casuslarımız vardı, onların casusları vardı ve eğer gerçek niyetimi açıklasaydım Sigefrid ve Erik kanalı gemilerle kapatıp nehrin yanındaki büyük evi adamlarla doldururdu. Rıhtımda ölebilirdik, hâlâ da ölebilirdik çünkü köprüdeki aralığı bulup bulamayacağımızı, bulsak bile nehir seviyesinin düştüğü ve suyun köpürdüğü o tehlikeli yarıktan geçip geçemeyeceğimizi bilmiyordum. Eğer ıskalarsak, gemilerden biri yarım kürek boyu güneyde ya da kuzeyde kalırsa o zaman sivri kazıkların üzerine savrulacaktık ve adamlar nehre düşecekti. Onların boğulduğunu duymayacaktım çünkü zırhları ve silahları onları anında suyun altına çekecekti.

Steapa düşünüyordu, bu her zaman yavaş bir süreçti ama sonra zekice bir soru sordu. "Neden köprünün yukarısında karaya çıkmıyoruz?" diye önerdi. "Surun içinde kapılar olmalı?"

"Bir düzine kapı var," dedim, "belki de yirmi tane. Sigefrid hepsini kapatmıştır, ama bekleyeceği son şey gemilerin köprüdeki yarıktan geçmeye çalışması olacaktır."

"Gemiler orada telef olduğu için mi?" dedi Steapa.

"Gemiler orada telef olduğu için," diye onayladım. Bir keresinde bunun olduğunu görmüştüm, bir ticaret gemisinin durgun suda aralıktan geçişini izlemiştim. Dümenci bir şekilde bir tarafa çok fazla sapmıştı ve kırık kazıklar teknenin altındaki tahtaları sökmüştü. Aralık yaklaşık kırk adım genişliğindeydi ve nehir sakin olduğunda, ne gelgit ne de rüzgâr suyu dalgalandırmadığında, zararsız görünürdü ama asla öyle olmazdı. Lundene'in köprüsü bir katildi ve Lundene'i ele geçirmek için köprüden geçmek zorundaydım.

Peki ya hayatta kalırsak? Roma rıhtımını bulup karaya çıkabilirsek? O zaman biz az, düşman çok olacaktı ve Æthelred'in kuvvetleri suru geçemeden bazılarımız sokaklarda ölecekti. Yılan Nefesi'nin kabzasına dokundum ve orada gömülü olan küçük gümüş haçı hissettim. Hild'in hediyesi. Bir sevgilinin hediyesi. "Guguk kuşu sesi duydun mu?" diye sordum Steapa'ya.

"Henüz değil."

"Gitme vakti geldi," dedim, "beni öldürmek istemiyorsan tabii?"

"Belki sonra," dedi Steapa, "ama şimdilik yanında dövüşeceğim."

Ve dövüşecektik. O kadarını biliyordum. Çekiç muskama dokunup Gisela'nın karnındaki çocuğu görecek kadar yaşayabilmek için karanlığa bir dua gönderdim.

Sonra güneye geri döndük.

Beni Peder Pyrlig ile birlikte Lundene'den getiren Osric kaptanlarımızdan biriydi, diğeri ise cesetlerini nehrin kenarına astığım Danları pusuya düşürmek için adamlarımı taşıyan Ralla'ydı. Ralla Lundene'in köprüsündeki aralığı hatırlayabildiğinden çok daha fazla kez aşmıştı. O gece adaya döndüğümüzde bana, "Ama asla gece değil," dedi.

"Peki bu yapılabilir mi?"

"Bunu göreceğiz lordum, değil mi?"

Æthelred gemilerin bulunduğu adayı korumaları için yüz adam bırakmıştı. Adamlar, otoritesini boynunda asılı gümüş bir zincirle gösteren ve döndüğümüzde beklenmedik bir şekilde bana meydan okuyan yaşlı savaşçı Egbert'in emrindeydi. Bana güvenmiyordu ve Æthelred'in başarılı olmasını istemediğim için kuzey saldırısından vazgeçtiğime inanıyordu. Bana adam vermesine ihtiyacım vardı ama ben yalvardıkça o daha da düşmanca davranıyordu. Kendi adamlarım soğuk suda ilerliyor, kendilerini yanlarından geminin içine atıyordu.

"Coccham'a geri dönmeyeceğinizi nereden bileyim?" diye sordu Egbert kuşkuyla.

"Steapa!" diye seslendim. "Egbert'e ne yaptığımızı söyle."

Steapa kamp ateşinin yanından, "Danları öldürüyoruz," diye homurdandı. Alevler zırhından ve sert, vahşi gözlerinden yansıyordu.

"Bana yirmi adam ver," diye yalvardım Egbert'e.

Bana baktı, sonra başını sallayıp, "Yapamam," dedi.

"Neden?"

"Leydi Æthelflaed'i korumak zorundayız," dedi. "Lord Æthelred'in emri. Onu korumak için buradayız."

"O zaman gemisinde yirmi adam bırak, gerisini bana ver," dedim.

Egbert inatla, "Yapamam," dedi.

İçimi çektim. "Tatwine bana adam verirdi," dedim. Tatwine Æthelred'in babasının hanedan birliklerinin komutanıydı. "Tatwine'i tanırdım," dedim.

"Tanıdığını biliyorum. Seni hatırlıyorum." Egbert sertçe konuşmuştu ve ses tonundaki gizli mesaj benden hoşlanmadığını söylüyordu. Genç bir adamken Tatwine'nın emrinde birkaç ay hizmet etmiştim. O zamanlar küstah, hırslı ve kibirli biriydim. Egbert açıkça benim hâlâ küstah, hırslı ve kibirli olduğumu düşünüyordu ve belki de haklıydı.

Arkasını döndü. Beni başından savdığını sandım ama aslında kamp ateşlerinin ötesinde beliren solgun, hayalete benzeyen şekli izliyordu. Bu Æthelflaed'di, belli ki dönüşümüzü görmüş ve ne yaptığımızı öğrenmek için beyaz bir pelerine sarınarak kıyıya çıkmıştı. Çözülmüş saçları altın bukleler halinde omuzlarına dökülüyordu. Peder Pyrlig de yanındaydı.

Galli rahibi gördüğüme şaşırarak "Æthelred ile gitmedin mi?" diye sordum.

"Lordum daha fazla tavsiyeye ihtiyacı olmadığını düşündü," dedi Pyrlig, "bu yüzden burada kalıp onun için dua etmemi rica etti."

"Rica etmedi," diye düzeltti Æthelflaed, "sana burada kalıp onun için dua etmeni emretti."

"Doğru," dedi Pyrlig, "gördüğün gibi ben de dua etmek için giyindim." Üzerinde bir zırh vardı ve kılıçlarını beline bağlamıştı. "Ya sen?" diye meydan okudu bana. "Şehrin kuzeyine yürüdüğünü sanıyordum?"

"Nehrin aşağısına gidiyoruz," diye açıkladım, "rıhtımdan Lundene'e saldıracağız."

"Ben de gelebilir miyim?" diye sordu Æthelflaed hemen.

"Hayır."

Bu kesin itiraza gülümsedi. "Kocam ne yaptığınızı biliyor mu?"

"Öğrenecek leydim."

Tekrar gülümsedi, sonra yanıma yürüyüp bana yaslanmak için pelerinimi kenara çekti. Koyu renk pelerinimi kendi beyaz pelerininin üzerine sardı. "Üşüyorum," diye açıkladı Egbert'e. Egbert'in yüzünde hem şaşırmış hem kızmış bir ifade vardı.

"Biz eski dostuz," dedim Egbert'e.

"Çok eski dostuz," diye onayladı Æthelflaed ve bir kolunu belime dolayarak bana sarıldı. Egbert pelerinimin altından onun kolunu göremiyordu. Sakalımın hemen altındaki altın sarısı saçlarının farkındaydım ve ince bedeninin titrediğini hissedebiliyordum.

Egbert'e, "Uhtred'i bir amca olarak görüyorum," dedi.

"Kocana zafer kazandıracak bir amca," dedim ona, "ama adamlara ihtiyacım var ve Egbert bana onları vermeyecek."

"Vermeyecek mi?" diye sordu.

"Seni korumak için bütün adamlarına ihtiyacı olduğunu söylüyor."

"Ona en iyi adamlarını ver," dedi Egbert'e ılımlı, hoş bir sesle.

"Leydim," dedi Egbert, "bana verilen emirler..."

"Ona en iyi adamlarını vereceksin!" Pelerinimin altından kamp ateşinin sert ışığına doğru adım atarken Æthelflaed'in sesi aniden sertleşmişti. "Ben bir kral kızıyım!" dedi kibirli bir şekilde, "ve Mersiya hükümdarının karısıyım! Ve senden Uhtred'e en iyi adamlarını vermeni emrediyorum! Hemen!"

Öyle yüksek sesle konuşmuştu ki adanın dört bir yanındaki adamlar ona bakıyordu. Egbert gücenmiş görünüyordu ama hiçbir şey söylemedi. Onun yerine doğruldu ve inatçı bir ifadeyle bize baktı. Pyrlig ile göz göze geldik, sinsice gülümsüyordu.

"Hiçbiriniz Uhtred'in yanında savaşacak cesarete sahip değil misiniz?" diye sordu Æthelflaed izleyen adamlara. On dört yaşındaydı; zayıf, solgun bir kızdı ama kadim kralların soyundan gelen biri gibi konuşuyordu. "Babam bu gece cesaret göstermenizi isterdi!" diye devam etti, "yoksa Wintanceaster'a dönüp babama Uhtred savaşırken sizin ateşin başında oturduğunuzu mu söyleyeyim?" Bu son soru Egbert'e yöneltilmişti.

"Yirmi adam," diye yalvardım ona.

"Ona daha fazlasını ver!" dedi Æthelflaed kararlı bir şekilde.

"Teknelerde sadece kırk kişilik yer var," dedim.

"O zaman ona kırk adam ver!" dedi Æthelflaed.

"Leydim," dedi Egbert tereddütle, ama Æthelflaed küçük ellerinden birini kaldırınca durdu. Bana bakmak için döndü.

"Size güvenebilir miyim Lord Uhtred?" diye sordu.

Neredeyse tüm hayatı boyunca tanıdığım bir çocuktan gelen soru tuhaf gelmişti, bu yüzden gülümsedim. "Bana güvenebilirsiniz," dedim usulca.

Yüzü sertleşti ve gözleri çakmak çakmak oldu. Belki göz bebeklerindeki ateşin yansımasıydı bu, ama birden onun bir çocuktan çok daha fazlası, bir kralın kızı olduğunun farkına vardım. "Babam hizmetindeki en iyi savaşçının siz olduğunu söylüyor," dedi diğerlerinin duyabileceği kadar net bir sesle, "ama size güvenmiyor."

Garip bir sessizlik oldu. Egbert boğazını temizledi ve gözlerini yere dikti. "Babanızı asla hayal kırıklığına uğratmadım," dedim sertçe.

"Sadakatinizin satılık olmasından korkuyor," dedi.

"Ona yemin ettim," diye cevap verdim aynı sertlikle.

"Şimdi de bana yemin etmenizi istiyorum," dedi, ince ellerinden birini uzatarak.

"Ne yemini?" diye sordum.

"Babama ettiğiniz yemini tutacağınıza," dedi Æthelflaed, "Danlara karşı Saksonlara sadakat yemini edeceğinize ve Mersiya istediğinde Mersiya için savaşacağınıza."

"Leydim," diye başladım, talepleri karşısında dehşete düşmüştüm.

"Egbert!" diye sözümü kesti Æthelflaed. "Ben yaşadığım sürece Mersiya'ya hizmet edeceğine yemin etmedikçe Lord Uhtred'e adam vermeyeceksin."

Egbert, "Evet, leydim," diye mırıldandı.

O yaşarken mi? Bunu neden söylemişti? Bu sözlerden şüpheye düştüğümü hatırlıyorum, ayrıca Lundene'i ele geçirme planımın sallantıda olduğunu düşündüğümü de hatırlıyorum. Æthelred beni ihtiyacım olan kuvvetlerden mahrum bırakmıştı ve Æthelflaed sayımı tamamlayacak güce sahipti, ama zaferimi kazanmak için kendimi etmek istemediğim bir yemine daha bağlamam gerekiyordu. Mersiya neden umurumda olsundu? Ama o gece, bunu yapabileceğimi kanıtlamak için adamları ölüm köprüsünden geçirmeyi umursuyordum. İtibarı umursuyordum, adımı umursuyordum, şöhreti umursuyordum.

Elini uzatmasının sebebinin bu olduğunu bilerek Yılan Nefesi'ni çektim ve kabzasını ona doğru uzattım. Sonra diz çöküp ellerimi onunkilerin etrafında birleştirdim. Ellerimiz kılıcımın kabzasında kenetlendi. "Yemin ederim leydim," dedim.

"Babama sadakatle hizmet edeceğinize yemin eder misiniz?" dedi.

"Evet, leydim."

"Ve ben yaşadıkça Mersiya'ya hizmet edeceğinize?"

"Siz yaşadıkça leydim," dedim, çamurun içinde diz çöküp ne kadar aptal olduğumu düşünerek. Kuzeyde olmak istiyordum, Alfred'in sofuluğundan kaçmak, arkadaşlarımla birlikte olmak istiyordum, ama işte buradaydım, Alfred'in hırsları için altın saçlı kızına sadakat yemini ediyordum. "Yemin ederim," dedim ve doğruluğumun bir göstergesi olarak hafifçe ellerini sıktım.

"Ona adam ver Egbert," diye emretti Æthelflaed.

Egbert bana otuz adam verdi. Hakkını teslim etmem gerekirse bana genç ve iyi adamlarını verdi, yaşlı ve hasta savaşçılarını Æthelflaed'i ve kampı korumaları için bıraktı. Böylece artık yetmişten fazla adama komuta ediyordum ve bu adamlara Peder Pyrlig de dahildi.

"Teşekkür ederim leydim," dedim Æthelflaed'e.

"Beni ödüllendirebilirsin," dedi, bir kez daha çocuk gibi konuşarak, ciddiyeti gitmiş, eski muzipliği geri gelmişti.

"Nasıl?"

"Beni de yanında götürerek?"

"Asla," dedim sertçe.

Ses tonuma kaşlarını çattı ve gözlerimin içine baktı. "Bana kızgın mısın?" diye sordu yumuşak bir sesle.

"Kendime, leydim," dedim ve arkamı döndüm.

"Uhtred!" Sesi mutsuz geliyordu.

"Yeminlerimi tutacağım leydim," dedim. Bir kez daha yemin etmiş olduğum için kızgındım, ama yeminim en azından bana bir şehri almak için yetmiş adam sağlamıştı, iki tekneyi Temes'in güçlü akıntısına doğru itmekte olan yetmiş adam.

Ralla'nın gemisindeydim, asılmış bedeni çoktan bir iskelete dönüşmüş olan Dan Jarrel'den ele geçirdiğimiz aynı gemide. Ralla kıç taraftaydı. Dümen küreğine yaslanmıştı. "Bunu yapmamız gerektiğinden emin değilim, lordum," dedi.

"Neden?"

Siyah nehre tükürdü. "Su çok hızlı akıyor. Yarıkta bir şelale gibi akacak. Durgun suda bile, lordum, o yarık çok tehlikeli olabilir."

"Dümdüz git," dedim, "ve hangi tanrıya inanıyorsan, ona dua et."

"Tabii yarığı görebilirsek," dedi kasvetle. Osric'in teknesini görebilmek için arkasına baktı ama tekne karanlıkta kaybolmuştu. "Gelgitin azaldığı zamanlarda bunun yapıldığını görmüştüm," dedi Ralla, "ama o zaman gün ışığı vardı ve nehir taşmamıştı."

"Sular çekiliyor mu?" diye sordum.

"Çok hızlı," dedi Ralla kasvetle.

"O zaman dua et," dedim ters bir şekilde.

Tekne kabaran akıntıda hızlanırken önce çekiç muskama, sonra Yılan Nefesi'nin kabzasına dokundum. Nehir kıyıları çok uzaktaydı. Orada burada bir evde yanan ateşin kanıtı olan parıltılar vardı; ileride ise aysız gökyüzünün altında, siyah bir örtüyle kaplanmış donuk bir parlaklık vardı. Orasının Saksonya'nın yeni Lundene'i olduğunu biliyordum. Parıltı kasabadaki kasvetli ateşlerden geliyordu ve örtü de o ateşlerin dumanıydı, o örtünün altında bir yerlerde Æthelred'in Fleot vadisinden eski Roma suruna doğru ilerlemeleri için adamlarını topluyor olacağını biliyordum. Sigefrid, Erik ve Haesten onun orada olduğunu bilecekti çünkü birileri eski şehri uyarmak için yeni şehirden koşmuş olacaktı. Danlar, Norslar ve Frizyalılar, hatta bazı efendisiz Saksonlar bile ayaklanıp eski şehrin surlarına doğru koşuyor olacaktı.

Ve siyah nehrin aşağısına doğru sürüklendik.

Kimse fazla konuşmadı. Her iki teknedeki her bir adam karşı karşıya olduğumuz tehlikenin bilincindeydi. Çömelmiş figürlerin arasından ilerledim. Peder Pyrlig yaklaştığımı hissetmiş olmalıydı ya da miğferimin gümüş tepesi olan kurt başından yansıyan bir ışık parıltısı görmüştü çünkü ben onu görmeden o beni selamladı. "Buyrun lordum," dedi.

Bir kürekçi sırasının ucunda oturuyordu. Yanında durdum. Sintine suyu çizmelerimi ıslatıyordu. "Dua ettin mi?" diye sordum.

"Dua etmeyi bırakmadım," dedi ciddiyetle. "Bazen Tanrı'nın sesimden bıkmış olabileceğini düşünüyorum. Rahip Osferth de burada dua ediyor."

"Ben rahip değilim," dedi Osferth asık suratla.

"Ama Tanrı senin öyle olduğunu düşünürse duaların daha çok işe yarayabilir," dedi Pyrlig.

Alfred'in piç oğlu Peder Pyrlig'in yanına çömelmişti. Finan Osferth'i bir Dan'ın Sakson mızrağıyla karnı deşildikten sonra tamir edilen zırhıyla donatmıştı. Ayrıca bir miğferi, uzun çizmeleri, deri eldivenleri, yuvarlak bir kalkanı ve hem uzun hem de kısa bir kılıcı vardı, bu sayede en azından bir savaşçı gibi görünüyordu. "Seni Wintanceaster'a geri göndermem gerekiyor," dedim ona.

"Biliyorum."

"Lordum," diye hatırlattı Pyrlig Osferth'e.

"Lordum," dedi Osferth isteksizce.

"Krala cesedini göndermek istemiyorum," dedim, "bu yüzden Peder Pyrlig'e yakın dur."

"Çok yakın, evlat," dedi Pyrlig, "bana âşıkmışsın gibi davran."

"Onun arkasında kal," diye emrettim Osferth'e.

"Âşığım olmayı unut," dedi Pyrlig aceleyle, "onun yerine köpeğimmişsin gibi davran."

"Ve dualarını et," diye bitirdim. Kıyafetlerini çıkarıp kıyıya yüzmesi ve manastırına geri dönmesi dışında Osferth'e verebileceğim başka bir tavsiye yoktu. Onun dövüş becerilerine Finan kadar güveniyordum, yani hiç güvenmiyordum. Osferth suratsız, beceriksiz ve sakardı. Ölen amcası Leofric olmasaydı onu seve seve Wintanceaster'a geri gönderirdim ama Leofric beni genç ve toy bir çocukken alıp bir kılıç savaşçısına dönüştürmüştü. Bu yüzden Leofric'in hatırı için Osferth'e katlanacaktım.

Artık yeni şehre yaklaşmıştık. Demircilerin kömür ateşlerinin kokusunu alabiliyor ve ara sokakların derinliklerinde titreşen ateşlerin parıltısını görebiliyordum. Köprünün nehrin üzerinden geçtiği yere baktım ama orada her şey karanlıktı.

Ralla dümen platformundan, "Aralığı görmem gerek," diye seslendi.

Çömelmiş adamların arasından körlemesine ilerleyerek tekrar kıça doğru yürüdüm.

Geldiğimi duyan Ralla "Eğer göremezsem, deneyemem," diye seslendi.

"Ne kadar yakınız?"

Çok yakınız. Sesinde panik vardı.

Yanına tırmandım. Artık eski şehri görebiliyordum. Roma surlarıyla çevrili tepelerin üzerindeki şehri. Görebiliyordum çünkü şehirdeki ateşler donuk bir parıltı yayıyordu. Ralla haklıydı. Çok yaklaşmıştık.

"Bir karar vermek zorundayız," dedi. "Köprünün yukarısına inmek zorundayız."

"Oraya inersek, bizi görürler," dedim. Danların köprünün yukarısındaki nehir surunu koruyan adamları olduğu kesindi.

"O halde ya orada elinde bir kılıçla ölürsün ya da boğulursun," dedi Ralla acımasızca.

Önüme baktım ve hiçbir şey göremedim. Umutsuz fikrimin suya düştüğünü anlayarak donuk bir sesle "O zaman kılıcı seçiyorum," dedim.

Ralla kürekçilere bağırmak için derin bir nefes aldı, ama o bağırış hiç gelmedi çünkü birdenbire çok ileride, Temes'in genişleyip denize boşaldığı yerde bir parça sarı göründü. Parlak sarı değil, eşek arısı sarısı değil, bulutlardaki bir yarıktan sızan ekşi, cüzzamlı, koyu bir sarı. Denizin ötesinde şafak söküyordu; karanlık bir şafak, isteksiz bir şafak ama yine de ışık vardı ve Ralla bizi kıyıya götürmek için ne bağırdı ne de dümeni çevirdi. Bunun yerine boynundaki muskaya dokunup tekneyi ilerletmeye devam etti. "Çömelin lordum," dedi, "ve bir şeye sıkıca tutunun."

Tekne savaştan önceki bir at gibi titriyordu. Artık çaresizdik, nehrin pençesine düşmüştük. Su bahar yağmurları ve azalan sellerle beslenerek çok uzaklardan aşağıya akıyor, köprüyle buluştuğu yerde kulakları tırmalayan bir sesle köpürdeyerek çağıldıyordu. Su taş kazıkların arasında kaynıyor, kükrüyor ve köpürüyordu ama köprünün ortasında, yarığın olduğu yerde, nehrin tekrar sakinleşmeden önce dönüp gürlediği yerin ötesindeki yeni su seviyesine kadar bir insan boyu alçalıyor, pırıl pırıl bir akıntıya dönüşüyordu. Sesi rüzgârda sahile hücum eden dalgalar kadar yüksek suyun köprüyle savaşını duyabiliyordum.

Ve Ralla, açılmaya başlayan doğu gökyüzünün donuk sarısına karşı sadece ana hatlarını görebildiği aralığa doğru dümen kırdı. Arkamız karanlıktı ama bir ara Osric'in gemisinin suda parlayan gövdesinden yansıyan o ekşi sabah ışığını görmüştüm ve arkamızda olduğunu biliyordum.

"Sıkı tutunun!" diye seslendi Ralla mürettebatımıza. Hâlâ titremekte olan gemi tıslıyordu ve artık daha hızlı ilerliyor gibiydi. Köprünün yaklaştığını gördüm. Teknenin bir köşesine çömelip keresteyi sıkıca kavradığımda kapkara bir şekilde üzerimizde belirdi.

Sonra aralığın içindeydik ve sanki dünyalar arasındaki bir uçuruma yuvarlanmışız gibi bir düşme hissine kapıldım. Gürültü sağır ediciydi. Suyun taşla savaşının gürültüsüydü; parçalayan, yaran, dökülen suyun gökyüzünü dolduracak bir gürültüsü, Thor'un gök gürültüsünden bile daha yüksek bir gürültü. Gemi yalpalayınca çarpmış olmamız gerektiğini ve yan yatıp ölüme sürükleneceğimizi düşündüm, ama bir şekilde düzelip yoluna devam etti. Tepemizde, köprüdeki kırık kerestelerin sivri uçlarının karanlığı vardı, sonra gürültü iki katına çıktı ve nehrin serpintileri bütün güverteyi kapladı. Akıntıda sürükleniyorduk ve gemi yan yatıyordu. Odin'in salonunun kapılarının kapanması gibi bir gürültü oldu. Su üzerimizden akarken öne doğru savruldum. Taşa çarptığımızı düşünerek boğulmayı bekledim, hatta kılıcım elimde ölebilmek için Yılan Nefesi'nin kabzasını kavramayı bile hatırladım. Bocalayan gemi doğrulduğunda çarpmanın köprünün ilerisinde nehre çarpan pruvamızdan kaynaklandığını ve hayatta olduğumuzu anladım.

"Kürek çekin!" diye bağırdı Ralla. "Sizi şanslı piçler, kürek çekin!"

Sintinedeki su derindi ama su üstündeydik. Doğudaki gökyüzü parçalı bulutluydu. Gökyüzünün gölgeli ışığında şehri ve duvarın yıkıldığı yeri görebiliyorduk. "Ve gerisi size kalmış, lordum," dedi Ralla sesinde gururla.

"Tanrılara kalmış," dedim. Arkama baktığımda Osric'in teknesinin nehrin çağladığı girdaptan çıkmaya çalıştığını gördüm. İki gemimiz de su üstünde kalmıştı ve akıntı bizi karaya çıkmak istediğimiz yerin aşağısına sürüklüyordu, ama kürekçiler bizi döndürüp akıntıya karşı savaştılar, böylece iskeleye doğudan yanaştık. Bu iyi bir şeydi çünkü izleyen herkes Beamfleot'tan nehrin yukarısına doğru kürek çektiğimizi sanacaktı. Bizim Æthelred'in saldırısı için hazırlanan garnizonu takviye etmeye gelen Danlar olduğumuzu düşüneceklerdi.

Karaya çıkmak istediğimiz rıhtımda demirlemiş büyük bir gemi vardı. Onu açıkça görebiliyordum çünkü rıhtımın ait olduğu malikânenin beyaz duvarında meşaleler yanıyordu. Güzel bir gemiydi, baş ve kıç tarafı yüksek, gösterişliydi. Gemide canavar başları yoktu çünkü hiçbir Nors oyma başların dost bir ülkenin ruhunu korkutmasına izin vermezdi. Gemide yaklaşmamızı izleyen tek bir adam vardı. "Kimsiniz siz?" diye bağırdı.

"Ragnar Ragnarson!" diye karşılık verdim. Ona mors derisinden örülmüş bir ip uzattım. "Savaş başladı mı?"

"Henüz değil lordum," dedi. Halatı alıp diğer geminin gövdesine doladı. "Başladığında da katledilecekler!"

"O zaman çok geç kalmadık, değil mi?" dedim. Gemimiz diğerine çarptığında sendeledim, sonra kürekçilerin boş sıralarından birinin üzerine çıktım. "Kimin gemisi bu?" diye sordum adama.

"Sigefrid'in lordum. *Dalga Terbiyecisi*."

"Çok güzel bir gemi," dedim. Arkamı döndüm ve İngilizce olarak "Kıyıya!" diye bağırdım. Adamlarımın sular altında kalan sintineden kalkanlarını ve silahlarını çıkarmasını izledim. Osric'in gemisi arkamızdan geldi, suda alçalmıştı, köprünün aralığından geçerken yarı yarıya batmış olduğunu fark ettim. Adamlar *Dalga Terbiyecisi*'ne tırmanmaya başladı ve ipimi tutan Nors boyunlarından sarkan haçları gördü.

"Siz..." diye başladı ama söyleyecek başka bir şeyi olmadığını fark etti. Kıyıya kaçmak için dönmeye çalıştı ama kaçışını engellemiştim. Yüzünde şok ve şaşkınlık vardı.

"Elini kılıcının kabzasına koy," dedim Yılan Nefesi'ni çekerek.

"Lordum," dedi, sanki hayatı için yalvaracakmış gibi ama sonra hayatının sona erdiğini anladı çünkü onu sağ bırakamazdım. Gitmesine izin verirsem Sigefrid'i gelişimizden haberdar edebilirdi, ellerini ve ayaklarını bağlayıp onu *Dalga Terbiyecisi*'nde bıraksam o zaman da başka biri onu bulup serbest bırakabilirdi. Tüm bunları biliyordu. Yüzü şaşkınlıktan meydan okuyan bir ifadeye büründü ve kılıcının kabzasını kavramak yerine silahı kınından çıkarmaya başladı.

Ve öldü.

Yılan Nefesi onu boğazından yakaladı. Sert ve hızlı bir şekilde. Ucunun kasları ve sert dokuyu deldiğini hissettim. Kanı gördüm. Kolunun titrediğini, kılıcın kınına geri düştüğünü gördüm. Sol elimle uzanıp kılıç elini kabzasının üzerine koydum. Ölürken kılıcını tuttuğundan emin oldum çünkü o zaman ölülerin ziyafet salonuna götürülecekti. Elini sıkıca tutup kanının zırhımdan aşağı aktığı göğsüme yığılmasına izin verdim. "Odin'in salonuna git," dedim ona usulca, "ve benim için de bir yer ayır."

Konuşamadı. Nefes borusuna kan dolduğundan boğuluyordu.

"Benim adım Uhtred," dedim, "bir gün ölüler konağında seninle ziyafet çekeceğim, dost olacağız, birlikte gülecek, birlikte içeceğiz."

Cesedini yere bıraktım, sonra diz çöküp muskasını, Thor'un çekicini bulup Yılan Nefesi'yle boynundan kestim. Çekici bir keseye koydum, ucunu ölü adamın peleriniyle temizleyip kılıcımı yün astarlı kınına geri soktum. Hizmetkârım Sihtric'ten kalkanımı aldım.

"Kıyıya çıkalım," dedim, "ve bir şehir alalım."

Çünkü savaşma vakti gelmişti.

Beş

Sonra birden her şey sessizleşti.

Gerçekten sessiz değildi elbette. Nehir köprüden geçtiği yerde tıslıyor, küçük dalgalar teknelerin gövdelerine çarpıyor, evlerin içlerindeki meşaleler çıtırdıyor ve kıyıya tırmanan adamlarımın ayak seslerini duyabiliyordum. Kalkanlar ve mızrak dipçikleri gemilerin kalaslarına çarpıyor, şehirde köpekler havlıyor ve bir yerlerde bir kaz ciyaklıyordu ama her şey sessiz görünüyordu. Kara bulutlar tarafından yarı yarıya gizlenmiş olan şafak artık daha soluk bir sarıydı.

"Peki ya şimdi?" Finan yanımda belirdi. Steapa da onun yanında belirdi ama hiçbir şey söylemedi.

"Kapıya gidiyoruz," dedim, "Ludd Kapısı." Ama hareket etmedim. Hareket etmek istemedim. Coccham'a, Gisela'nın yanına dönmek istiyordum. Bu korkaklık değildi. Korkaklık her zaman bizimledir ve cesaret, şairleri bizim hakkımızda şarkılar yazmaya kışkırtan şey, yalnızca korkunun üstesinden gelme arzusudur. Beni hareket etmeye isteksiz kılan şey yorgunluktu, ama fiziksel bir yorgunluk değil. O zamanlar gençtim. Savaşın yaraları gücümü henüz tüketmemişti. Sanırım Wessex'ten, sevmediğim bir kral için savaşmaktan yorulmuştum ve o Lundene iskelesinde dururken onun için neden savaştığımı anlamıyordum ve şimdi, yıllar sonra geriye dönüp baktığımda bu halsizliğin az önce öldürdüğüm ve Odin'in salonunda kendisine katılmaya söz verdiğim adamdan kaynaklanıp kaynaklanmadığını merak ediyorum. Öldürdüğümüz adamların ayrılmaz bir şekilde bize bağlı olduğuna inanıyorum. Onların artık dokunmayan yaşam iplikleri Nornlar tarafından kendi ipliğimizin etrafına dokunur ve keskin bıçak sonunda hayatımızı kesene kadar yükleri bize musallat olmaya devam eder. Onun ölümü için vicdan azabı çekiyordum.

"Uyuyacak mısın?" diye sordu Peder Pyrlig. Finan'a katılmıştı.

"Kapıya gidiyoruz," dedim.

Sanki bir rüya gibiydi. Yürüyordum ama zihnim başka bir yerdeydi. Ölülerin dünyamızda böyle yürüdüğünü düşündüm, çünkü ölüler geri dönerdi. Bjorn'un geri dönmüş gibi yaptığı şekilde değil, ama en karanlık gecelerde, yaşayan hiç kimsenin onları göremediği zamanlarda dünyamızda dolaşırlar. Sanki bildikleri yerler bir kış sisiyle örtülüymüş gibi, onu sadece yarı yarıya görüyor olmalılar diye düşünürdüm. Babamın beni izleyip izlemediğini merak ettim. Neden böyle düşündüm ki? Ne ben babamı severdim ne de o beni. Ben gençken ölmüş olsa da o bir savaşçıydı. Şairler onun için şarkılar söylemişti. Peki benim hakkımda ne düşünürdü? Bebbanburg'a saldırmak yerine Lundene'e yürüyordum. Yapmam gereken buydu. Kuzeye gitmeliydim. Tüm gümüşlerimi adam kiralamak ve onları Bebbanburg'un topraklarına saldırtmak için harcamalıydım ve büyük katliamlar yapabileceğimiz yüksek salona kadar surları aşmalıydım. O zaman sonsuza dek kendi evimde, babamın evinde yaşayabilirdim. Wessex'ten uzak, Ragnar'ın yakınında yaşayabilirdim.

Ancak Northumbria'da bir düzine casusum vardı ve amcamın kaleme ne yaptığını bana anlatmışlardı. Kara tarafındaki kapıları kapatmıştı. Onları tamamen kaldırmıştı ve yerlerine yeni inşa edilmiş, yüksek ve taşla güçlendirilmiş surlar yapılmıştı. Bir adam kaleye girmek istiyorsa artık kalenin üzerinde durduğu kayalığın kuzey ucuna giden yolu takip etmesi gerekiyordu ve bu yolun her adımı o yüksek surların altında, saldırı altında olacaktı ve sonra, kuzey ucunda, denizin kırıldığı ve çekildiği yerde küçük bir kapı vardı. O kapının ötesinde başka bir sura ve başka bir kapıya giden dik bir patika vardı. Bebbanburg mühürlenmişti ve onu almak için biriktirdiğim gümüşün bile ulaşamayacağı bir orduya ihtiyacım olacaktı.

"Şans yanınızda olsun!" Bir kadın sesi beni düşüncelerimden uyandırdı. Eski şehrin halkı uyanıktı. Geçtiğimizi görmüşler ve bizi Dan sanmışlardı çünkü adamlarıma haçlarını gizlemelerini emretmiştim.

"Sakson piçlerini öldürün!" diye bağırdı başka bir ses.

Ayak seslerimiz, hepsi de en az üç katlı olan yüksek evlerden yankılanıyordu. Bazılarının tuğlalarının üzerinde güzel taş işçiliği vardı. Bir zamanlar dünyanın bu tarz evlerle dolu olduğunu düşündüm. İlk kez bir Roma merdivenine tırmandığımı hatırlıyorum, çok tuhaf gelmişti. Geçmiş zamanlarda insanların böyle şeyleri doğal karşılamış olması gerektiğini biliyordum. Dünya artık gübre, saman ve rutubetli odundan ibaretti. Elbette taş ustalarımız vardı, ama ahşaptan inşa etmek daha hızlıydı ve ahşap çürüyordu, ama kimse bunu umursamıyor gibiydi. Aydınlıktan karanlığa doğru kaydıkça, bu orta dünyanın sona ereceği, tanrıların savaşacağı ve tüm sevgi, ışık ve kahkahanın yok olacağı kara kaosa giderek yaklaştıkça tüm dünya çürüyordu. "Otuz yıl," dedim yüksek sesle.

"Kaç yaşındasın sen?" diye sordu Peder Pyrlig.

"Bir salonun ömrü bu kadar," dedim, "eğer onu onarmaya devam etmezsen. Dünyamız parçalanıyor, peder."

"Tanrım, çok kasvetlisin," dedi Pyrlig, eğlenerek.

"Ve Alfred'i izliyorum," diye devam ettim, "dünyamızı nasıl düzene sokmaya çalıştığını görüyorum. Listeler! Listeler ve parşömenler! Selin önüne sazdan engeller koyan bir adam gibi."

Konuşmamızı dinleyen Steapa araya girerek, "Bir seti iyi destekleyin, akarsuya dönüşecektir," dedi.

"Ve selde boğulmaktansa onunla savaşmak daha iyidir," diye yorumladı Pyrlig.

"Şuna bakın!" dedim, tuğla bir duvara sabitlenmiş bir canavarın oyulmuş taş başını göstererek. Yaratık daha önce gördüğüm hiçbir yaratığa benzemiyordu. Tüylü büyük bir kediydi ve bir zamanlar suyun ağızdan çanağa aktığını düşündüren açık ağzı yontma taş bir teknenin üzerinde duruyordu. "Bunu yapabilir miyiz?" diye sordum buruk bir şekilde.

"Böyle şeyler yapabilecek ustalar var," dedi Pyrlig.

"O zaman neredeler?" diye sordum öfkeyle ve tüm bu şeylerin, oymaların, tuğlaların ve mermerlerin Pyrlig'in dini adaya gelmeden önce yapıldığını düşündüm. Dünyanın çürümesinin nedeni bu muydu? Bu kadar çok insan çivilenmiş tanrıya taptığı için mi gerçek tanrılar bizi cezalandırıyordu? Pyrlig'e bu düşüncemi söylemedim. Sessiz kaldım. Yıkılıp moloz yığını haline gelmiş bir ev dışında, evler tepemizde yükseliyordu. Bir köpek duvar boyunca ilerledi, bacağını kaldırmak için durdu, sonra bize hırladı. Bir evde bir bebek ağlıyordu. Ayak seslerimiz duvarlarda yankılandı. Bu eski zaman kalıntılarında yaşadığına inandıkları hayaletlerden çekinen adamlarımın çoğu sessizdi.

Bebek bu kez daha yüksek bir sesle tekrar ağlamaya başladı. "İçeride genç bir anne var," dedi Rypere mutlulukla. Rypere onun takma adıydı ve "hırsız" anlamına geliyordu. Kuzeyden gelen sıska bir Anglosakson'du, zeki, kurnaz bir çocuktu ve en azından hayaletleri düşünmüyordu.

"Yerinde olsam keçilerle takılırdım," dedi Clapa, "senin pis kokuna aldırmazlar." Clapa bir Dan'dı, bana yemin etmiş ve bana sadakatle hizmet etmişti. Bir çiftlikte büyümüş, öküz gibi güçlü, her zaman neşeli, iri yarı bir çocuktu. O ve Rypere birbirlerine sataşmayı hiç bırakmayan arkadaşlardı.

Rypere karşılık vermeden önce "Sessiz olun!" dedim. Batı surlarına yaklaşıyor olmamız gerektiğini biliyordum. Kıyıya çıktığımız yerde şehir tepedeki saraya doğru geniş teraslı bir tepeye tırmanıyordu ama o tepe artık düzleşiyordu, bu da Fleot vadisine yaklaştığımız anlamına geliyordu. Arkamızdaki gökyüzü aydınlanıyordu. Æthelred'in şafaktan hemen önce yapacağım sahte saldırıda başarısız olduğumu düşüneceğini biliyordum ve bu düşüncenin onu kendi saldırısından vazgeçmeye ikna etmesinden korkuyordum. Belki de çoktan adamlarını adaya geri götürüyordu. Bu durumda yalnız kalacaktık, düşmanlarımız tarafından kuşatılacaktık ve sonumuz gelmiş olacaktı.

"Tanrı yardımcımız olsun," dedi Pyrlig aniden.

Adamlarımı durdurmak için elimi kaldırdım çünkü önümüzde, Ludd Kapısı denen taş kemerin altından geçmeden önce, sokağın son kısmında bir adam kalabalığı vardı. Silahlı adamlar. Miğferleri, baltaları ve mızrak uçları, bulutlarla örtülü yeni doğmuş güneşin donuk ışığını yansıtan adamlar.

"Tanrı yardımcımız olsun," dedi Pyrlig tekrar ve istavroz çıkardı. "İki yüz kişi olmalılar."

"Daha fazla," dedim. O kadar çok adam vardı ki hepsi caddeye sığmamış, bazıları iki taraftaki ara sokaklara girmek zorunda kalmıştı. Görebildiğimiz tüm adamların kapıya bakıyor olması düşmanın ne yaptığını anlamamı sağladı ve o anda zihnim sanki bir sis perdesi kalkmış gibi berraklaştı. Solumda bir avlu vardı. Kapısını işaret edip "İçeri," diye emrettim.

Zeki bir adam olan bir rahibin beni ziyaret ederek Alfred ile ilgili anılarımı sorduğunu ve bunları bir kitap haline getirmek istediğini hatırlıyorum. Beni gördükten kısa bir süre sonra ishalden öldüğü için bunu hiç yapamadı ama zeki bir adamdı ve çoğu rahipten daha bağışlayıcıydı. Benden savaşmanın verdiği keyfi tarif etmemi istediğini hatırlıyorum. Ona, "Karımın şairleri sana anlatır," dedim.

"Karınızın şairleri hiç savaşmadı," dedi, "ve sadece başka kahramanlar hakkındaki şarkıları alıp isimleri değiştiriyorlar."

"Öyle mi?"

"Elbette öyle," demişti, "siz olsanız öyle yapmaz mıydınız, lordum?"

O rahibi sevmiştim ve onunla konuştum. Nihayetinde ona verdiğim cevap, savaşın zevkinin karşı tarafı kandırmanın verdiği haz olduğuydu. Onlar harekete geçmeden önce ne yapacaklarını bilmek ve sizi öldürmesi gereken hamleyi yaptıklarında sizin yerine onların ölmesini sağlayacak yanıtı hazır bulundurmak ve o anda, Lundene sokağının nemli kasvetinde Sigefrid'in ne yaptığını biliyordum ve o farkında olmasa da bana Ludd Kapısı'nı verdiğini de biliyordum.

Avlu bir taş tüccarına aitti. Taş ocakları Lundene'in Roma döneminden kalma binalarıydı ve duvarlara Frank Krallığı'na gönderilmek üzere taş yığınları istiflenmişti. Nehir surundan iskelelere açılan kapıya daha da fazla taş istiflenmişti. Sigefrid'in nehirden gelecek bir saldırıdan korktuğunu, bu yüzden köprünün batısındaki surlardan geçen her kapıyı kapattığını düşündüm, ama herhangi birinin köprüyü savunmasız doğu tarafından geçeceği aklının ucuna bile gelmemişti. Ama öyle olmuştu ve ben girişte durup Ludd Kapısı'ndaki düşman kalabalığını izlerken adamlarım avluda saklandı.

"Saklanıyor muyuz?" diye sordu Osferth. Sesinde sanki sürekli şikâyet ediyormuş gibi bir sızlanma vardı.

"Kapıyla aramızda yüzlerce adam var," diye açıkladım sabırla, "ve biz aralarından geçemeyecek kadar azız."

"Yani başarısız olduk," dedi, bir soru olarak değil, bir huysuzluk ifadesi olarak.

Ona vurmak istedim ama sabrımı korumayı başardım. "Neler olduğunu anlat ona," dedim Pyrlig'e.

"Tanrı bilgeliğiyle Sigefrid'i şehrin dışına bir saldırı düzenlemeye ikna etti!" diye açıkladı Galli. "Şu kapıyı açıp bataklıklardan geçecekler ve Lord Æthelred'in adamlarına saldıracaklar. Lord Æthelred'in adamlarının çoğu milislerden, Sigefrid'in adamlarının çoğu da gerçek savaşçılardan oluştuğu için hepimiz ne olacağını biliyoruz!" Peder Pyrlig tahta haçın saklı olduğu zırhına dokundu. "Teşekkürler Tanrı'm!"

Osferth gözlerini rahibe dikti. "Yani," dedi bir süre durakladıktan sonra, "Lord Æthelred'in adamları katledilecek?"

"Bazıları ölecek!" diye kabul etti Pyrlig neşeyle, "umarım Tanrı'ya şükrederek ölürler, evlat, yoksa o ilahi koroyu asla duyamazlar, değil mi?"

"Korolardan nefret ederim," diye homurdandım.

"Hayır, etmezsin," dedi Pyrlig. "Görüyorsun ya evlat," dedi Osferth'e dönerek, "kapıdan çıktıklarında kapıyı koruyan sadece bir avuç adam kalacak. İşte o zaman saldıracağız! Sigefrid kendini bir anda önünde bir düşman, arkasında başka bir düşmanla bulacak. Bu ikilem insana keşke yatakta kalsaydım dedirtebilir."

Avluya bakan yüksek pencerelerden birinin kepengi açıldı. Genç bir kadın aydınlanan gökyüzüne baktı, sonra ellerini yukarı doğru uzatıp kocaman esnedi. Bu hareket keten elbisesini göğsüne doğru gerdi, sonra altındaki adamlarımı gördü ve içgüdüsel olarak kollarını göğsünde kavuşturdu. Giyinikti ama kendini çıplak hissetmiş olmalıydı.

Pyrlig onu izlerken, "Ah, bir başka tatlı lütuf için daha sana şükürler olsun sevgili kurtarıcım," dedi.

"Ama eğer kapıyı ele geçirirsek şehirde kalan adamlar bize saldıracak," dedi Osferth, gördüğü sorunlar karşısında endişelenerek.

"Saldıracaklar," diye onayladım.

"Ve Sigefrid..." diye başladı.

Cümlesini "Muhtemelen bizi katletmek için geri dönecek," diye tamamladım.

"Yani?" dedi, sonra durdu, çünkü geleceğinde kan ve ölümden başka bir şey görmüyordu.

"Her şey kuzenime bağlı," dedim. "Eğer yardımımıza gelirse kazanırız. Eğer gelmezse?" Omuz silktim, "o zaman kılıcını sıkı tut."

Ludd Kapısı'ndan bir uğultu duyulunca kapının açıldığını ve adamların Fleot'a giden yola doğru aktığını anladım. Æthelred, eğer hâlâ saldırıya hazırlanıyorsa onların geldiğini görecek ve bir seçim yapmak zorunda kalacaktı. Yeni Sakson kasabasında durup savaşabilir ya da kaçabilirdi. Dayanmasını umuyordum. Ondan hoşlanmıyordum ama onda asla cesaret eksikliği görmedim. Birçok kez aptallığına şahit olmuştum, bu da muhtemelen bir savaşı hoş karşılayacağını gösteriyordu.

Sigefrid'in adamlarının kapıdan geçmesi uzun zaman aldı. Avlunun girişindeki gölgelerden onları izlerken en az dört yüz adamın şehirden ayrıldığını tahmin ettim. Æthelred'in, çoğu Alfred'in hane halkından olmak üzere üç yüzden fazla iyi askeri vardı ama kuvvetlerinin geri kalanı milislerdendi ve sert, acımasız bir saldırıya asla dayanamazlardı. Avantaj Sigefrid'deydi, adamları sıcaktı, dinlenmiş ve beslenmişlerdi, öte yandan Æthelred'in birlikleri gece boyunca ilerledikleri için yorgun olacaktı.

"Ne kadar çabuk o kadar iyi," dedim, ortaya konuşarak.

"Şimdi mi hareket edelim o halde?" diye önerdi Pyrlig.

"Sadece kapıya kadar yürüyeceğiz!" Adamlarıma bağırdım. "Koşmayın! Buraya aitmişsiniz gibi görünün!"

Ve öyle yaptık.

Böylece, Lundene caddesinde bir gezintiyle, o acı kavga başladı.

* * *

Ludd Kapısı'nda otuzdan fazla adam yoktu. Bazıları kemeri korumak için görevlendirilmiş nöbetçilerdi ama çoğu Sigefrid'in saldırısını izlemek için surlara tırmanmış aylaklardı. Tek bacaklı iri bir adam koltuk değnekleriyle engebeli taş basamakları tırmanıyordu. Yarı yolda durdu ve yaklaşmamızı izlemek için döndü. "Acele ederseniz lordum, onlara katılabilirsiniz!" diye bağırdı bana.

Bana lord dedi çünkü bir lord görüyordu. Savaşçı bir lord görüyordu.

Bir avuç adam benim gibi savaşa gidebilirdi. Onlar reisler, kontlar, krallar, lordlardı. Zırh, miğfer ve silah almak için gereken serveti biriktirecek kadar düşman öldürmüş adamlar ve herhangi bir zırh da değil. Zırhım Frank yapımıydı ve bir adama bir savaş gemisi fiyatından daha fazlasına mal olurdu. Sihtric metali kumla parlatmıştı, bu yüzden gümüş gibi parlıyordu. Zırhımın etekleri dizlerimdeydi ve üzerinde Thor'un otuz sekiz çekici asılıydı; bazıları kemikten, bazıları fildişinden, bazıları gümüşten yapılmıştı ama hepsi de bir zamanlar savaşta öldürdüğüm cesur düşmanlarımın boyunlarında asılıydı. Ölüler konağına geldiğimde eski sahipleri beni tanısın, selamlasın ve benimle bira içsin diye bu muskaları takıyordum.

Gisela'nın üzerine boynumdan topuklarıma kadar uzanan beyaz bir şimşek işlediği siyaha boyanmış yünden bir pelerin giyiyordum. Pelerin savaşta bir yük olabilirdi ama yine de giyiyordum çünkü beni daha iri gösteriyordu ki zaten çoğu erkekten daha uzun ve daha geniştim. Bir tek boynumda asılı olan Thor'un çekici sefil bir parçaydı, sürekli paslanan demirden yapılmış adi bir muskaydı. Tüm kazıma ve temizleme işlemleri onu yıllar içinde inceltmiş, şekilsizleştirmişti ama o küçük demir çekici çocukken yumruklarımla kazanmış ve çok sevmiştim. Bugün bile takıyorum.

Miğferim göz kamaştırıcı bir parlaklıkta cilalanmış, gümüş kakmalı ve gümüş bir kurt başıyla taçlandırılmış görkemli bir parçaydı. Yüz plakaları gümüş spirallerle süslenmişti. Sadece bu miğfer bile bir düşmana benim önemli bir adam olduğumu gösterirdi. Biri beni öldürüp miğferimi alsa anında zengin olurdu ama düşmanlarım asıl Danlar gibi zırhımın kollarına taktığım kol halkalarımı tercih ederdi. Halkalarım gümüşten ve altındandı ve o kadar çoktu ki bazılarını dirseklerimin üzerine geçirmem gerekiyordu. Onlar öldürülen adamları ve biriktirilen serveti ifade ediyordu. Çizmelerim kalın deridendi ve kalkanın altından gelen mızrak darbelerini saptırmak için etraflarına demir plakalar dikilmişti. Kenarları demirle kaplı kalkanın üzerinde amblemim olan kurt başı vardı Sol kalçamda Yılan Nefesi, sağ kalçamda İğne asılıydı. Güneş arkamdan doğup pislik içindeki sokağa uzun gölgemi düşürürken kapıya doğru ilerledim.

Görkemli bir savaş lorduydum, öldürmeye gelmiştim ve kapıdaki hiç kimse bunu bilmiyordu.

Geldiğimizi gördüler ama Dan olduğumuzu düşündüler. Düşmanın çoğu yüksek surların üzerindeydi ama beş tanesi açık kapıda duruyordu. Herkes Sigefrid'in kısa dik yamaçtan Fleot'a doğru akan kuvvetlerini izliyordu. Sakson yerleşimi çok uzakta değildi. Æthelred'in hâlâ orada olduğunu umuyordum. "Steapa," diye seslendim, hâlâ kapıdan yeterince uzaktaydım, böylece oradaki kimse İngilizce konuştuğumu duyamazdı, "adamlarını al ve kemerdeki o pislikleri öldür."

Steapa'nın kemikli suratı sırıttı. "Kapıyı kapatmamı istiyor musun?" diye sordu.

"Açık kalsın," dedim. Sigefrid'i geri çekerek sert adamlarının Æthelred'in milislerinin arasına girmesini engellemek istiyordum ve eğer kapı açık olursa Sigefrid bize saldırmaya daha meyilli olacaktı.

Kapı her biri kendi merdivenine sahip iki büyük taş burcun arasına inşa edilmişti. Çocukken Peder Beocca'nın bir keresinde bana Hristiyan cennetini tarif edişini hatırladım. Cennette kristal basamaklar olacağını iddia etmiş ve cam gibi basamaklardan tanrısının oturduğu beyaz, altın tahta yapılacak muazzam tırmanışı heyecanla anlatmıştı. Her biri güneşten daha parlak olan melekler bu tahtın etrafını sararken onun ölü Hristiyanlar olarak adlandırdığı azizler merdivenlerin etrafında kümelenip şarkı söyleyecekti. O zamanlar kulağa sıkıcı geliyordu, hâlâ da öyle. "Öbür dünyada hepimiz tanrı olacağız," dedim Pyrlig'e.

Bu ifadenin nereden çıktığını merak ederek şaşkınlıkla bana baktı. "Tanrı'yla birlikte olacağız," diye düzeltti.

"Senin cennetinde belki," dedim, "ama benimkinde değil."

"Sadece tek bir cennet vardır, Lord Uhtred."

"O zaman o tek cennet benimki olsun," dedim ve o anda benim doğrumun gerçek olduğunu, Pyrlig, Alfred ve diğer tüm Hristiyanların yanıldığını anladım. Yanılıyorlardı. Işığa doğru gitmiyorduk, ondan uzaklaşıyorduk. Kaosa gidiyorduk. Ölüme ve ölümün cennetine gidiyorduk. Düşmana yaklaştıkça bağırmaya başladım. "İnsanlar için bir cennet! Savaşçılar için bir cennet! Kılıçların parladığı bir cennet! Cesur adamlar için bir cennet! Vahşet cenneti! Ölü tanrıların cenneti! Bir ölüm cenneti!"

Dost düşman herkes bana baktı. Baktılar çünkü benim deli olduğumu düşündüler. Belki de koltuk değnekli adamın bana baktığı sağ taraftaki merdiveni tırmanırken delirmiştim. Koltuk değneklerinden birine tekme atınca adam düştü. Değnek takırdayarak merdivenlerden aşağı indi ve adamlarımdan biri onu tekmeleyerek yere fırlattı. "Ölüm cenneti!" diye bağırdım. Surdaki her adamın gözleri üzerimdeydi ama yine de garip savaş çığlığımı Danca attığım için beni dost sanıyorlardı.

Miğferimin yanaklarının arkasından gülümseyerek Yılan Nefesi'ni çektim. Altımda, görüş alanımın dışında Steapa ve adamları öldürmeye başlamıştı.

On dakika önce uyanık bir rüyanın içindeydim, şimdiyse delilik baş göstermişti. Adamlarımın merdivenleri tırmanmasını ve bir kalkan duvarı oluşturmasını beklemeliydim ama bir dürtü beni ileri itti. Hâlâ çığlık atıyordum ancak artık kendi adımı haykırıyordum. Yılan Nefesi açlık şarkısını söylüyordu, bense bir savaş lorduydum.

Savaşın mutluluğu. Coşku. Sadece bir düşmanı kandırmak değil, aynı zamanda bir tanrı gibi hissetmek. Bir keresinde bunu Gisela'ya anlatmaya çalışmıştım, o da uzun parmaklarıyla yüzüme dokunup gülümsemişti. "Bundan daha mı iyi?" diye sormuştu.

"Aynısı," demiştim.

Ama aynı şey değil. Savaşta bir adam itibar kazanmak için her şeyi riske atar. Yatakta hiçbir şeyi riske atmaz. Zevk karşılaştırılabilir, ama bir kadının zevki geçicidir, itibar ise sonsuza dek sürer. Erkekler ölür, kadınlar ölür, herkes ölür ama itibar bir insandan sonra da yaşar, işte bu yüzden Yılan Nefesi ilk ruhunu alırken adımı haykırıyordum. Hırpalanmış bir miğferi ve uzun saplı bir mızrağı olan uzun boylu bir adamdı, içgüdüsel olarak bana doğru hamle yaptı. Aynı içgüdüyle kalkanımı kaldırıp hamlesini karşıladım ve Yılan Nefesi'ni boğazına sapladım. Sağımdaki adamı omzundan vurarak yere düşürdüm ve kalkanım solumdan bir kılıç darbesi alırken kasıklarına vurdum. Kasıklarına vurduğum adamın üzerinden geçtim. Surun koruyucu duvarı artık sağımda, istediğim yerdeydi ve önümde düşman vardı.

Onlara doğru hamle yaptım. "Uhtred! Bebbanburglu Uhtred!" diye bağırıyordum.

Ölüme davetiye çıkarıyordum. Tek başıma saldırarak düşmanın arkama geçmesine izin vermiştim ama o anda ölümsüzdüm. Zaman yavaşlamıştı, öyle ki düşman salyangoz gibi hareket ederken ben pelerinimdeki şimşek kadar hızlıydım. Yılan Nefesi bir adamın gözüne doğru hamle yapıp, göz çukurunun kemiği hamlesini durdurana kadar sertçe ilerlerken hâlâ bağırıyordum, sonra yüzüme doğru gelen bir kılıcı düşürmek için kendi kılıcımı sola savurdum ve bir balta darbesini karşılamak için kalkanımı kaldırdım. Yılan Nefesi'ni indirip savuşturduğum adamın deri yeleğini delmesi için sertçe ileri doğru savurdum. Kanı ve bağırsakları dışarı çıkarken karnında saplı kalmaması için kılıcı döndürdüm, sonra sola adım atıp kalkanın demir başlığıyla baltacıya vurdum.

Adam sendeleyerek geri çekildi. Yılan Nefesi kılıç ustasının karnından çıkıp sağa doğru uçarak başka bir kılıca çarptı.

Çekili kılıcımla çığlık atmaya devam ederken düşmanın yüzündeki dehşeti gördüm. Düşmanın yüzündeki dehşet zalimliği doğurur. "Uhtred," diye bağırırken ona baktım. Ölümün geldiğini görüp benden kaçmaya çalıştı ama arkadan gelen başka adamlar geri çekilmesini engelledi. Yılan Nefesi'ni yüzüne indiririrken gülümsedim. Geri hamlem adamın boğazını kesti ve şafakta kan püskürdü. Yanından geçen iki adamın ilkini kılıcımla, ikincisini kalkanımla savuşturdum.

O iki adam aptal değildi. Kalkanları birbirine değecek şekilde gelmişlerdi ve tek amaçları beni surun arkasına itip orada tutmak, kalkanlarıyla sıkıştırmak, böylece Yılan Nefesi'ni kullanmama engel olmaktı ve beni bir kez kıstırdıklarında diğer adamların gelip ben kan kaybından ayakta duramayacak hale gelene kadar kılıçlarını bana saplamalarına fırsat vereceklerdi. Bu ikisi beni nasıl öldüreceklerini biliyorlardı ve bunu yapmak için geldiler.

Ama ben gülüyordum. Gülüyordum çünkü ne planladıklarını biliyordum. Çok yavaş görünüyorlardı. Kendi kalkanımı onlarınkine çarpması için ileri ittim. Beni tuzağa düşürdüklerini düşündüler çünkü iki adamı uzaklaştırmayı umamazdım. Kalkanlarının arkasına çömelip ileri atıldılar, bense sadece geri adım atarak kalkanımı geri çektim, böylece direncim yok olurken iki adam ileri doğru tökezledi. Tökezlediklerinde, kalkanları hafifçe alçalmış oldu ve Yılan Nefesi bir engerek dili gibi titreyerek kanlı ucunu solumdaki adamın alnına sapladı. Kalın kemiğinin kırıldığını hissettim, gözlerinin parladığını gördüm, düşen kalkanının çarpışını duydum ve kılıcımı sağa doğru savurdum. İkinci adam hamlemi savuşturdu. Dengemi bozmayı umarak kalkanını bana doğru savurdu, ama tam o sırada solumdan güçlü bir haykırış yükseldi. "Yüce İsa ve Alfred!" Bu Peder Pyrlig'di ve arkasındaki geniş burç artık adamlarımla kaynıyordu. "Seni lanet olası kâfir aptal," diye bağırdı Pyrlig bana.

Güldüm. Pyrlig'in kılıcı rakibimin kolunu kesti ve Yılan Nefesi kalkanını yere serdi. O zaman bana baktığını hatırlıyorum. Yanlarında kuzgun kanatları olan güzel bir miğferi vardı. Sakalı altın sarısıydı, gözleri maviydi ve o gözlerde, yaralı koluyla kılıcını kaldırmaya çalışırken yakında öleceğinin bilgisi vardı.

Ona "Kılıcını sıkı tut," dedim. Başıyla onayladı.

Pyrlig onu öldürdü ama ben görmedim. Kalan düşmana saldırmak için yanından geçtim. Yanımdaki Clapa kocaman baltasını o kadar şiddetli sallıyordu ki düşman için olduğu kadar bizim taraf için de tehlikeliydi ama hiçbir düşman ikimizle yüzleşmek istemiyordu. Surlar boyunca kaçıyorlardı ve kapı bizimdi.

Alçak dış duvara yaslandım ve hemen doğruldum çünkü taşlar ağırlığımın altında kaydı. Taşlar parçalanıyordu. Gevşek taş işçiliğini kınadım ve sevinçten yüksek sesle güldüm. Sihtric bana sırıttı. Elinde kanlı bir kılıç vardı. "Muska var mı lordum?" diye sordu.

"Şuradaki," dedim, miğferi kuzgun kanatlarıyla süslü adamı işaret ederek, "iyi öldü, onunkini alacağım."

Sihtric adamın çekiç muskasını bulmak için eğildi. Osferth onun ötesinde, taşların üzerinde kanlar içinde yatan yarım düzine ölüye bakıyordu. Ucu kırmızı bir mızrak taşıyordu. "Birini mi öldürdün?" diye sordum ona.

İri gözlerle bana baktı, sonra başıyla onayladı. "Evet lordum."

"Güzel," dedim ve başımı etrafa yayılmış cesetlere doğru salladım. "Hangisi?"

"Burada değildi lordum," dedi. Bir an şaşırmış gibi göründü, sonra tırmandığımız basamaklara baktı. "Şuradaydı lordum."

"Merdivenlerde mi?"

"Evet," dedi.

Onu rahatsız edecek kadar uzun süre ona baktım. "Söyle bana," dedim sonunda, "seni tehdit etti mi?"

"O bir düşmandı lordum."

"Ne yaptı," diye sordum, "tek koltuk değneğini sana doğru mu salladı?"

"O," diye başladı Osferth, sonra söyleyecek başka sözü kalmamış gibi göründü.

Öldürdüğüm adama baktı, sonra kaşlarını çattı. "Lordum?"

"Evet?"

"Bize kalkan duvarını terk etmenin ölüm olduğunu söylemiştiniz."

Yılan Nefesi'nin bıçağını ölü bir adamın pelerininde temizlemek için eğildim. "Yani?"

"Kalkan duvarını terk ettiniz lordum," dedi Osferth neredeyse azarlarcasına. Doğrulup kol halkalarıma dokundum. "Kurallara uyarak yaşarsın," dedim ona sert bir şekilde. "Kuralları çiğneyerek ün kazanırsın evlat. Ama bir sakatı öldürerek ün kazanamazsın." Bu son sözleri küfür edermiş gibi söylemiştim, döndüm ve Sigefrid'in adamlarının Fleot Nehri'ni geçtiğini ama arkalarındaki kargaşanın farkına vardıklarından kapıya bakmak için durduğunu gördüm.

Pyrlig yanımda belirdi. "Şu paçavradan kurtulalım," dedi. Surdan sarkan bir sancak olduğunu gördüm. Pyrlig sancağı kaldırıp bana Sigefrid'in kuzgun amblemini gösterdi. "Şehrin yeni bir efendisi olduğunu onlara bildireceğiz," dedi. Zırhını yukarı kaldırdı ve katlanıp bel kemerine sokulmuş bir sancak çıkardı. Sancağı açtığında donuk beyaz bir alan üzerinde siyah bir haç ortaya çıktı. "Tanrı'ya şükürler olsun," dedi, sonra üst kenarına ölü adamların silahlarını koyup sabitleyerek sancağı surdan aşağı sallandırdı. Sigefrid artık Ludd Kapısı'nın kaybedildiğini biliyordu. Hristiyan bayrağı yüzüne vurulmuştu.

Yine de sonraki birkaç dakika boyunca ortalık sessizdi. Sanırım Sigefrid'in adamları olanlardan dolayı şaşkındı ve bu şaşkınlığın etkisinden kurtulmaya çalışıyordu. Artık yeni Sakson kasabasına doğru ilerlemiyor, haç asılı kapıya bakmaya devam ediyorlardı. Şehrin içinde ise sokaklarda gruplar halinde toplanmış adamlar bizi izliyordu.

Ben yeni kasabaya doğru bakıyordum. Æthelred'in adamlarından hiçbir iz göremiyordum. Sakson kasabasının inşa edildiği alçak yamacın tepesinde ahşap bir kazık çit vardı ve Æthelred'in askerlerinin yer yer çürümüş, yer yer tamamen yok olmuş bu çitin arkasında olması muhtemeldi.

"Eğer Æthelred gelmezse," dedi Pyrlig usulca.

"O zaman ölürüz," diye tamamladım sözünü. Solumda nehir, yıkık köprüye ve uzaktaki denize doğru çamur gibi gri akıyordu. Grinin üzerindeki martılar beyazdı. Uzakta, güney kıyısında, dumanların yükseldiği birkaç kulübe görebiliyordum. Orası Wessex'ti. Önümde Sigefrid'in adamlarının hareketsiz kaldığı yerde Mersiya, arkamda nehrin kuzeyinde ise Doğu Anglia vardı.

"Kapıyı kapatalım mı?" diye sordu Pyrlig.

"Hayır," dedim. "Steapa'ya açık bırakmasını söyledim."

"Söyledin?"

"Sigefrid'in bize saldırmasını istiyoruz," dedim. Æthelred saldırmaktan vazgeçerse üç krallığın birleştiği kapıda öleceğimi düşündüm. Hâlâ Æthelred'in kuvvetlerini göremiyordum ama kuzenimin adamlarının bize zafer kazandıracağına güveniyordum. Eğer Sigefrid'in savaşçılarını kapıya geri çekebilir ve onları orada tutabilirsem Æthelred onlara arkadan saldırabilirdi. Bu yüzden kapıyı Sigefrid'e bir davet olarak açık bırakmak zorundaydım. Eğer kapıyı kapatmış olsaydım Roma şehrine başka bir kapıdan girebilir, adamları kuzenimin saldırısına maruz kalmazdı.

Daha acil olan sorun ise şehirde kalmış olan Danların nihayet şaşkınlıklarını üzerlerinden atmaya başlamış olmasıydı. Bazıları sokaklardaydı, diğerleri ise Ludd Kapısı'nın iki yanındaki surlarda toplanmıştı. Surlar kapının burcundan daha alçaktı, bu da yapılacak herhangi bir saldırının duvardan burca tırmanan dar taş basamaklardan yapılması gerektiği anlamına geliyordu. Bu basamakların her birini tutmak için beş adam gerekecekti, tıpkı sokaktan tırmanan ikiz merdivenleri tutmak için gerektiği gibi. Burcun tepesini terk etmeyi düşündüm ama eğer kemerde savaş kötü giderse o zaman yüksek sur en iyi sığınağımız olacaktı. Pyrlig'e "Bu burcu tutmak için yirmi adamın olacak," dedim. Osferth'e doğru başımı sallayarak, "Onu da alabilirsin," dedim. Alfred'in sakat öldüren oğlunun savaşın en şiddetli olacağı aşağıdaki kemerde olmasını istemiyordum. Aşağıda iki kalkan duvarı yapacaktık, biri şehre diğeri Fleot'a bakacaktı ve kalkan duvarları çarpışacaktı. Orada öleceğimizi düşündüm çünkü Æthelred'in ordusunu hâlâ göremiyordum.

Kaçmak istedim. Geldiğimiz yoldan geri çekilmek, düşmanı sokaklarda kenara itmek gayet basit olurdu. Sigefrid'in teknesi *Dalga Terbiyecisi*'ni alabilir, Batı Saksonya kıyısına geçmek için onu kullanabilirdik. Ama ben Bebbanburglu

Uhtred'dim, bir savaşçının gururuyla doluydum ve Lundene'i almaya yemin etmiştim. Kaldık.

Elli kişi merdivenlerden aşağı inip kapıyı doldurduk. Yirmi adam şehrin içine bakarken geri kalanlar Sigefrid'e doğru bakıyordu. Kapı kemerinin içinde sadece sekiz adamın kalkanları birbirine değecek şekilde durması için yer vardı, böylece taşın gölgeleri altında ikiz kalkan duvarlarımızı yaptık. Steapa yirmi kişiye komuta ederken ben surun ön safında durup batıya bakıyordum.

Kalkan duvarından ayrılıp Fleot vadisine doğru birkaç adım yürüdüm. Akıntının yukarısındaki tabakhane çukurlarının kirlettiği küçük nehir, Temes'e doğru kirli ve durgun akıyordu. Nehrin ötesinde Sigefrid, Haesten ve Erik sonunda güçlerini geri çevirmişti ve kuzeyli savaşçıların en arka safları şimdi benim küçük gücümü püskürtmek için sığ Fleot'a doğru ilerliyordu.

Onların ufuk çizgisinde durdum. Bulutlarla örtülü güneş arkamdaydı ama solgun ışığı miğferimin gümüşünden ve Yılan Nefesi'nin bıçağının buğulu parlaklığından yansıyordu. Kılıcı tekrar çekmiştim. Kılıcım sağımda, kalkanım solumda duruyordu. Onların üzerinde duruyordum; ihtişamlı bir lord, zırhlı bir asker, savaşçıları dövüşmeye davet eden bir savaşçı ve uzaktaki tepede hiçbir dost birlik görmüyordum.

Eğer Æthelred gitmişse o zaman öleceğimizi düşündüm. Yılan Nefesi'nin kabzasını kavradım. Sigefrid'in adamlarına bakarak Yılan Nefesi'nin bıçağını kalkanıma vurdum. Üç kez vurdum. Ses arkamdaki duvarlarda yankılandı, sonra küçük kalkan duvarıma geri döndüm.

Ve Sigefrid'in ordusu öfke dolu bir kükreme ve zafer kokusu almış adamların ulumasıyla bizi öldürmeye geldi.

Bir şair o savaşın hikâyesini yazmalıydı.

Şairler bunun için vardır.

Aptal olan şimdiki karım, tanrısı olan İsa Mesih'i anlatmaları için şairlere para ödüyor ama ben salona topallayarak girdiğimde şairleri utanç verici bir sessizliğe bürünüyor. Azizleri hakkında bir sürü şarkı biliyorlar ve tanrılarının çarmıha gerildiği gün hakkında melankolik ilahiler söylüyorlar. Ben oradayken ise gerçek şiirleri söylüyorlar, zeki rahibin bana başka adamlar hakkında yazıldığını söylediği, adımın eklenebilmesi için adlarının çıkarıldığı şiirleri.

Bunlar katliamla ilgili şiirler, savaşçılarla ilgili şiirler, gerçek şiirler.

Savaşçılar evi savunur, çocukları savunur, kadınları savunur, hasadı savunur ve bunları çalmaya gelen düşmanları öldürür. Savaşçılar olmasaydı topraklar ıssız ve ağıtlarla dolu boş bir yer olurdu. Yine de bir savaşçının gerçek ödülü kollarına takabileceği altın ve gümüş değil, itibarıdır; işte şairler bu yüzden vardır. Şairler toprağı savunan ve bir ülkenin düşmanlarını öldüren adamların hikâyelerini anlatır. Şairler bunun için vardır, ancak Lundene'in Ludd Kapısı'ndaki bu savaşla ilgili hiçbir şiir yoktur.

Eskiden Mersiya olan yerde Lord Æthelred'in Lundene'i ele geçirmesini anlatan bir şiir söylenir ve bu güzel bir şiirdir, ancak ne benim adımdan ne Steapa'nın adından ne Pyrlig'in adından ne de o gün gerçekten savaşan adamların adlarından söz eder. Bu şiiri dinlerken Æthelred'in geldiğini ve şairin "kâfirler" dediği kişilerin kaçtığını düşünürsünüz.

Ama öyle değildi.

Hiç de öyle değildi.

Norsların aceleyle geldiklerini söyledim, öyle de oldu ama iş savaşmaya geldiğinde Sigefrid aptal değildi. O geçidi ne kadar azımızın kapattığını görebiliyordu ve kalkan duvarımı çabucak aşabilirse hepimizin o eski Roma kemerinin altında öleceğini biliyordu.

Askerlerimin yanına dönmüştüm. Kalkanım sağımdaki ve solumdaki adamların kalkanlarına değiyordu ve tam kendimi onların hücumuna hazırlamıştım ki Sigefrid'in ne planladığını gördüm.

Adamları sadece Ludd Kapısı'na bakmıyordu, aynı zamanda sekiz savaşçıyı saldırının merkezine yerleştirecek şekilde yeniden düzenlenmişti. İçlerinden dördü hizada tutmak için iki el gerektiren devasa uzun mızraklar taşıyordu. Bu dördünün kalkanı yoktu ama her mızrakçının yanında kalkan ve baltayla silahlanmış iri bir savaşçı, onların arkasında da kalkanlı, mızraklı ve uzun kılıçlı başka adamlar vardı. Ne olmak üzere olduğunu biliyordum. Dört adam koşarak gelecek, mızraklarını dört kalkanımıza saplayacaktı. Mızrakların ağırlığı ve hücumun gücü dördümüzü arkadaki sıraya itecek, ardından baltalılar saldıracaktı. Kalkanlarımızı parçalara ayırmaya çalışmayacaklar, bunun yerine dört mızrakçının açtığı boşluğu genişletecekler, ikinci sıramızın kalkanlarını kancalayıp aşağı çekecekler ve böylece bizi baltalı savaşçıları takip eden adamların uzun silahlarına maruz bırakacaklardı. Sigefrid'in tek bir amacı vardı, o da duvarımızı hızlıca yıkmaktı ve sekiz adamın kalkan duvarını hızlıca yıkmak için sadece eğitilmediklerinden, bunu daha önce de yaptıklarından hiç şüphem yoktu.

"Kendinizi hazırlayın!" diye bağırdım bir anlamı olmamasına rağmen. Adamlarım ne yapmaları gerektiğini biliyordu. Ayakta kalmalı ve ölmeliydiler. Bana bunun için yemin etmişlerdi.

Ve Æthelred gelmezse öleceğimizi biliyordum. Sigefrid'in saldırısının gücü kalkan duvarımıza çarpacaktı ve gelen dördüne karşı koyacak kadar uzun mızrağım yoktu. Sadece dayanmaya çalışabilirdik ama sayıca azdık ve düşmanın kendine güveni tamdı. Hakaretler yağdırıyor, bize ölüm vaat ediyorlardı ve ölüm geliyordu.

"Kapıyı kapatalım mı lordum?" diye önerdi yanımda duran Cerdic endişeyle.

"Çok geç," dedim.

Ve saldırı başladı.

Dört mızraklı bize doğru koşarken çığlık attı. Silahları gemi küreği kadar büyüktü ve kısa bir kılıç büyüklüğünde mızrak uçları vardı. Mızraklarını alçak tutuyorlardı ve amaçlarının kalkanlarımızın alt kısmına vurarak üst kenarlarını öne eğmek olduğunu biliyordum, böylece baltacılar daha kolay kanca atabilecek ve savunmamızı bir anda ortadan kaldırabilecekti.

İşe yarayacağını biliyordum çünkü bize saldıran adamlar Sigefrid'in kalkan duvarı kırıcılarıydı. Bunu yapmak için eğitilmişlerdi, bunu yapmışlardı ve ölüler konağı onların kurbanlarıyla dolu olmalıydı. Bize doğru koşarken anlaşılmaz meydan okumalarını haykırdılar. Çarpık yüzlerini görebiliyordum. Sekiz adam, iri adamlar, gür sakallı ve zırhlı, korkulacak savaşçılar. Kalkanımı sıkıca tutup bir mızrağın kalkanın ortasındaki ağır metal başa çarpmasını umarak hafifçe çömeldim. "Bize yapışın," diye seslendim ikinci safıma.

Mızraklardan birinin kalkanımı hedef aldığını görebiliyordum. Eğer yeterince aşağıdan vurursa kalkanım öne doğru eğilecek ve baltacı büyük baltasıyla saldıracaktı. Bir bahar sabahında ölüm. İçeri doğru itilmesini engelleyeceğini umarak sol bacağımı kalkanın önüne koydum ama mızrağın yine de ıhlamur ağacını parçalamasından ve bıçağının kasıklarıma saplanmasından korkuyordum. "Sıkı durun!" diye bağırdım tekrar.

Ve mızraklar bizim için geldi. Mızrakçının ağırlığını kalkanıma vermeye hazırlanırken buruşan yüzünü gördüm. Pyrlig saldırdığında metalin tahtaya çarpması an meselesiydi.

İlk başta ne olduğunu anlamadım. Mızrağın darbesini bekliyor, Yılan Nefesi ile bir balta darbesini savuşturmaya hazırlanıyordum ki gökten bir şey düşerek saldırganlara çarptı. Uzun mızraklar yere düştü ve uçları sadece birkaç adım önümdeki yola saplandı. Sekiz adam sendeledi, tüm uyum ve ivme kaybolmuştu. Önce Pyrlig'in adamlarından ikisinin kapının yüksek surundan atladığını düşündüm, ama sonra Gallinin burcun tepesinden iki ceset fırlattığını gördüm. İkisi de iri yarı adamlara ait olan cesetlerdi, hâlâ zırhlılardı ve ağırlıkları mızrak saplarına çarparak silahları düşürmüş, düşmanın ön saflarında bir karmaşaya sebep olmuştu. Bir an tehditkâr bir şekilde aynı hizada dururken şimdi cesetlerin üzerinde tökezliyorlardı.

Düşünmeden hareket ettim. Yılan Nefesi tıslayarak geriye doğru bir hamleyle bir baltacının miğferine çarptı. Kılıcımı geri çektiğimde kırılan metalin arasından kan sızıyordu. Kalkanımın ağır başını bir mızrakçının suratına çarpıp kemiklerinin çöktüğünü hissettiğimde o baltacı da yere düştü.

"Kalkan duvarı!" diye bağırdım geri adım atarak.

Finan da benim gibi ileri gitmiş, bir mızrakçıyı daha öldürmüştü. Yol artık üç ceset ve en az bir sersemlemiş adam tarafından kapatılmıştı ve ben kapının kemerine doğru geri çekilirken burçtan iki ceset daha fırlatıldı. Cesetler yola ağır bir şekilde çarptı, sekti, sonra Sigefrid'in ilerleyişine fazladan bir engel olarak durdu, işte o zaman Sigefrid'i gördüm.

İkinci sıradaydı. Kalın ayı pelerininin içinde ürkütücü bir figürdü. Bu kürk bile tek başına çoğu kılıç darbesini durdurabilirdi ve onun altında parlayan bir zırh vardı. Adamlarına ilerlemeleri için kükrüyordu ama ani ceset düşüşü onları durdurmuştu. "İleri!" diye böğürdü Sigefrid ve ön saflara doğru ilerleyerek, doğruca bana doğru geldi. Bana bakıyor, bağırıyordu ama ne söylediğini hatırlamıyorum.

Sigefrid'in saldırısı tüm hızını kaybetmişti. Bize koşarak saldırmak yerine yürüyerek yaklaştılar. Kalkanımı ileri doğru ittiğimi, iki kalkanın birbirine çarptığını ve Sigefrid'in ağırlığının yarattığı şoku hatırlıyorum, gerçi o da aynı şeyi hissetmiş olmalıydı çünkü ikimiz de dengemizi kaybetmemiştik. Kılıcını bana doğru savurdu. Kalkanımda şiddetli bir darbe hissettim ve aynı şekilde karşılık verdim. Yılan Nefesi'ni kınına sokmuştum. Çok güzel bir kılıçtı, hâlâ öyle, ama kalkan duvarları âşıklar gibi birbirine yaklaştığında uzun bir kılıç işe yaramaz. Kısa kılıcım İğne'yi savurarak kılıcımla düşmanın kalkanları arasında bir boşluk aradım. Hiçbir şeye vurmadı.

Sigefrid bana doğru atıldı. Karşılık verdik. Bir sıra kalkan başka bir sıraya çarpmıştı ve arkalarında, her iki tarafta da adamlar itip kakıyor, küfrediyor, homurdanıyor ve hamle yapıyordu. Sigefrid'in arkasındaki adam tarafından savrulan bir balta kafama doğru geldi. Arkamdaki Clapa kalkanını kaldırıp kalkanı miğferime indirecek kadar güçlü olan darbeyi yakaladı. Bir an için hiçbir şey göremedim ama başımı salladım ve görüşüm netleşti. Başka bir balta kalkanımın üst kenarına tutunmuştu. Adam kalkanımı aşağı çekmeye çalışıyordu, ama kalkanım Sigefrid'in kalkanıyla o kadar iç içe geçmişti ki hareket etmiyordu. Sigefrid bana küfrediyor, yüzüme tükürüyordu; ben de ona keçi düzen orospunun oğlu olduğunu söylüyor, İğne'yi saplıyordum. Düşman duvarında İğne'yi saplayabileceğim bir hedef buldum. Kılıcımı birkaç kez sapladım, ama ne kadar zarar verdiğini bugün bile bilmiyorum.

Şairler o savaşları anlatır ama tanıdığım hiçbir şair kalkan duvarının ön saflarında yer almamıştır. Bir savaşçının cesaretiyle övünürler ve kaç adam öldürdüğünü kaydederler. Kılıcı parlıyordu, şarkı söylüyordu, mızrağının kıyımı büyüktü. Ne var ki gerçek bu değildi. Kılıçlar parlamıyordu, sıkışmışlardı. Erkekler küfrediyor, itişiyor ve terliyordu. Kalkanlar birbirine değdiğinde ve kılıç sallamak için yeterince yer olmadığından itiş kakış başladığında, pek fazla adam ölmezdi. Asıl ölümler bir kalkan duvarı kırıldığında başlardı ama bizim duvarımız o ilk saldırıya dayandı. Miğferim gözlerimi kapattığı için çok az şey görebilsem de Sigefrid'in açık ağzını, çürük dişlerini ve sarı salyalarını hatırlıyorum. O bana küfrediyordu, ben ona küfrediyordum. Kalkanım darbelerle titriyordu ve adamlar bağırıyordu. Biri çığlık atıyordu. Sonra bir çığlık daha duydum ve Sigefrid aniden geri çekildi. Tüm hattı bizden uzaklaşmaya başladı. Bir an için bizi kapının kemerinden uzaklaştırmaya çalıştıklarını düşündüm ama olduğum yerde kaldım. Küçük kalkan duvarımı kemerin dışına çıkarmaya cesaret edemezdim çünkü her iki taraftaki büyük taş duvarlar yanlarımı koruyordu. Sonunda üçüncü bir çığlık duyulduğunda Sigefrid'in adamlarının neden tökezlediğini gördüm. Surlardan büyük taş blokları düşüyordu. Belli ki Pyrlig saldırıya uğramamıştı, bu yüzden adamları surun taşlarını söküp düşmanın üzerine atıyordu. Sigefrid'in arkasındaki adam kafasından darbe almıştı ve Sigefrid de ona takıldı.

"Burada kalın!" diye bağırdım adamlarıma. İleri atılıp düşmanın kargaşasından faydalanmak istiyorlardı ama bu kapının güvenliğini terk etmek anlamına gelecekti. Öfkeyle "Burada kalın!" diye bağırınca oldukları yerde kaldılar.

Geri çekilen Sigefrid oldu. Kızgın ve şaşkın görünüyordu. Kolay bir zafer bekliyordu ama biz zarar görmemişken o adamlarını kaybetmişti. Cerdic'in yüzü kan içindeydi. Ağır yaralı olup olmadığını sorduğumda başını salladı. Sonra arkamdan bir ses duydum. Kemerli geçitte bir araya toplanmış adamlarım, düşman sokaklardan saldırırken ileri doğru atıldı. Steapa oradaydı. Dönüp savaşı görme zahmetine bile girmedim çünkü Steapa'nın dayanacağını biliyordum. Ayrıca üstümdeki kılıçların çarpışmasını duyuyordum ve Pyrlig'in de artık hayatı için savaştığını biliyordum.

Sigefrid Pyrlig'in adamlarının savaştığını gördü ve taş yağmurundan kurtulacağını düşünerek adamlarına kendilerini hazırlamaları için bağırdı. "Öldürün şu piçleri!" diye bağırdı, "öldürün onları! Ama büyük olanı canlı yakalayın. Onu ben istiyorum." Kılıcını bana doğrulttu. Kılıcının adını hatırlamıştım, Korku Salan. "Sen benimsin!" diye bağırdı bana, "ve hâlâ bir adamı çarmıha germem gerekiyor! O adam sensin!" Güldü, Korku Salan'ı kınına sokup arkasındaki adamların birinden uzun saplı bir savaş baltası aldı. Bana şeytanca sırıttı, kuzgun desenli kalkanıyla vücudunu örttü ve adamlarına ilerlemeleri için bağırdı. "Hepsini öldürün! Büyük piç hariç hepsini! Öldürün onları!"

Ama bu sefer, bizi bir şişenin boynuna geçirilen tıpa gibi kapıya doğru itmek yerine, adamlarını kılıç mesafesinde durdurdu ve uzun saplı savaş baltalarıyla kalkanlarımızı aşağı çekmeye çalıştı ve böylece iş umutsuz bir hal aldı.

Balta kalkan duvarları arasındaki bir savaşta korkunç bir silahtır. Eğer bir kalkanı indiremezse bile tahtalarını paramparça edebilir. Sigefrid'in darbelerinin kalkanıma çarptığını hissettim. Kalkanımın parçalanan tahtalarının arasından baltasını görebiliyordum. Tek yapabildiğim saldırıya katlanmaktı. İleri gitmeye cesaret edemiyordum çünkü bu duvarımızı yıkacaktı, tüm duvarımız ileri atılırsa da yanlardaki adamlar açıkta kalacaktı ve ölecektik.

Bir mızrak ayak bileklerimi dürtüyordu. İkinci bir balta kalkanıma çarptı. Kısa hattımız boyunca darbeler düşüyor, kalkanlar kırılıyor ve ölüm yaklaşıyordu. Savuracak baltam yoktu çünkü, ne kadar ölümcül olduğunun farkında olsam da bir silah olarak onu hiçbir zaman sevmemiştim. Sigefrid'in arayı kapatacağını ve kalkanını aşıp İğne'yi koca karnının derinliklerine saplayabileceğimi umarak elimde tuttum ama Sigefrid bir balta boyu uzakta duruyordu, kalkanım kırılmıştı ve bir darbenin kısa süre içinde ön kolumu parçalanmış, işe yaramaz bir kan ve kemik yığınına dönüştüreceğini biliyordum.

Bir adım ileri yürüme riskini göze aldım. Ani bir hamleyle Sigefrid'in bir sonraki hamlesini boşa çıkardım ama baltasının gövdesi sol omzumu zedeledi. Baltayı savurmak için kalkanını indirmek zorunda kalınca İğne'yi vücuduna doğru savurdum. Kılıç sağ omzuna saplandı ama pahalı zırhı hamlemi engelledi. Geri çekildi. İğne'yi yüzüne doğru savurdum. Kalkanını benimkine çarparak beni geri itti ve bir an sonra baltası tekrar kalkanıma çarptı.

Sonra, çürük dişleri, öfkeli gözleri ve gür sakalıyla yüzünü buruşturdu. "Seni canlı istiyorum," dedi. Baltayı yana doğru savurdu. Kalkanı tam zamanında kendime doğru çekmeyi başardım, böylece balta kalkanın başına çarptı. "Canlı," dedi tekrar, "yeminini bozan bir adama uygun bir ölümle öleceksin."

"Sana yemin etmedim," dedim.

"Ama yemin etmiş gibi öleceksin," dedi, "ellerin ve ayakların bir çarmıha çivilenmiş olarak. Ben bıkana kadar çığlıkların durmayacak." Baltayı kalkanı parçalayacak son bir darbe için kaldırırken yine yüzünü buruşturdu. "Cesedinin derisini yüzeceğim, Hain Uhtred," dedi, "ve kalkanımı senin tabaklanmış derinle kaplayacağım. Ölü boğazına işeyeceğim ve kemiklerinin üzerinde dans edeceğim." Baltayı savurdu ve gökyüzü başlarına yıkıldı.

Surdan koca bir parça kopmuş, Sigefrid'in saflarına çarpmıştı. Toz, çığlık ve yaralanmış adamlar vardı. Altı savaşçı ya yerde yatıyor ya da paramparça olmuş kemiklerini tutuyordu. Hepsi Sigefrid'in arkasındaydı. Sigefrid şaşkınlıkla döndü ve tam o sırada Alfred'in piç oğlu Osferth kapının tepesinden atladı.

O çaresiz sıçrayışta ayak bileklerini kırmış olmalıydı ama bir şekilde hayatta kaldı. Sigefrid'in ikinci sırası olan kırık taşların ve paramparça olmuş bedenlerin arasına indi. Kılıcını devasa Nors'un kafasına savururken bir kız gibi çığlık attı. Kılıç Sigefrid'in miğferine çarptı. Metal parçalanmadı ama Sigefrid'i bir an için sersemletmiş olmalıydı. İki adım ileri yürüyerek kalkan duvarımı kırdım ve kırık kalkanımı sersemlemiş adama doğru iterek İğne'yi sol kalçasına sapladım. Zırhının bağlantılarını bu kez koparmıştım. Kılıcımı bükerek kaslarını parçaladım. Sigefrid sendeledi ve tam o sırada yüzü dehşetin timsali olan Osferth kılıcını Nors'un beline sapladı. Osferth'in ne yaptığının farkında olduğunu sanmıyorum. Korkudan altına kaçırmıştı, sersemlemişti, kafası karışmıştı. Toparlanmakta olan düşman onu öldürmeye geliyordu. Kılıcını, Sigefrid'in kürkünden pelerinini, zırhını ve sonra da kendisini delecek kadar gözü dönmüş bir güçle sapladı.

İri adam acıyla çığlık attı. Savaşta her zaman olduğu gibi dans eden Finan yanımdaydı. Kılıcını adamın yüzüne doğru savurarak Sigefrid'in yanındaki adamı kandırdı, sonra Osferth'e bize doğru gelmesi için bağırdı.

Ama Alfred'in oğlu dehşetten donup kalmıştı. Parçalanmış kalkanımın parçalarını silkeleyip çığlık atan Sigefrid'in yanından uzanarak Osferth'i kendime doğru çekmeseydim bir kalp atışından fazla yaşamayacaktı. Onu ikinci sıraya geri ittim ve kendimi koruyacak bir kalkanım olmadan bir sonraki saldırıyı bekledim.

Osferth, "Tanrım, teşekkür ederim, teşekkür ederim, Yüce Tanrı'm," diyordu. Sesi acınası geliyordu.

Sigefrid dizlerinin üzerine çökmüş, inliyordu. İki adam onu sürükleyerek götürürken Erik'in dehşete düşmüş bir halde yaralı kardeşine baktığını gördüm. "Gel ve öl!" diye bağırdım ona. Erik öfkeme üzgün bir bakışla karşılık verdi. Sanki geleneklerin beni onu tehdit etmeye zorladığını ama bu tehdidin bana olan saygısını hiçbir şekilde azaltmadığını kabul edercesine başıyla onayladı. "Hadi ama!" diye kışkırttım onu, "gel ve Yılan Nefesi'yle tanış!"

"Zamanı gelince Lord Uhtred," diye karşılık verdi Erik, nezaketi benim kükrememe bir serzeniş gibiydi. Yaralı kardeşinin yanına eğilmişti. Sigefrid'in durumu düşmanı bize tekrar saldırmadan önce tereddüt etmeye ikna etmişti. Benim dönüp Steapa'nın şehrin içinden gelen saldırıyı püskürttüğünü görmeme yetecek kadar uzun bir süre tereddüt ettiler.

"Burçta neler oluyor?" diye sordum Osferth'e.

Yüzünde katıksız bir dehşetle bana baktı. "Teşekkürler Yüce İsa," diye kekeledi.

Sol yumruğumu karnına indirdim. "Orada neler oluyor!" diye bağırdım ona.

Bana bakakaldı, tekrar kekeledi, sonra tutarlı bir şekilde konuşmayı başardı. "Hiçbir şey, lordum. Paganlar merdivenlerden çıkamıyor."

Düşmanla yüzleşmek için geri döndüm. Pyrlig burcun tepesini, Steapa ise kapının iç tarafını tutuyordu, yani benim de bulunduğum yeri tutmam gerekiyordu. Çekiç muskama dokundum, sol elimi Yılan Nefesi'nin kabzasına götürerek hâlâ hayatta olduğum için tanrılara şükrettim. "Kalkanını bana ver," dedim Osferth'e. Kalkanı ondan kaptım, morarmış kolumu deri halkaların arasından geçirdim. Düşman yeni bir hat oluşturuyordu.

"Æthelred'in adamlarını gördün mü?" diye sordum Osferth'e.

"Æthelred mi?" diye cevap verdi, bu ismi daha önce hiç duymamış gibi.

"Kuzenim!" diye hırladım. "Onu gördün mü?"

"Evet lordum, geliyor," dedi Osferth sanki çok önemsiz bir şeymiş, bana uzakta yağmur görüldüğünü söylüyormuş gibi.

Yüzümü ona dönme riskini göze aldım. "Geliyor mu?"

"Evet lordum," dedi Osferth.

Ve geldi. Savaşımız aşağı yukarı burada sona erdi çünkü Æthelred şehre saldırma planından vazgeçmemişti ve adamlarını Fleot'un karşısına geçirerek düşmana arkadan saldırdı. Düşman kuzeye, bir sonraki kapıya doğru kaçtı. Bir süre takip ettik. Açık bir dövüş için daha iyi bir silah olduğundan Yılan Nefesi'ni çektim ve hızlı koşamayacak kadar şişman olan bir Dan'ı yakaladım. Döndü ve mızrağıyla bana saldırdı. Ödünç aldığım kalkanımla hamlesini savuşturup kendi hamlemle onu ölüler konağına yolladım. Æthelred'in adamları yamaçta savaşırken uluyordu. Adamlarımı kolayca düşman sanabileceklerini düşünerek birliklerime Ludd Kapısı'na dönmelerini söyledim. İki yanında kanlı cesetlerin ve kırık kalkanların olduğu kemer artık boştu. Güneş yükselmişti ama bulutların perdesi onu hâlâ kirli bir sarıya boyuyordu.

Sigefrid'in adamlarından bazıları surların dışında ölmüştü ve o kadar paniklemişlerdi ki bazıları bilenmiş çapalarla parçalanarak öldürülmüştü. Çoğu bir sonraki kapıdan geçip eski şehre girmeyi başardı, biz de onları orada avladık.

Vahşi, ulumalarla dolu bir avdı. Sigefrid'in birlikleri, surların ötesine geçmemiş olanlar, yenilgilerini öğrenmekte geç kaldılar. Ölümün yaklaştığını görene kadar surlarda kaldılar, sonra Sakson saldırısından kaçan erkekler, kadınlar ve çocuklarla dolup taşan sokaklara ve ara sokaklara kaçtılar. Şehrin teraslı tepelerinden aşağı koşarak köprünün aşağısındaki iskelelere bağlı kayıklara gittiler. Bazıları, aptal olanlar, eşyalarını kurtarmaya çalıştı ve bu ölümcül oldu; çünkü eşyaları onlara yük oldu, sokaklarda yakalandılar ve doğrandılar. Genç bir kız Mersiyalı bir mızrakçı tarafından bir evin içine sürüklenirken çığlık attı. Ölü adamlar oluklarda yatıyor, köpekler onları kokluyordu. Bazı evlerde Hristiyanların yaşadığını gösteren bir haç vardı ama evdeki kız güzelse bu korumanın hiçbir anlamı yoktu. Bir rahip alçak bir kapının önünde tahta bir haçı havada tutuyor, küçük kilisesinde Hristiyan kadınların barındığını haykırıyordu ama rahip bir baltayla biçildi ve çığlıklar başladı. Bir grup Nors Sigefrid ve Erik tarafından toplanan hazineyi korudukları sarayda yakalandı. Hepsi orada öldü ve kanları Roma salonunun mozaik zemininin küçük kiremitleri arasına damladı.

En çok tahribatı yapan milislerdi. Hanedan birlikleri disiplinli olduklarından bir arada kaldılar ve Norsları Lundene'den kovalayanlar da bu eğitimli birlikler oldu. Nehir surunun yanındaki sokakta, yarı batık gemilerimizden indikten sonra ilerlediğimiz sokakta kaldım ve kaçakları kurtlardan kaçan koyunlar gibi sürdük. Haçlı sancağını bir Dan mızrağına takmış olan Peder Pyrlig, Æthelred'in adamlarına dost olduğumuzu göstermek için sancağı başımızın üzerinde sallıyordu. Yüksek sokaklardan çığlıklar ve uluma sesleri geliyordu. Ölü bir çocuğun üzerinden geçtim, altın bukleleri yanında ölen babasının kanıyla sertleşmişti. Babasının son hareketi çocuğunun kolunu tutmak olmuştu ve ölü eli hâlâ kızının dirseğinde duruyordu. Kızımı düşündüm, Stiorra.

"Lordum!" diye bağırdı Sihtric, "Lordum!" kılıcıyla işaret ediyordu.

Muhtemelen gemilerine doğru çekilirken önleri kesilen büyük bir Nors grubunun yıkık köprüye sığındığını görmüştü. Köprünün kuzey ucu içinden bir kemerin geçtiği bir Roma burcu tarafından korunuyordu ancak kemer geçidini çoktan kaybetmişti. Köprünün yıkık dökük ahşap yoluna geçiş ise bir kalkan duvarıyla engellenmişti. Benim Ludd Kapısı'nda bulunduğum konumdaydılar ve yanları yüksek taşlarla korunuyordu. Kalkanları kemeri dolduruyordu ve üst üste binmiş yuvarlak kalkanların ön hattının arkasında en az altı sıra adam görüyordum.

Steapa bir şeyler homurdanıp baltasını havaya kaldırdı. "Hayır," dedim elimi devasa kalkan koluna koyarak. "Bir yaban domuzu dişi yapalım," dedi intikamla, "piçleri öldürelim. Hepsini öldürelim."

"Hayır," dedim tekrar. Yaban domuzu dişi bir kalkan duvarına insan mızrağının ucu gibi saplanan bir kamaya benzerdi ama hiçbir yaban domuzu dişi bu Nors duvarını delemezdi. Kemerli geçitte çok sıkışık bir haldeydiler, ayrıca çaresizdiler ve çaresiz adamlar yaşama şansı için çılgınca savaşırdı. Sonunda öleceklerdi, bu doğruydu ama adamlarımın çoğu da onlarla birlikte ölecekti.

Adamlarıma "Burada kalın," dedim. Ödünç aldığım kalkanımı Sihtric'e uzattım, sonra da ona miğferimi verdim. Yılan Nefesi'ni kınına soktum. Pyrlig miğferini çıkararak beni taklit etti. "Gelmek zorunda değilsin," dedim ona.

"Peki neden gelmeyeyim?" diye sordu gülümseyerek. Derme çatma sancağını Rypere'e verip kalkanını yere bıraktı.

Gallinin arkadaşlığından memnun olarak köprünün kapısına doğru yürüdüm.

"Ben Bebbanburglu Uhtred'im," diye duyurdum kalkanlarının kenarından bakan sert yüzlü adamlara ve eğer bu gece Odin'in ölüler konağında ziyafet çekmek istiyorsanız sizi oraya göndermeye hazırım."

Arkamdaki şehirde çığlıklar yükseliyor, gökyüzünü yoğun bir duman kaplıyordu. Düşmanın ön saflarındaki dokuz adam bana baktı ama hiçbiri konuşmadı.

"Ama bu dünyanın zevklerini daha uzun süre tatmak istiyorsanız o zaman konuşun benimle," diye devam ettim.

"Kontumuza hizmet ediyoruz," dedi adamlardan biri sonunda.

"Peki o kim?"

"Sigefrid Thurgilson," dedi adam.

"İyi savaştı," dedim. İki saatten kısa bir süre önce Sigefrid'e hakaretler yağdırıyordum ama artık daha yumuşak konuşma zamanıydı. Bir düşmanın teslim olmasının, böylece adamlarımın hayatını kurtarmanın zamanıydı. "Kont Sigefrid yaşıyor mu?" diye sordum.

"Yaşıyor," dedi adam, Sigefrid'in köprüde arkasında bir yerde olduğunu belirtmek için başını sallayarak.

"O zaman ona Bebbanburglu Uhtred'in onunla konuşacağını, yaşayıp yaşamayacağına karar vereceğini söyle."

Bu benim yapacağım bir seçim değildi. Nornlar kararını çoktan vermişti, ben onların sadece bir aracıydım. Benimle konuşan adam mesajı köprüdeki adamlara iletti. Bekledim. Pyrlig dua ediyordu. Arkamızda çığlık atan insanlar için merhamet mi yoksa önümüzdekiler için ölüm mü dilediğini hiç sormadım.

Sonra sıkışık kalkan duvarındaki adamlar kenara çekilerek yolu açtı.

Adam bana "Kont Erik seninle konuşacak," dedi.

Pyrlig ve ben düşmanla buluşmaya gittik.

Altı

"Kardeşim sizi öldürmem gerektiğini söylüyor," diye karşıladı beni Erik. Thurgilson kardeşlerin küçüğü köprüde beni bekliyordu ve sözlerinde tehdit olsa da yüzünde yoktu. Sakin ve rahattı, görünüşe göre içinde bulunduğu durumdan endişe duymuyordu. Siyah saçları sade bir miğferin altında toplanmıştı ve ince zırhına kan sıçramıştı. Zırhının eteklerinde bir çatlak vardı, sanırım bir mızrağın kalkanına saplandığı yeri işaret ediyordu ama belli ki yaralanmamıştı. Sigefrid ise korkunç bir şekilde yaralanmıştı. Onun yolun üzerinde, ayı kürkünden pelerininin üstünde yattığını, acı içinde kıvrandığını ve iki adam tarafından ilgilenildiğini görebiliyordum.

"Kardeşin her şeyin cevabının ölüm olduğunu düşünüyor," dedim, Sigefrid'e bakmaya devam ederek.

"O zaman o da bu konuda sana benziyor," dedi Erik solgun bir gülümsemeyle, "eğer insanların söylediği gibiysen."

"İnsanlar benim hakkımda ne diyor?" diye sordum merakla.

"Bir Nors gibi öldürüyormuşsun," dedi Erik. Nehrin aşağısına bakmak için döndü. Dan ve Nors gemilerinden oluşan küçük bir filo rıhtımdan kaçmayı başarmıştı ama bazıları nehrin kenarını dolduran kaçakları kurtarmak için nehrin yukarısına doğru kürek çekiyordu ve ne yazık ki Saksonlar da çoktan o talihsiz kalabalığın arasındaydı. Rıhtımda insanların birbirini boğazladığı şiddetli bir kavga sürüyordu. Bazıları bu hiddetten kaçmak için nehre atlıyordu. "Bazen düşünüyorum da," dedi Erik üzüntüyle, "hayatın gerçek anlamı ölüm. Ölüme tapıyoruz, ölüme değer veriyoruz, onun bizi neşeye götüreceğine inanıyoruz."

"Ben ölüme tapmıyorum," dedim.

"Hristiyanlar tapıyor," dedi Erik, zırhlı göğsünde tahta haçı görünen Pyrlig'e bakarak.

"Hayır," dedi Pyrlig.

"O zaman neden ölü bir adamın resmi?" diye sordu Erik.

"Efendimiz İsa Mesih ölümden döndü," dedi Pyrlig enerjik bir sesle, "ölümü yendi! Bize yaşam vermek için öldü ve ölürken kendi yaşamını yeniden kazandı. Ölüm, lordum, sadece daha fazla yaşama açılan bir kapıdır."

"O zaman neden ölümden korkuyoruz?" diye sordu Erik, cevap beklemediğini belli eden bir sesle. Dönüp aşağıdaki kaosa baktı. Köprü aralığını geçmek için kullandığımız iki gemi kaçan adamlar tarafından ele geçirilmişti. Bu gemilerden biri iskeleden sadece birkaç metre ötede yan yatmıştı ve yarı batık haldeydi. Adamlar suya dökülmüştü. Birçoğu boğulmuş olmalıydı, ancak bazıları çamurlu kıyıya ulaşmayı başarmış ve burada mızraklı, kılıçlı, baltalı ve çapalı neşe dolu adamlar tarafından parçalanarak öldürülmüştü. Boğulmayanlar enkaza tutunmuştu ve uzun okları geminin tahtalarına saplanan bir avuç Sakson okçusundan korunmaya çalışıyordu. O sabah çok fazla ölüm vardı. Yıkılmış şehrin sokakları kan kokuyordu ve dumanla kaplı sarı gökyüzünün altı kadınların feryatlarıyla doluydu. "Size güvenmiştik Lord Uhtred," dedi Erik kasvetli bir sesle, nehrin aşağısına bakmaya devam ederek. "Bize Ragnar'ı getirecektiniz, Mersiya'da kral olacaktınız ve tüm Britanya adasını bize verecektiniz."

"Ölü adam yalan söyledi," dedim, "Bjorn yalan söyledi."

Erik bana döndü, yüzü ciddiydi. "Sizi kandırmaya çalışmamamız gerektiğini söyledim," dedi, "ama Kont Haesten ısrar etti." Erik omuz silkti, sonra Peder Pyrlig'e, onun zırhına ve kılıçlarının aşınmış kabzalarına baktı. "Ama siz de bizi kandırdınız Lord Uhtred," diye devam etti, "çünkü sanırım bu adamın rahip değil, bir savaşçı olduğunu biliyordunuz."

"O her ikisi de," dedim.

Erik yüzünü buruşturdu, belki de Pyrlig'in arenada kardeşini nasıl bir ustalıkla yendiğini hatırlamıştı. "Siz yalan söylediniz, biz de yalan söyledik," dedi üzüntüyle, "ama yine de Wessex'i birlikte alabilirdik. Ya şimdi?" Dönüp köprü yoluna baktı, "şimdi kardeşimin yaşayıp yaşamayacağını bilmiyorum." Yüzünü buruşturdu. Sigefrid artık hareketsizdi ve bir an için çoktan ölüler konağına gitmiş olabileceğini düşündüm, ama sonra yavaşça başını çevirip bana nefret dolu bir bakış attı.

"Onun için dua edeceğim," dedi Pyrlig.

"Evet," dedi Erik sadece, "lütfen."

"Peki ben ne yapacağım?" diye sordum.

"Siz mi?" Sorum karşısında şaşıran Erik kaşlarını çattı.

"Yaşamanıza izin verecek miyim, Erik Thurgilson?" diye sordum. "Yoksa sizi öldürmeli miyim?"

"Bizi öldürmekte zorlanacaksınız," dedi.

"Ama sizi öldüreceğim," diye cevap verdim, "eğer mecbur kalırsam." Asıl müzakere bu iki cümlede gizliydi. Gerçek şu ki Erik ve adamları kapana kısılmıştı ve ölüme mahkûmdular, ama onları öldürmek için korkunç bir kalkan duvarını yarmamız, sonra da tek düşünceleri birçoğumuzu yanlarında öteki dünyaya götürmek olan çaresiz adamlara saldırmamız gerekecekti. Burada yirmi ya da daha fazla adamımı kaybedecektim ve hanedan birliklerimden bazı askerlerim ise ömür boyu sakat kalacaktı. Bu ödemek istemediğim bir bedeldi. Erik bunu biliyordu ama makul davranmazsa bu bedelin ödeneceğini de biliyordu. "Haesten burada mı?" diye sordum ona, yıkık köprüye bakarak.

Erik başını salladı. "Gittiğini gördüm," dedi başıyla nehrin aşağısını göstererek.

"Yazık," dedim, "çünkü bana ettiği yemini bozdu. Eğer burada olsaydı onun hayatına karşılık hepinizin gitmesine izin verirdim."

Erik doğruyu söyleyip söylemediğimi anlamak için birkaç kalp atışı boyunca bana baktı. "O zaman Haesten yerine beni öldürün," dedi sonunda, "ve diğerlerinin gitmesine izin verin."

"Bana yemin etmediniz," dedim, "bu yüzden bana hayat borçlu değilsiniz."

"Bu adamların yaşamasını istiyorum," dedi Erik beklenmedik bir tutkuyla, "benim hayatım onlarınki için küçük bir bedel. Ödeyeceğim Lord Uhtred, karşılığında siz de adamlarımın hayatlarını bağışlayıp onlara *Dalga Terbiyecisi*'ni vereceksiniz," dedi, hâlâ karaya çıktığımız küçük rıhtımda bağlı duran kardeşinin gemisini işaret ederek.

"Bu adil bir fiyat mı peder?" diye sordum Pyrlig'e.

"Hayata nasıl bir değer biçilebilir ki?" diye sordu Pyrlig.

"Ben biçebilirim," dedim sertçe. Erik'e döndüm. "Bedeli şu," dedim ona, "taşıdığınız her silahı bu köprüde bırakacaksınız. Kalkanlarınızı bırakacaksınız. Zırhlarınızı ve miğferlerinizi bırakacaksınız. Kol halkalarınızı, zincirlerinizi, broşlarınızı, paralarınızı ve kemer tokalarınızı bırakacaksınız. Değerli olan her şeyi bırakacaksınız Erik Thurgilson ve sonra seçtiğim bir gemiye binip gidebilirsiniz."

"Sizin seçtiğiniz bir gemi," dedi Erik.

"Evet."

Belli belirsiz gülümsedi. "*Dalga Terbiyecisi*'ni kardeşim için yaptım," dedi. "İlk olarak ormanda omurgasını buldum. Gövdesi kürek gibi düz bir meşeydi. Onu kendim kestim. Kaburgaları, çapraz parçaları, gövdesi ve kaplaması için on bir meşe daha kullandık, Lord Uhtred. Kalafatı kendi mızrağımla öldürdüğüm yedi ayının kılından. Çivilerini kendi demirhanemde yaptım. Yelkenlerini annem yaptı, halatlarını ben ördüm ve sevdiğim bir atı öldürüp kanını gövdesine akıtarak onu Thor'a verdim. Kardeşimi ve beni fırtınalarda, siste ve buzda taşıdı."

"O," *Dalga Terbiyecisi*'ne bakmak için döndü, "o çok güzel. O gemiyi seviyorum."

"Onu hayatınızdan daha mı çok seviyorsunuz?"

Bir an düşündü, sonra başını salladı. "Hayır."

"O zaman benim seçtiğim bir gemi olacak," dedim inatla. Norsların kalkan duvarının hâlâ birliklerimle karşı karşıya olduğu kemerin altında bir kargaşa olmasaydı bu müzakere sona erebilirdi.

Æthelred köprüye gelmişti ve kapıdan geçmesine izin verilmesini talep ediyordu. Haber bize ulaştığında, Erik şaşkın bir ifadeyle bana baktı. Omuz silktim. "Buranın komutanı o," dedim.

"Yani ayrılmak için onun iznine mi ihtiyacım olacak?"

"Evet," dedim.

Erik kalkan duvarına Æthelred'i geçirmeleri için haber gönderdi. Kuzenim her zamanki ukalalığıyla kasıla kasıla köprüye doğru yürüdü. Muhafızlarının komutanı Aldhelm ona eşlik eden tek kişiydi. Æthelred Erik'i görmezden gelip saldırgan bir ifadeyle bana baktı. "Benim adıma pazarlık yapmaya cüret mi ediyorsun?" diye beni suçladı.

"Hayır," dedim.

"O zaman burada ne yapıyorsun?"

"Kendi adıma pazarlık yapıyorum," dedim. "Bu Kont Erik Thurgilson," diye tanıttım Nors'u İngilizce olarak ama sonra Danca'ya geçtim. "Ve bu da Mersiya hükümdarı Lord Æthelred," dedim Erik'e.

Erik bu takdime Æthelred'e hafifçe eğilerek karşılık verdi ama bu nezaket boşa gitmişti. Æthelred köprünün etrafına bakıp oraya sığınmış olan adamları saydı. "O kadar çok değil," dedi kaba bir şekilde. "Hepsi ölmeli."

"Hayatlarını çoktan bağışladım," dedim.

Æthelred üzerime yürüdü. "Sigefrid, Erik ve Haesten'i yakalamak ve onları esir olarak Kral Æthelstan'a teslim etmek için emir aldık," dedi sertçe. Erik'in gözlerinin hafifçe açıldığını gördüm. İngilizce bilmediğini sanmıştım ama o an Æthelred'in sözlerini anlayacak kadar dil öğrenmiş olması gerektiğini fark ettim. Bir cevap vermeyince "Kayınpederime itaatsizlik mi ediyorsun?" diye meydan okudu bana Æthelred.

Sinirlerime hâkim oldum. "Onlarla burada savaşabilirsin," diye açıkladım sabırla, "ve birçok iyi adamını kaybedersin. Çok fazla. Onları burada tuzağa düşürebilirsin ama sular durulduğunda bir gemi köprüye yanaşıp onları kurtaracaktır." Bunu yapmak zor olurdu ama Norsların denizciliğini asla hafife almamayı öğrenmiştim. "Ya da Lundene'i onların varlığından kurtarabilirsin," dedim, "ben bunu yapmayı seçtim." Aldhelm bir korkağın yapacağı şeyi yaptığımı ima ederek kıs kıs güldü. Ona baktım. Bakışlarını kaçırmayı reddederek bana meydan okudu.

"Öldürün onları lordum," dedi Aldhelm Æthelred'e, gözlerini benden ayırmadan.

"Eğer onlarla savaşmak istiyorsan bu senin hakkın," dedim, "ama ben buna karışmayacağım."

Bir an için hem Æthelred hem Aldhelm beni korkaklıkla suçlamak istediler. Bu düşünceyi yüzlerinde görebiliyordum ama onlar da benim yüzümde bir şey görmüştü ve düşüncelerini kendilerine sakladılar. Æthelred bunun yerine, "Paganları hep sevdin," diye alay etti.

"Onları o kadar çok sevdim ki," dedim öfkeyle, "gecenin karanlığında şu aralıktan iki gemi geçirdim," köprüdeki tahtaların sivri kütüklerinin bittiği yeri işaret ederek. "Şehre adam getirdim kuzen, Ludd Kapısı'nı ele geçirdim ve o kapıda bir daha asla vermek istemeyeceğim bir savaş verdim. O savaşta senin için paganları öldürdüm. Ve evet, onları seviyorum."

Æthelred aralığa baktı. Aralıktan muazzam bir güçle akan suyun durmaksızın fışkırttığı sular eski ahşap yolu bulanıklaştırıyordu. Hava nehrin gürültüsüyle doluydu. "Gemiyle gelme emri almamıştın," dedi Æthelred öfkeyle. Lundene'i ele geçirerek kazanmayı umduğu şanı gölgeleyebileceği için hareketlerime içerlediğini biliyordum.

"Sana şehri vermek için emir aldım," diye karşılık verdim, "işte burada!" Çığlıklarla dolu tepenin üzerinden süzülen dumanı işaret ettim. "Düğün hediyen," dedim, başımı eğip onunla alay ederek.

Aldhelm Æthelred'e, "Sadece şehir değil lordum, içindeki her şey," dedi.

"Her şey mi?" diye sordu Æthelred sanki iyi talihine inanamıyormuş gibi.

"Her şey," dedi Aldhelm nahoş bir şekilde.

"Ve eğer bunun için minnettarsan," diye ekledim suratımı ekşiterek, "o zaman karına teşekkür et."

Æthelred irkilerek gözlerini bana dikti. Sözlerimdeki bir şey onu şaşırtmıştı çünkü sanki ona vurmuşum gibi görünüyordu. Geniş yüzünde inançsızlık ve öfke vardı. Bir an konuşamadı. "Karım mı?" diye sordu sonunda.

"Eğer Æthelflaed olmasaydı şehri alamazdık," diye açıkladım. "Dün gece bana adam verdi."

"Dün gece onu mu gördün?" diye sordu kuşkuyla.

Deli olup olmadığını merak ederek ona baktım. "Elbette dün gece onu gördüm!" dedim. "Gemilere binmek için adaya geri döndük! Oradaydı! Adamlarını utandırarak benimle gelmeye mecbur etti."

"Ayrıca Lord Uhtred'e yemin ettirdi," diye ekledi Pyrlig, "Mersiya'nızı savunacağına dair yemin etti, Lord Æthelred."

Æthelred Galli adamı görmezden geldi. Hâlâ bana bakıyordu. Yüzünde nefret dolu bir ifade vardı. "Gemime mi bindin?" Nefret ve öfkeden zar zor konuşabiliyordu, "ve karımı mı gördün?"

"Peder Pyrlig ile birlikte kıyıya çıktı," dedim.

Bunu söylerken hiçbir şey kastetmemiştim. Sadece olanları rapor etmiş, Æthelred'in karısını bu girişiminden dolayı takdir edeceğini ummuştum ama konuştuğum anda hata yaptığımı anladım. Geniş yüzündeki ani öfke o kadar şiddetliydi ki bir an için bana vuracağını düşündüm, ama sonra kendini tuttu ve arkasını dönüp uzaklaştı. Peşinden koşan Aldhelm, kuzenimin hızına yetişip onunla konuşmayı başardı. Æthelred'in öfkeli bir şekilde umursamazmış gibi bir hareket yaptığını gördüm, sonra Aldhelm bana döndü. "En iyi olduğunu düşündüğün şeyi yap," diye seslendi ve Norsların kalkan duvarının onlar için bir geçit oluşturduğu kemerden geçerek efendisini takip etti.

"Her zaman yaparım," dedim ortaya konuşarak.

"Ne yaparsın?" diye sordu Peder Pyrlig, kuzenimin birden ortadan kaybolduğu kemere bakarak.

"Bence en iyisi neyse onu," dedim, sonra kaşlarımı çattım. "Biraz önce ne oldu?" diye sordum Pyrlig'e.

"Başka erkeklerin karısıyla konuşmasından hoşlanmıyor," dedi Galli. "Onlarla gemideyken Temes'ten aşağı inerken fark ettim. Kıskanıyor."

"Ama ben Æthelflaed'i ezelden beri tanıyorum!" diye haykırdım.

"Onu fazla iyi tanıdığından korkuyor," dedi Pyrlig, "ve bu onu delirtiyor."

"Ama bu aptalca!" diye konuştum öfkeyle.

"Bu kıskançlık," dedi Pyrlig, "ve tüm kıskançlıklar aptalcadır."

Æthelred'in uzaklaşmasını izleyen Erik'in kafası da en az benim kadar karışmıştı. "O senin komutanın mı?" diye sordu.

"O benim kuzenim," dedim buruk bir sesle.

"Ve senin komutanın?" diye sordu tekrar.

"Lord Æthelred emreder, Lord Uhtred de itaatsizlik eder," diye açıkladı Pyrlig.

Erik buna gülümsedi. "Peki Lord Uhtred, bir anlaşmaya vardık mı?" Bu soruyu kelimeler üzerinde biraz duraklayarak İngilizce sormuştu.

"İngilizceniz iyi," dedim şaşırmış bir sesle.

Gülümsedi. "Sakson bir köle öğretti."

"Umarım güzel bir kadındı," dedim, "ve evet, bir anlaşmamız var, ama bir değişiklikle."

Erik sinirlense de kibarlığını korudu. "Bir değişiklik mi?" diye sordu temkinli bir şekilde.

"*Dalga Terbiyecisi*'ni alabilirsiniz," dedim.

Erik beni öpecek sandım. Bir an için sözlerime inanamadı, sonra samimi olduğumu görünce kocaman gülümsedi. "Lord Uhtred," diye başladı.

"Alın onu," diye kestim sözünü, minnettar kalmasını istemediğimden, "alın onu ve gidin!"

Fikrimi değiştiren Aldhelm'in sözleri olmuştu. Haklıydı, şehirdeki her şey artık Mersiya'ya aitti ve Æthelred Mersiya'nın hükümdarıydı. Kuzenimin güzel olan her şeye karşı bir düşkünlüğü vardı. *Dalga Terbiyecisi*'ni kendim için istediğimi öğrenirse, ki istiyordum, onu benden alacağından emindim. Bu yüzden gemiyi Thurgilson kardeşlere geri vererek eline geçmesini engelledim.

Sigefrid kendi gemisine götürüldü. Silahlarından ve değerli eşyalarından arındırılmış Norslar *Dalga Terbiyecisi*'ne doğru yürürken adamlarım tarafından korundular. Uzun zaman aldı ama sonunda hepsi gemiye binip iskeleden uzaklaştı. Nehrin aşağı kısımlarının üzerinde hâlâ asılı duran hafif sise doğru kürek çekmelerini izledim.

Ve Wessex'te bir yerlerde ilk guguk kuşu öttü.

* * *

Alfred'e bir mektup yazdım. Yazmaktan her zaman nefret etmişimdir, ayrıca tüy kalem kullanmayalı yıllar olmuştu. Artık benim için mektupları karımın rahipleri karalıyor ama yazdıklarını okuyabildiğimi biliyorlar, bu yüzden onlara ne söylediysem onu yazmaya özen gösteriyorlar. Ama Lundene'in düştüğü gece Alfred'e kendi elimle yazdım. "Lundene sizindir, kralım," dedim, "surları yeniden inşa etmek için burada kalıyorum."

Bu kadarını yazmak bile sabrımı tüketti. Kalem mürekkep sıçrattı, parşömen pürüzlüydü ve bir manastırdan çalındığı belli olan ganimetleri içeren tahta bir sandıkta bulduğum mürekkep parşömenin üzerine damlalar saçıyordu.

"Şimdi Peder Pyrlig'i getir," dedim Sihtric'e, "ve Osferth'i."

"Lordum," dedi Sihtric endişeyle.

"Biliyorum," dedim sabırsızca, "fahişenle evlenmek istiyorsun. Ama önce Peder Pyrlig ve Osferth'i çağır. Fahişe bekleyebilir."

Pyrlig biraz sonra geldi. Mektubu masanın üzerinden ona doğru ittim. "Alfred'e gitmeni istiyorum," dedim ona, "bunu ona ver ve burada neler olduğunu anlat."

Pyrlig mesajımı okudu. Çirkin yüzünde küçük bir gülümsemenin belirdiğini gördüm, el yazım hakkındaki düşüncelerinden rahatsız olmayayım diye çabucak kaybolan bir gülümseme. Kısa mesajım hakkında hiçbir şey söylemedi ama Sihtric Osferth'i odaya getirirken şaşkınlıkla etrafına bakındı.

"Kardeş Osferth'i seninle gönderiyorum," diye açıkladım Galliye.

Osferth kaskatı kesildi. Kendisine kardeş denmesinden nefret ediyordu. "Burada kalmak istiyorum," dedi, "Lordum."

"Kral seni Wintanceaster'da istiyor," dedim aldırmaz bir tavırla, "ve biz krala itaat ederiz." Mektubu Pyrlig'den geri aldım, tüy kalemi pas rengine dönmüş mürekkebe batırıp birkaç kelime daha ekledim. "Sigefrid hanedan birliklerimin arasında tutmak istediğim Osferth tarafından yenilgiye uğratıldı," diye yazdım güçlükle.

Bunu neden yazdım? Osferth'i babasını sevdiğim kadar sevmesem de burçtan atlayarak cesaretini göstermişti. Belki aptalca bir cesaretti ama yine de cesaretti ve eğer Osferth atlamasaydı Lundene bugün Norsların ya da Danların elinde olabilirdi. Osferth kalkan duvarındaki yerini hak etmişti, orada hayatta kalma ihtimali hâlâ son derece düşük olsa bile. "Peder Pyrlig bugün yaptıklarını krala anlatacak ve bu mektup bana geri verilmeni talep ediyor," dedim Osferth'e mürekkebe üflerken, "ama bu kararı Alfred'e bırakmalısın."

"Hayır diyecektir," dedi Osferth asık suratla.

"Peder Pyrlig onu ikna edecektir," dedim. Galli sessiz bir soruyla kaşlarını kaldırdı, ben de doğru söylediğimi göstermek için başımla onayladım. Mektubu Sihtric'e verdim ve onun parşömeni katlayıp balmumuyla mühürlemesini izledim. Kurt başı amblemimi mührün içine bastırıp mektubu Pyrlig'e uzattım. "Alfred'e burada olanlarla ilgili gerçeği anlat," dedim, "çünkü kuzenimden farklı bir versiyon duyacak. Ve hızlı seyahat et!"

Pyrlig gülümsedi. "Kuzeninin habercisinden önce mi krala ulaşmamızı istiyorsun?"

"Evet," dedim. Bu öğrendiğim bir dersti. İlk haber genellikle inanılan versiyon olurdu. Æthelred'in kayınpederine zafer dolu bir mesaj göndereceğinden hiç şüphem yoktu, anlattıklarında zaferdeki rolümüzü sıfıra indirgeyeceğindense hiç şüphem yoktu. Peder Pyrlig Alfred'in gerçeği duymasını sağlayacaktı ama kralın duyduklarına inanıp inanmayacağı ayrı bir konuydu.

Pyrlig ve Osferth Lundene'de ele geçirdiğimiz çok sayıdaki attan ikisini kullanarak şafaktan önce yola çıktı. Güneş doğarken surların çevresinde dolaştım ve hâlâ onarılması gereken yerleri not ettim. Adamlarım nöbet tutuyordu. Çoğu önceki gün Æthelred'in emrinde savaşmış olan Berrocscire milisleriydi ve görünüşte kolay kazandıkları zaferin heyecanı hâlâ yatışmamıştı.

Æthelred'in adamlarından birkaçı da surlara yerleştirilmişti, ancak çoğu gece boyunca içtikleri bira ve bal likörünün etkisinden kurtulmaya çalışıyordu. Sisli yeşil tepelere bakan kuzey kapılarının birinde Æthelflaed'in isteklerine boyun eğen ve bana en iyi adamlarını veren yaşlı adam Egbert'le karşılaştım. Onu birçok cesedin birinden aldığım gümüş bir kol halkasıyla ödüllendirdim. O ölüler hâlâ gömülmemişti, şafakta kuzgunlar ve akbabalar ziyafet çekiyordu. "Teşekkür ederim," dedim. "Sana güvenmeliydim," dedi beceriksizce.

"Bana zaten güvendin."

Omuz silkti. "Æthelflaed sayesinde, evet."

"O burada mı?" diye sordum.

"Hâlâ adada," dedi Egbert.

"Onu koruduğunu sanıyordum?"

"Koruyordum," dedi Egbert, "ama Lord Æthelred dün gece yerime başkasını atadı."

"Yerine başkasını mı atadı?" diye sordum, sonra adamlarına komuta ettiğini simgeleyen gümüş zincirinin elinden alındığını gördüm.

Kararı anlamadığını söylemek istercesine omuz silkti. "Buraya gelmemi emretti," dedi, "ama geldiğimde beni görmek istemedi. Hastaydı."

"Umarım ciddi bir şeydir?"

Egbert'in yüzünde bir an için hafif bir gülümseme belirdi. "Bana söylediklerine göre kusuyormuş. Muhtemelen bir şeyi yoktur."

Kuzenim Lundene'in tepesindeki sarayı kendine karargâh olarak seçmişti, bense nehir kenarındaki Roma evinde kalıyordum. Burayı sevmiştim. Roma binalarını her zaman sevmişimdir çünkü duvarları rüzgârı, yağmuru ve karı dışarıda tutmak gibi büyük bir erdeme sahiptir. Ev çok büyüktü. Bir kemerin içinden geçerek sütunlu bir revakla çevrili bir avluya giriyordunuz. Avlunun üç tarafında hizmetliler tarafından ya da depo olarak kullanılmış olması gereken küçük odalar vardı. Bir tanesi mutfaktı ve tuğladan o kadar büyük bir ekmek fırını vardı ki bir seferde üç mürettebatı doyuracak kadar somun pişirebilirdiniz. Avlunun dördüncü tarafı altı odaya açılıyordu ve bunlardan ikisi tüm muhafızlarımı içine alabilecek büyüklükteydi. Bu iki büyük odanın ötesinde nehre bakan taş döşemeli bir teras vardı. Akşam vakti burası hoş bir yer olurdu, ancak Temes'in gelgit sırasındaki kokusu sizi bunaltabilirdi. Coccham'a geri dönebilirdim ama yine de kaldım. Berrocscire'in milisleri de kaldılar, ancak bahar zamanı olduğu ve çiftliklerinde yapılacak işler olduğu için mutsuzlardı. Şehrin surlarını güçlendirmek için onları Lundene'de tuttum. Æthelred'in bu işi yapacağını düşünseydim eve dönerdim ama şehrin savunmasının üzücü durumundan habersiz görünüyordu. Sigefrid birkaç yeri onarmış ve kapıları güçlendirmişti ama hâlâ yapılacak çok iş vardı. Eski surlar dökülüyordu, hatta yer yer dıştaki hendeğin içine düşmüşlerdi. Adamlarım surun zayıf olduğu her yerde yeni siperler yapmak için ağaçları kesip düzelttiler. Sonra surun dışındaki hendeği temizledik, keçeleşmiş pislikleri kazıyıp attık ve herhangi bir saldırganı karşılamak için sivriltilmiş kazıklar diktik.

Alfred eski şehrin tamamının yeniden inşa edilmesi için emir gönderdi. İyi durumda olan tüm Roma yapıları korunacak, harap durumdaki kalıntılar ise yıkılıp yerlerine sağlam ahşap ve sazlardan evler dikilecekti, ama böyle bir işe kalkışmak için ne adam ne de para vardı. Alfred'in fikri savunmasız yeni şehrin Saksonlarının eski Lundene'e taşınması ve surların arkasında güvende olmasıydı, ancak bu Saksonlar hâlâ Romalı inşaatçıların hayaletlerinden korkuyordu ve terk edilmiş mülkleri devralmak için yapılan her davete inatla direniyorlardı. Emrimdeki Berrocscire milisleri de hayaletlerden korkuyordu ama benden daha çok korktuklarından kalıp çalıştılar.

Æthelred ne yaptığıma hiç aldırmadı. Hastalığı geçmiş olmalıydı ki avlanmakla meşguldü. Her gün şehrin kuzeyindeki ormanlık tepelere at sürüp geyik peşinde koşuyordu. Yanına asla kırktan az adam almazdı çünkü yağmacı bir Dan grubun Lundene'e yaklaşma ihtimali her zaman vardı. Bu gruplardan çok vardı ama kader hiçbirinin Æthelred'in yanına yaklaşmamasına karar vermişti. Her gün doğuda, şehrin deniz kıyısında uzanan ıssız karanlık bataklıklarda ilerleyen atlılar görüyordum. Danlardı, bizi izliyorlardı ve şüphesiz Sigefrid'e rapor veriyorlardı.

Sigefrid'den haber aldım. Raporlara göre yaşıyordu ama yarası yüzünden o kadar sakattı ki ne yürüyebiliyor ne de ayakta durabiliyordu. Kardeşi ve Haesten'le birlikte Beamfleot'a sığınmış, oradan Temes'in ağzına akıncılar göndermişti. Sakson gemileri Frank Krallığı'na yelken açmaya cesaret edemiyordu, çünkü Norslar Lundene'deki yenilgilerinden sonra intikamcı bir ruh hali içine girmişti. Hatta ejderha pruvalı bir Dan gemisi yıkık köprüdeki aralığın hemen altındaki çalkantılı sudan bizimle alay etmek için Temes'e kürek çekti. Gemide Sakson esirler vardı. Danlar kanlı infazlarını izlediğimizden emin olarak onları teker teker öldürdü. Gemide kadın esirler de vardı ve çığlıklarını duyabiliyorduk. Finan'ı ve bir düzine adamı köprüye gönderdim, yanlarında ateş yanan bir çömlek taşıyorlardı ve köprüye çıktıklarında yaylarını kullanarak davetsiz misafirleri ok yağmuruna tuttular. Tüm gemi kaptanları ateşten korkar. Çoğu ıskalayan oklar onları okların artık kendilerine ulaşamayacağı kadar nehrin aşağısına inmeye ikna etti, ancak fazla uzağa gitmediler ve daha fazla tutsak öldürülürken kürekçileri gemiyi akıntıya karşı tuttu. Rıhtımda bağlı ele geçirilmiş teknelerden birini kullanacak bir mürettebat toplayana kadar ayrılmadılar ve ancak o zaman dönüp akşamın karanlığında nehrin aşağısına doğru kürek çektiler.

Beamfleot'tan gelen diğer gemiler Temes'in geniş halicini geçip Wessex'e adam indirdi. Wessex'in o kısmı yabancı bir yerdi. Batı Saksonlar tarafından fethedilene kadar bir zamanlar Kent Krallığı'ydı. Cent'in adamları Sakson olmalarına rağmen garip bir aksanla konuşurdu. Orası her zaman vahşi bir yer olmuştu, denizin ötesindeki diğer topraklara yakındı, ayrıca Vikingler tarafından yağmalanmaya her zaman açıktı. Sigefrid'in adamları haliç boyunca gemi üstüne gemi göndererek Cent'in derinliklerini yağmalamaya başlamıştı. Köleler topladılar ve köyleri yaktılar. Hrofeceastre piskoposu Swithwulf'tan yardımımı isteyen bir haberci geldi. Genç bir rahip olan haberci bana karamsar bir şekilde, "Kâfirler Contwaraburg'daymış," dedi.

"Başpiskoposu öldürdüler mi?" diye sordum neşeyle.

"Orada değildi lordum, Tanrı'ya şükür." Rahip istavroz çıkardı. "Paganlar her yerde lordum. Hiç kimse güvende değil. Piskopos Swithwulf yardımınız için yalvarıyor."

Ama piskoposa yardım edemezdim. Cent'i değil, Lundene'i koruyacak adamlara ihtiyacım vardı, ayrıca ailemi korumak için de adamlara ihtiyacım vardı çünkü şehrin düşmesinden bir hafta sonra Gisela, Stiorra ve yarım düzine hizmetçi ile birlikte Lundene'e geldi. Finan ile birlikte otuz adamı onlara nehirden aşağıya kadar eşlik etmeleri için göndermiştim. Temes'in yanındaki ev kadın kahkahalarının yankılarıyla ısınıyor gibiydi.

"Evi süpürebilirdin," diye azarladı Gisela beni.

"Süpürdüm!"

"Ha!" tavanı işaret etti, "bunlar ne?"

"Örümcek ağları," dedim, "kirişleri yerinde tutuyorlar."

Örümcek ağları süpürüldü ve mutfak ateşi yakıldı. Avluda, kiremit revaklı çatıların birleştiği bir köşenin altında, içi çöplerle dolu eski bir taş vazo vardı. Gisela pislikleri temizledi, sonra iki hizmetçiyle birlikte vazonun dışını fırçaladı ve ortaya üzerine birbirini kovalayan ve arp çalan zarif kadınların oyulduğu beyaz bir mermer çıktı. Gisela bu oymaları çok sevdi. Yanlarına çömelip parmağını Romalı kadınların saçlarında gezdiriyor, sonra da hizmetçilerle birlikte saç modellerini taklit etmeye çalışıyordu. Evi de çok sevdi. Akşamları terasta oturup suyun akışını izlemek için nehrin pis kokusuna bile katlandı. Bir akşam bana "Onu dövüyor," dedi.

Kimin hakkında konuştuğunu biliyordum. Hiçbir şey söylemedim.

"Kız çürük içinde," dedi Gisela, "hamile ve adam onu dövüyor."

"O ne?" diye sordum şaşkınlıkla.

"Æthelflaed hamile," dedi Gisela sabırla. Gisela neredeyse her gün saraya gidip Æthelflaed ile vakit geçiriyordu ama Æthelflaed'in evimizi ziyaret etmesine asla izin verilmiyordu.

Gisela'nın Æthelflaed'in hamileliği hakkındaki haberi beni şaşırttı. Neden şaşırdığımı bilmiyorum ama şaşırmıştım. Sanırım Æthelflaed'i hâlâ bir çocuk olarak görüyordum.

"Ve ona vuruyor mu?" diye sordum.

"Çünkü onun başka erkekleri sevdiğini düşünüyor," dedi Gisela.

"Seviyor mu?"

"Hayır, tabii ki sevmiyor, ama sevdiğinden korkuyor." Gisela eğirdiği yünleri toplamak için duraksladı. "Seni sevdiğini düşünüyor."

Æthelred'in Lundene köprüsündeki ani öfkesini düşündüm. "O delirmiş!" dedim.

"Hayır, kıskanıyor," dedi Gisela, elini koluma koyarak. "Kıskanacak bir şeyi olmadığını da biliyorum." Bana gülümsedi, sonra yünlerini toplamaya devam etti. "Sevgiyi göstermenin tuhaf bir yolu, değil mi?"

Æthelflaed şehrin düşmesinden bir gün sonra gelmişti. Sakson kasabasına tekneyle gitmiş, oradan da bir öküz arabasıyla Fleot'u geçerek kocasının yeni sarayına ulaşmıştı. Yol boyunca sıralanmış erkekler yeşil yapraklı dalları sallamış, öküzlerin önünde bir rahip kutsal su saçarak yürümüş, bir kadın korosu da öküzlerin boynuzları gibi bahar çiçekleriyle süslenmiş arabayı takip etmişti. Æthelflaed kendini dengede tutabilmek için arabanın kenarına tutunmuştu. Rahatsız görünüyordu ama öküzler onu kapının içindeki engebeli taşların üzerinde sürüklerken bana solgun bir şekilde gülümsemişti.

Æthelflaed'in gelişi sarayda bir şölenle kutlandı. Æthelred'in beni davet etmek istemediğinden eminim, ama rütbem ona pek seçenek bırakmamıştı ve kutlamadan önceki öğleden sonra zoraki bir mesaj gelmişti. Ziyafet özel bir şey değildi, yine de bira yeterince boldu. Bir düzine rahip en üstteki masayı Æthelred ve Æthelflaed ile paylaşıyordu, bana da o uzun tahtanın sonunda bir tabure verilmişti. Æthelred bana ters ters baktı, rahipler beni görmezden geldi, ben de surlarda yürümem ve nöbetçilerin uyanık olduğundan emin olmam gerektiğini söyleyerek erkenden ayrıldım. Kuzenimin o gece solgun göründüğünü hatırlıyorum, ama bu kusma nöbetinden hemen sonraydı. Sağlığını sormuştum, o da soruyu önemsizmiş gibi geçiştirmişti.

Gisela ve Æthelflaed Lundene'de arkadaş oldular. Ben surları onardım ve Æthelred avlanırken adamları sarayının mobilyaları için şehri yağmaladı. Bir gün eve gittiğimde evimin avlusunda altı adamını buldum. Egbert, saldırı arifesinde bana askerleri veren adam, altı kişiden biriydi ve avluya girdiğimde yüzü ifadesizdi. Sadece beni izledi. "Ne istiyorsunuz?" diye sordum altı adama. Beşi zırhlı ve kılıçlıydı, altıncısı ise geyik kovalayan tazıları gösteren ince işlemeli bir cüppe giyiyordu. Altıncı adam ayrıca soylu olduğunun bir işareti olan gümüş bir zincir takıyordu. Bu Aldhelm'di, kuzenimin arkadaşı ve onun hanedan birliklerinin komutanı. Aldhelm, "Bunu," diye cevap verdi. Gisela'nın temizlediği vazonun yanında duruyordu. Vazo artık çatıdan düşen yağmur suyunu tutmaya yarıyordu, bu su tatlı ve temizdi, herhangi bir şehirde nadir bulabileceğiniz bir şeydi.

"İki yüz gümüş şilin," dedim Aldhelm'e, "ve senindir."

Buna dudak büktü. Fiyat fahişti. Dört genç adam vazoyu devirmeyi başarmıştı, böylece içindeki su dışarı akmıştı, şimdiyse onu tekrar düzeltmek için uğraşıyorlardı ancak ben geldiğimde durdular.

Gisela ana evden çıkarak bana gülümsedi. "Onlara bunu alamayacaklarını söyledim," dedi.

"Lord Æthelred istiyor," diye ısrar etti Aldhelm.

"Senin adın Aldhelm," dedim, "sadece Aldhelm, ben ise Bebbanburg Lordu Uhtred'im ve sen bana 'Lord' diye hitap edeceksin."

"Bu etmez," dedi Gisela yumuşak bir sesle. "Bana işgüzar sürtük dedi."

Dört kişi olan adamlarım yanıma gelip ellerini kılıçlarının kabzalarına koydu. Onlara geri çekilmelerini işaret ederek kendi kılıç kemerimi çözdüm. "Karıma sürtük mü dedin?" diye sordum Aldhelm'e.

"Lordum bu vazoyu istiyor," dedi sorumu duymazdan gelerek.

"Karımdan özür dileyeceksin," dedim ona, "sonra da benden." İki ağır kılıcımı taşıyan kemeri kaldırım taşlarının üzerine bıraktım.

Kasten bana arkasını döndü. "Onu yan yatırın," dedi dört adama, "ve sokağa doğru yuvarlayın."

"İki özür istiyorum," dedim.

Sesimdeki tehdidi duyup bana döndü, artık endişeliydi. "Bu ev Lord Æthelred'e ait," diye açıkladı. "Eğer burada yaşıyorsan bu onun lütufkârlığı sayesindedir." Ben yaklaştıkça daha da telaşlandı.

"Egbert!" dedi yüksek sesle ama Egbert'in tek tepkisi sağ eliyle yatıştırıc bir hareket yapmak oldu, adamlarına kılıçlarını kınında tutmalarını işaret ediyordu. Egbert tek bir kılıç bile kınından çıksa adamlarıyla benimkiler arasında kavga çıkacağını biliyordu ve bu katliamı önleyecek akla sahipti ama Aldhelm'in böyle bir aklı yoktu. "Seni küstah piç," dedi ve belindeki kınından bir bıçak çıkarıp karnıma doğru savurdu.

Egbert beni çekip uzaklaştırmadan önce Aldhelm'in çenesini, burnunu, iki elini ve belki de birkaç kaburgasını kırdım. Aldhelm Gisela'dan özür dilediğinde bunu dişlerinin arasından fışkıran kanı tükürerek yaptı ve vazo bizim avluda kaldı. Soğanları kesmek için yararlı olduğu anlaşılan bıçağını mutfaktaki kızlara verdim.

Ve ertesi gün, Alfred geldi.

Kral sessizce geldi, gemisi yıkık köprünün yukarısındaki bir iskeleye yanaştı. *Haligast* bir nehir tüccarının uzaklaşmasını bekledikten sonra kısa ve etkili kürek vuruşlarıyla yanaştı. Alfred bir dizi rahip ve keşiş eşliğinde ve altı zırhlı adam tarafından korunarak, haber verilmeden ve duyurulmadan karaya çıktı. Rıhtıma yığılmış malların arasından geçti, gölgede uyuyan sarhoş bir adamın üstünden ve eğilerek tüccarın avlusuna açılan duvardaki küçük kapıdan geçti.

Saraya gittiğini duydum. Æthelred orada değildi, yine ava çıkmıştı ama kral, kızının odasına gitti ve uzun süre orada kaldı. Daha sonra tepeden aşağı yürüdü ve rahip maiyetiyle birlikte evimize geldi. Ben surları onaran gruplardan biriyle birlikteydim ama Gisela Alfred'in Lundene'de olduğu konusunda uyarılmıştı ve evimize gelebileceğinden şüphelenerek ekmek, bira, peynir ve haşlanmış mercimekten oluşan bir yemek hazırlamıştı. Et sunmamıştı çünkü Alfred ete dokunmazdı. Midesi hassas ve bağırsakları sürekli bir işkence içinde olduğundan kendini bir şekilde etin iğrenç bir şey olduğuna ikna etmişti.

Gisela beni kralın gelişinden haberdar etmesi için bir hizmetkâr göndermişti ama yine de Alfred'den çok sonra eve vardığımda zarif avlumu aralarında Peder Pyrlig ve onun yanında bir kez daha keşiş cübbesi giymiş Osferth'in de bulunduğu rahiplerle dolu buldum. Pyrlig beni kucaklarken Osferth kiliseye döndüğü için beni suçlarcasına ekşi bir suratla bana baktı. "Æthelred krala verdiği raporda senden hiç bahsetmemiş," diye mırıldandı, bira kokan nefesini yüzüme üfleyerek.

"Şehir düştüğünde burada değil miymişiz?" diye sordum.

"Kuzenine göre değilmişiz," dedi Pyrlig, sonra kıkırdadı. "Ama Alfred'e doğruyu söyledim. Hadi git, seni bekliyor."

Alfred nehir terasındaydı. Kral tahta bir sandalyede otururken muhafızları arkasında, evin önünde sıralanmıştı. Kapı aralığında durakladım, şaşırmıştım çünkü Alfred'in genellikle solgun ve ciddi olan yüzünde canlı bir ifade vardı. Hatta gülümsüyordu. Gisela onun yanında oturuyordu. Kral öne doğru eğilmiş konuşuyordu, sırtı bana dönük olan Gisela da onu dinliyordu. Olduğum yerde kaldım, o nadir görülen manzarayı, Alfred'in mutluluğunu izledim. Bir noktayı vurgulamak için uzun beyaz parmağını bir kez Gisela'nın dizine vurdu. Bu hareketin tuhaf bir yanı yoktu, ama hiç ona göre bir hareket değildi.

Ama sonra, elbette, belki tam da ona göre bir hareketti. Hristiyanlığın tuzağına düşmeden önce Alfred çapkınlığıyla ün salmıştı ve Osferth de o ilk prenslik şehvetinin bir ürünüydü. Alfred güzel kadınlardan hoşlanırdı ve Gisela'dan da hoşlandığı çok açıktı. Gisela'nın aniden güldüğünü duydum. Onun eğlenmesinden hoşnut olan Alfred utangaç bir şekilde gülümsedi. Onun Hristiyan olmamasına ve boynunda pagan bir muska taşımasına aldırmıyor gibiydi, sadece onunla birlikte olmaktan mutluydu, ben de onları yalnız bırakmaya karar verdim. Onu Ælswith'in, yılan dilli, geyik suratlı, çatlak sesli karısının yanında hiç mutlu görmemiştim. Sonra Gisela'nın omzunun üzerinden baktı ve beni gördü.

Yüzü hemen değişti. Sertleşti, doğruldu ve isteksizce beni yanına çağırdı.

Kızımızın kullandığı tabureyi aldım ve Alfred'in muhafızları kılıçlarını çekerken bir tıslama sesi duydum. Alfred eliyle kılıçları indirmelerini işaret etti, ona saldırmak isteseydim üç ayaklı bir süt sağma taburesi kullanmayacağımı bilecek kadar mantıklıydı. Kılıçlarımı bir saygı göstergesi olarak muhafızlardan birine vermemi, sonra da tabureyi terasın döşeme taşları üzerinde taşımamı izledi. "Lord Uhtred," diye karşıladı beni soğuk bir şekilde.

"Evimize hoş geldiniz, kralım." Onu selamladım, sonra sırtımı nehre vererek oturdum.

Bir an sessiz kaldı. İnce bedenini sıkıca saran kahverengi bir pelerin giymişti. Boynunda gümüş bir haç asılıydı, seyrelmiş saçlarında ise bronz bir taç vardı. Şaşırmıştım, çünkü boş süsler olduğunu düşünerek krallığın sembollerini nadiren takardı, ama Lundene'in bir kral görmesi gerektiğine karar vermiş olmalıydı. Şaşkınlığımı hissetmiş olacak ki başındaki tacı çıkardı. "Yeni kentteki Saksonların evlerini terk etmelerini umuyordum," dedi soğuk bir sesle. "Onun yerine burada yaşayacaklardı. Burada surlar tarafından korunabilirlerdi! Neden taşınmıyorlar?"

"Hayaletlerden korkuyorlar lordum," dedim.

"Peki siz korkmuyor musunuz?"

Bir süre düşündüm. "Korkuyoruz," dedim cevabımı düşündükten sonra.

"Yine de burada yaşıyorsunuz?" dedi eliyle evi göstererek.

Gisela yumuşak bir sesle, "Ruhları teskin ediyoruz lordum," diye açıkladı. Kral kaşlarını kaldırdığında da evimize gelen hayaletleri karşılamak için avluya yiyecek ve içecek koyduğumuzu anlattı.

Alfred gözlerini ovuşturdu. "Rahiplerimiz sokaklardan şeytan çıkarırsa daha iyi olabilir," dedi. "Dua ve kutsal su! Hayaletleri uzaklaştırırız."

"Ya da üç yüz adamımı alıp yeni kasabayı yağmalamama izin verin," diye önerdim. "Evlerini yakın lordum, böylece eski şehirde yaşamak zorunda kalırlar."

Yüzünde hafif bir gülümseme belirdi, belirdiği gibi de kayboldu. "Kızgınlığı teşvik etmeden itaate zorlamak zordur," dedi. "Bazen sahip olduğum tek gerçek otoritenin ailem üzerinde olduğunu düşünüyorum ve o zaman bile şüpheye düşüyorum! Eğer sizi kılıç ve mızrakla yeni şehrin üzerine salarsam Lord Uhtred, o zaman sizden nefret etmeyi öğrenirler. Lundene itaatkâr olmalı ama aynı zamanda Hristiyan Saksonların kalesi de olmalı ve bizden nefret ederlerse onları huzur içinde bırakan Danların geri dönüşünü memnuniyetle karşılayacaklardır." Aniden başını salladı. "Onları barış içinde bırakacağız, ama onlara bir sur inşa etmeyin. Bırakın eski şehre kendi istekleriyle gelsinler. Şimdi beni bağışlayın," bu son iki kelime Gisela'ya aitti, "ama daha karanlık şeylerden bahsetmeliyiz."

Alfred eliyle bir muhafıza işaret edince muhafız terastaki kapıyı iterek açtı. Kapıdan Peder Beocca ve yanında ikinci bir rahip belirdi; Peder Erkenwald adında siyah saçlı, suratı şiş, çatık kaşlı bir yaratık. Benden nefret ederdi. Bir keresinde beni korsanlıkla suçlayarak öldürtmeye çalışmıştı. Suçlamaları tamamen doğru olmasına rağmen, onun kötü huylu pençelerinden kaçmıştım. Beocca ciddi bir şekilde başını salladıktan sonra iki adam da pürdikkat Alfred'e baktı.

"Söylesene," dedi Alfred bana bakarak, "Sigefrid, Haesten ve Erik şimdi ne yapıyorlar?"

"Beamfleot'talar lordum," dedim, "kamplarını güçlendiriyorlar. Otuz iki gemileri ve onlara mürettebat sağlayacak kadar adamları var."

"Burayı gördünüz mü?" diye sordu Peder Erkenwald.

İki rahibin bu konuşmaya tanıklık etmeleri için terasa getirildiklerini biliyordum. Her zaman dikkatli olan Alfred bu tür tartışmaların yazılı ya da ezberlenmiş bir kaydını tutmayı severdi.

"Görmedim," dedim soğuk bir sesle.

"Casuslarınız o zaman?" diye devam etti Alfred.

"Evet, lordum."

Bir an düşündü. "Gemiler yakılabilir mi?" diye sordu.

Başımı salladım. "Bir koydalar lordum."

"Yok edilmeliler," dedi öfkeyle. Uzun ince ellerinin kucağında kenetlendiğini gördüm. "Contwaraburg'u bastılar!" dedi, çıldırmış gibiydi.

"Duydum, lordum."

"Kiliseyi yakmışlar!" dedi öfkeyle, "ve her şeyi çalmışlar! İncilleri, haçları, hatta kutsal emanetleri!" Ürperdi. "Kilisede Efendimiz İsa'nın soldurduğu incir ağacından bir yaprak vardı! Ona bir kez dokunmuş ve gücünü hissetmiştim." Tekrar ürperdi. "Hepsi paganların eline geçti." Sesi ağlayacakmış gibi geliyordu.

Hiçbir şey söylemedim. Beocca yazmaya başlamıştı, kalemi sakat elinde beceriksizce tuttuğu bir parşömene çizik atıyordu. Peder Erkenwald'ın elinde bir mürekkep kabı vardı ve sanki böyle bir angarya onu küçük düşürüyormuş gibi kibirli bir ifadesi vardı. "Otuz iki gemi mi demiştiniz?" diye sordu Beocca.

"Son duyduğum buydu."

"Koylara girilebilir," dedi Alfred sert bir sesle, sıkıntısı aniden kaybolmuştu.

"Beamfleot'taki koy gelgitte kurur lordum," diye açıkladım, "ve düşman gemilerine ulaşmak için demirleme yerinin yukarısındaki bir tepede bulunan kamplarını geçmemiz gerekir. Ve aldığım son rapora göre lordum, bir gemi kanalın karşısına kalıcı olarak demirlemiş. O gemiyi yok edip savaşarak yolumuzu açabiliriz ama bunu yapmak için bin adama ihtiyacınız olacak ve en az iki yüzünü kaybedeceksiniz."

"Bin mi?" diye sordu kuşkuyla.

"Son duyduğuma göre Sigefrid'in iki bine yakın adamı varmış lordum."

Kısa bir süre gözlerini kapadı. "Sigefrid yaşıyor mu?"

"Güç bela," dedim. Bu haberlerin çoğunu kendisine ödediğim gümüşü çok seven Dan tüccarım Ulf'tan almıştım. Ulf'un Lundene'de yaptıklarımı anlattığı için Haesten ya da Erik'ten de gümüş aldığından hiç şüphem yoktu ama bu ödemeye değer bir bedeldi. "Kardeş Osferth onu kötü yaraladı," dedim.

Kral kurnaz gözlerini bana dikti. "Osferth," dedi donuk bir ses tonuyla.

"Savaşı kazandı, lordum," dedim aynı tonda. Alfred hâlâ ifadesiz bir şekilde beni izliyordu. "Peder Pyrlig size anlattı mı?" diye sordum. Sert bir şekilde başıyla onayladı. "Osferth'in yaptığı cesurcaydı lordum," dedim, "benim bunu yapacak cesarete sahip olduğumdan emin değilim. Büyük bir yükseklikten atlayıp korkunç bir savaşçıya saldırdı ve hayatta kalarak bu başarısını görebildi. Osferth olmasaydı, lordum, Sigefrid bugün Lundene'de, ben de mezarımda olacaktım."

"Onu geri mi istiyorsun?" diye sordu Alfred.

Cevap elbette hayırdı ama Beocca gri başını belli belirsiz sallayınca Osferth'in Wintanceaster'da istenmediğini anladım. Gençten hoşlanmıyordum ve Beocca'nın sessiz mesajına bakılırsa Wintanceaster'da da kimse ondan hoşlanmıyordu ama yine de cesareti örnek teşkil ediyordu. Osferth'in özünde bir savaşçı olduğunu düşünüyordum. "Evet lordum," dedim ve Gisela'nın gizli gizli gülümsemediğini gördüm.

Alfred kısaca, "O senin," dedi. Beocca minnettarlıkla gözlerini göğe doğru çevirdi. "Ve Norsların Temes'in halicinden çıkmasını istiyorum," diye devam etti Alfred.

Omuz silktim. "Bu Guthrum'un işi değil mi?" diye sordum.

Beamfleot resmi olarak barış içinde olduğumuz Doğu Anglia Krallığı'nda yer alıyordu.

Alfred sinirlenmiş göründü, muhtemelen kralın Dan ismi olan Guthrum'u kullandığım için. "Kral Æthelstan sorundan haberdar edildi," dedi.

"Ve hiçbir şey yapmıyor mu?"

"Sözler veriyor."

"Ve onun topraklarını kullanan Vikingler cezasız kalıyor," diye gözlemledim.

Alfred sinirlendi. "Kral Æthelstan'a savaş ilan etmemi mi öneriyorsun?"

"Yağmacıların Wessex'e gelmesine izin veriyor lordum," dedim, "öyleyse neden biz de bu iyiliğe karşılık vermiyoruz? Neden Kral Æthelstan'ın topraklarına zarar vermek için Doğu Anglia'ya gemiler göndermiyoruz?"

Alfred önerimi görmezden gelerek ayağa kalktı. "En önemli şey Lundene'i kaybetmememiz," dedi. Elini Peder Erkenwald'a doğru uzatınca peder deri çantasını açıp kahverengi balmumuyla mühürlenmiş bir parşömen çıkardı. Alfred parşömeni bana doğru tuttu. "Seni bu şehrin Askeri Valisi olarak atadım. Düşmanın şehri geri almasına izin verme."

Parşömeni aldım. "Askeri Vali mi?" diye sordum kasten.

"Tüm birlikler ve milisler senin emrin altında olacak."

"Peki ya şehir, lordum?" diye sordum.

"İlahi bir yer olacak," dedi Alfred.

"Onu kötülüklerinden arındıracağız," diye araya girdi Peder Erkenwald, "ve onu kardan daha temiz yapacağız."

"Amin," dedi Beocca coşkuyla.

"Peder Erkenwald'ı Lundene Piskoposu olarak atıyorum," dedi Alfred, "sivil yönetim ona ait olacak."

Kalbimde bir çarpıntı hissettim. Erkenwald mı? Benden nefret eden? "Peki ya Mersiya hükümdarı? Burada sivil bir yönetimi yok mu?" diye sordum.

"Damadım benim atamalarıma karşı çıkmayacak," dedi Alfred soğuk bir şekilde.

"Peki buradaki yetkisi nedir?" diye sordum.

"Burası Mersiya!" dedi Alfred, ayağıyla terasa vurarak, "ve Mersiya'yı yöneten de o."

"Yani yeni bir askeri vali atayabilir mi?" diye sordum.

"Ben ne dersem onu yapacak," dedi Alfred sesinde ani bir öfkeyle. "Ayrıca dört gün içinde hepimiz bir araya geleceğiz," dedi hemen kendini toparlayarak, "bu şehri güvenli ve zarafetle dolu hale getirmek için ne yapılması gerektiğini tartışacağız." Bana başıyla kaba bir şekilde selam verdi, Gisela'ya doğru hafifçe eğildi ve arkasını döndü.

"Kralım," dedi Gisela Alfred'i alıkoyarak, "kızınız nasıl? Onu dün gördüğümde her yeri yara bere içindeydi."

Alfred'in bakışları altı kuğunun yıkık köprünün çalkantısı altında suda gezindiği nehre kaydı. "O iyi," dedi mesafeli bir sesle.

"Morarıkları..." diye başladı Gisela.

"Her zaman yaramaz bir çocuktu," diye sözünü kesti Alfred.

"Yaramaz mı?" diye cevap verdi Gisela çekingen bir tavırla.

"Onu seviyorum," dedi Alfred ve sesindeki beklenmedik tutkudan sevdiğine şüphe yoktu, "ama bir çocukta yaramazlık eğlenceli olsa da bir yetişkinde günahtır. Sevgili Æthelflaed itaati öğrenmeli."

"Yani nefret etmeyi mi öğrenecek?" diye sordum, kralın önceki sözlerini tekrarlayarak.

"O artık evli," dedi Alfred, "Tanrı'ya karşı görevi kocasına itaat etmek. Eminim bunu öğrenecek ve bu ders için minnettar olacaktır. Sevdiğiniz bir çocuğa ceza vermek zordur ama böyle bir cezayı esirgemek de günahtır. Tanrı'ya dua ediyorum ki iyi ahlaklı bir insan olsun."

"Amin," dedi Peder Erkenwald.

"Tanrı'ya şükürler olsun," dedi Beocca.

Gisela hiçbir şey söylemedi ve kral gitti.

Lundene'in alçak tepesindeki saraya yapılan çağrının rahipleri de içereceğini bilmeliydim. Bir savaş konseyi ve Temes'in halicini istila eden haydutların en iyi nasıl temizleneceğine dair sert bir tartışma bekliyordum, ama bunun yerine kılıçlarım alındıktan sonra bir sunağın dikildiği sütunlu salona girdim. Finan ve Sihtric benimle birlikteydi. İyi bir Hristiyan olan Finan istavroz çıkardı ama Sihtric benim gibi bir pagandı ve sanki dini bir büyüden korkuyormuş gibi endişeyle bana baktı.

Ayine katlandım. Keşişler ilahi söylüyor, rahipler dua ediyor, çanlar çalıyor ve erkekler diz çöküyordu. Odada çoğu rahip olan kırk kadar erkek vardı ve sadece bir kadın vardı. Æthelflaed kocasının yanında oturuyordu. Belinden mavi bir kuşakla bağlanmış beyaz bir cüppe giymişti ve mısır sarısı saçlarının topuzuna yavşan otu dokunmuştu. Arkasındaydım ama bir kez babasına bakmak için döndüğünde sağ gözünün etrafındaki morluğu gördüm. Dizlerinin üzerinde duran Alfred ona bakmadı. Æthelflaed'i izledim, çökmüş omuzlarına baktım ve Beamfleot'u, o arı kovanını nasıl yakıp yok edebileceğimi düşündüm. Önce bir gemiyle nehrin aşağısına gitmeli ve Beamfleot'u kendi gözlerimle görmeliyim, diye düşündüm.

Alfred aniden ayağa kalkınca ayinin sonunda bittiğini sandım ama kral bize dönerek merhamet dolu kısa bir konuşma yaptı. Bizi peygamber Hezekiel'in sözleri üzerinde düşünmeye davet etti. "O zaman çevrenizde kalan kâfirler yıkılanı yeniden yapanın, çıplak yerleri yeniden dikenin ben Rab olduğunu bilecek," diye okudu kral bize. "Lundene," kral Hezekiel'in sözlerinin yazılı olduğu parşömeni bıraktı, "yine bir Sakson kentidir ve harabe halinde olsa da Tanrı'nın yardımıyla onu yeniden inşa edeceğiz. Onu Tanrı'nın bir mekânı, putperestlerin ışığı haline getireceğiz." Durakladı, ciddi bir şekilde gülümsedi ve vaaz vermek üzere ayağa kalkması için, üzerine gümüş haçlar işlenmiş kırmızı şeritlerle süslü beyaz bir pelerin giymiş olan Piskopos Erkenwald'a işaret etti. Homurdandım. Temes'i düşmanlarımızdan nasıl kurtaracağımızı tartışıyor olmamız gerekirken sıkıcı bir sofulukla işkence ediliyorduk.

Vaazları görmezden gelmeyi uzun zamandır öğrenmiştim. Pek çoğunu dinlemek benim makûs kaderim oldu ve çoğunun sözleri üzerimden yeni serilmiş sazdan akan yağmur gibi geçip gitti ama Erkenwald'ın boğuk konuşmasının birkaç dakikası geçtikten sonra dikkat kesilmeye başladım.

Çünkü harap olmuş şehirleri yeniden inşa etmek hakkında vaaz vermiyordu, hatta Lundene'i tehdit eden kâfirler hakkında bile. Onun yerine Æthelflaed'e vaaz veriyordu. Sunağın yanında durup bağırdı. Her zaman öfkeli bir adamdı ama o bahar günü eski Roma salonunda ateşli bir öfkeyle doluydu. Tanrı'nın onun aracılığıyla konuştuğunu söyledi. Tanrı'nın bir mesajı vardı ve Tanrı'nın kelamı göz ardı edilemezdi, aksi takdirde cehennem ateşi tüm insanlığı yakıp kül ederdi. Æthelflaed'in adını hiç kullanmadı, ama ona baktı ve odadaki hiç kimse Hristiyan tanrısının mesajı zavallı kıza gönderdiğinden şüphe edemezdi. Görünüşe göre Tanrı bu mesajı bir İncil'e bile yazmıştı. Erkenwald sunaktan bir kopya aldı, onu çatıdaki baca deliğinden gelen ışığın sayfayı yakalaması için yukarı kaldırarak yüksek sesle okudu.

"Sağduyulu," başını kaldırıp Æthelflaed'e baktı, "iffetli, iyi ev kadını, kocalarına istekle boyun eğen, iyi kişiler olmak! Bunlar Tanrı'nın kendi sözleri! Tanrı'nın bir kadından istediği budur! Sağduyulu, iffetli, iyi ev kadını, kocalarına istekle boyun eğen! Tanrı bizimle konuştu!" Son dört kelimeyi söylerken neredeyse vecd içinde kıvranıyordu. "Tanrı hâlâ bizimle konuşuyor!" Sanki tanrısının tavandan baktığını görebilecekmiş gibi gözlerini çatıya dikti. "Tanrı bizimle konuşuyor!"

Bir saatten fazla vaaz verdi. Tükürükleri baca deliğinden sızan güneş ışığında havaya saçılıyordu. İki büklüm oldu, bağırdı, ürperdi ve tekrar tekrar İncil kitabındaki, kadınların kocalarına itaat etmeleri gerektiğine dair sözlere geri döndü.

"İtaatkâr!" diye bağırdı ve durakladı.

Dış salondan bir muhafızın yere bıraktığı kalkanının gümbürtüsü duyuldu.

"İtaatkâr!" diye haykırdı Erkenwald bir kez daha.

Æthelflaed'in başı dikti. Arkasından baktığımda artık Lundene'in piskoposu ve hükümdarı olan o çılgın, gaddar rahibe bakıyormuş gibi görünüyordu. Yanındaki Æthelred yerinde duramıyordu ama birkaç sefer görebildiğim yüzünde kibirli, kendinden hoşnut bir ifade vardı. Oradaki adamların çoğu sıkılmış görünüyordu ve sadece bir tanesi, Peder Beocca, piskoposun vaazını onaylamıyor gibiydi. Bir keresinde göz göze geldik ve sinirli bir şekilde bir kaşını kaldırarak beni gülümsetti. Beocca'nın mesajı onayladığına şüphem yoktu ama şüphesiz bu kadar aleni bir şekilde vaaz edilmemesi gerektiğine inanıyordu. Alfred'e gelince piskopos konuşurken sakin bir şekilde sunağa baktı, ancak pasifliği vaazdaki payını gizliyordu çünkü bu acımasız vaaz kralın bilgisi ve izni olmadan asla verilemezdi.

"İtaatkâr!" diye bağırdı Erkenwald tekrar ve sanki bu tek kelime insanlığın tüm sorunlarının çözümüymüş gibi gözleri-ni göğe dikti. Kral başıyla onayladığında aklıma Alfred'in Erkenwald'ın konuşmasını sadece onaylamakla kalmayıp bunu talep etmiş olabileceği geldi. Belki de halka açık bir uyarının Æthelflaed'i gizli dayaklardan kurtaracağını düşünmüştü? Mesaj Alfred'in felsefesine kesinlikle uyuyordu, çünkü bir krallığın ancak kanunlarla yönetilirse düzeni hükümet tarafından sağlanırsa ve Tanrı'nın ve kralın iradesine itaat edilirse gelişebileceğine inanıyordu. Yine de kızına bakıyor, çürüklerini görüyor ve bunu onaylıyor muydu? Çocuklarını her zaman sevmişti. Onların büyümesini izledim. Alfred'in onlarla oynadığını gördüm, yine de dini sevdiği kızını aşağılamasına izin verebilir miydi? Bazen tanrılarıma dua ettiğimde Alfred'in tanrısından yakayı kurtarmamı sağladıkları için hararetle şükrediyorum.

Erkenwald'ın sonunda söyleyecek sözü kalmadı. Bir duraklama oldu, sonra Alfred ayağa kalkıp yüzünü bize döndü. "Tanrı'nın sözü," dedi gülümseyerek. Rahipler kısa dualar mırıldandı, sonra Alfred aklını dini konulardan uzaklaştırırcasına başını salladı. "Lundene şehri artık Mersiya'nın bir parçasıdır," dediğinde salonda daha yüksek bir onay mırıltısı yankılandı. "Sivil yönetimini Piskopos Erkenwald'a emanet ettim," dedi ve sırıtarak selam veren piskoposa dönüp gülümsedi, "Lord Uhtred ise şehrin savunmasından sorumlu olacak," dedi bana bakarak. Ben eğilmedim.

Æthelflaed o zaman döndü. Sanırım salonda olduğumu bilmiyordu ama adım söylendiğinde dönüp bana baktı. Ona göz kırptığımda morarmış yüzü gülümsedi. Æthelred göz kırptığımı fark etmedi. Beni açıkça görmezden geliyordu.

"Şehir elbette sevgili damadımın otoritesi ve yönetimi altındadır," diye devam etti Alfred, sesi birden buz kesmişti çünkü göz kırpışımı görmüştü. "Zamanla mal varlığının değerli bir parçası haline gelecek, ancak şu an için Lundene'in yönetim konusunun deneyimli kişiler tarafından ele alınmasını nezaketle kabul etti." Başka bir deyişle Lundene Mersiya'nın bir parçası olabilirdi ama Alfred'in Lundene'in Batı Saksonların elinden çıkmasına izin vermeye niyeti yoktu. Alfred, "Piskopos Erkenwald'ın aidat belirleme ve vergi toplama yetkisi var," diye açıkladı, "ve paranın üçte biri sivil yönetime, üçte biri kiliseye, üçte biri de şehri savunmaya harcanacak. Piskoposun rehberliğinde ve Yüce Tanrı'nın yardımıyla Mesih'i ve kilisesini yücelten bir şehir yaratabileceğimizi biliyorum."

Odadaki adamların çoğunu tanımıyordum çünkü neredeyse hepsi Alfred ile görüşmek üzere Lundene'e çağrılmış Mersiyalı soylulardı. Aldhelm de onların arasındaydı, hâlâ mosmor olan yüzüne kan oturmuştu. Bana bir kez bakmış, sonra hemen başını çevirmişti. Çağrılar beklenmedikti, bu yüzden sadece birkaç soylu Lundene'e gelebilmişti. Alfred'i olabildiğince kibar bir şekilde dinleyen bu adamların neredeyse hepsi iki efendi arasında kalmıştı. Kuzey Mersiya Dan egemenliği altındaydı ve sadece Wessex sınırındaki güney kısmı özgür Sakson toprakları olarak adlandırılabilirdi, ama o topraklar bile sürekli taciz altındaydı. Hayatta kalmak isteyen, kızlarının köle tacirlerinden ve hayvanlarının yağmacılardan korunmasını isteyen Mersiyalı bir soylu, Danlara haraç ödemenin yanı sıra, miras kalan toprakları, evliliği ve soyu nedeniyle Mersiya'nın en soylusu olarak kabul edilen Æthelred'e vergi ödemeyi de ihmal edemezdi. Æthelred isterse kendisine kral diyebilirdi, bunu istediğinden hiç şüphem yoktu ama Alfred istemiyordu ve Alfred olmadan Æthelred bir hiçti.

"Niyetimiz Mersiya'yı pagan istilacılardan kurtarmak," dedi Alfred. "Bunu yapmak için Lundene'i güvence altına almamız, böylece Norsların Temes'e akın eden gemilerini durdurmamız gerekiyor. Artık Lundene'i elimizde tutmalıyız. Bu nasıl yapılacak?"

Bu sorunun cevabı çok açıktı, ancak bu cevap surları savunmak için kaç askere ihtiyaç duyulacağını tartışan adamların amaçsızca ortalıkta dolandığı genel bir tartışmayı durduramadı. Ben katılmadım. Arka duvara yaslanıp hangi soyluların hevesli, hangilerinin temkinli olduğunu not ettim. Piskopos Erkenwald ara sıra bana bakıyor, neden harman yerine buğday tanelerimle katkıda bulunmadığımı açıkça merak ediyordu ama ben sessizliğimi korudum. Dikkatle dinleyen Æthelred sonunda tartışmayı özetledi. "Şehrin iki bin kişilik bir garnizona ihtiyacı var," dedi canlı bir sesle.

"Mersiyalılar," dedi Alfred. "Bu adamlar Mersiya'dan gelmeli."

"Elbette," diye hemen kabul etti Æthelred. Birçok soylunun şüpheci göründüğünü fark ettim.

Alfred de bunu gördü ve bana baktı. "Bu sizin sorumluluğunuz Lord Uhtred. Bir fikriniz yok mu?"

Neredeyse esneyecektim ama bu dürtüye direnmeyi başardım. '"Bir fikirden daha fazlasına sahibim kralım," dedim, "size gerçekleri sunabilirim."

Alfred bir kaşını kaldırıp aynı anda onaylamaz bir ifade takınmayı başardı. Ben çok uzun süre duraklayınca "Eee?" diye sordu sinirli bir şekilde.

"Her altı adıma dört adam," dedim. Altı adıma dört adam tahsisi benim değil Alfred'in kararıydı. Burçların inşa edilmesini emrettiğinde her birini savunmak için kaç adama ihtiyaç duyulacağını titiz bir şekilde hesaplamış ve surların etrafındaki mesafe nihai rakamı belirlemişti. Coccham'ın duvarları bin dört yüz adım uzunluğundaydı, bu yüzden Coccham'ın savunması için hanedan birliklerimden ve milislerden bin adam tedarik edilmesi gerekiyordu. Ama Coccham küçük bir kasabaydı, Lundene ise bir şehir.

"Peki ya Lundene'in surlarının etrafındaki mesafe?" diye sordu Alfred.

Cevap vermesini bekler gibi Æthelred'e baktım, nereye baktığımı gören Alfred de damadına baktı. Æthelred bir an düşündükten sonra, bilmediği gerçeğini söylemek yerine bir tahminde bulundu. "Dört bin sekiz yüz adım mı, kralım?"

Sertçe araya girerek, "Kara suru dört bin iki yüz elli adım," dedim. "Nehir suru buna iki bin yüz kırk sekiz adım daha ekliyor. Savunmalar, kralım, yaklaşık altı bin dört yüz adım."

Piskopos Erkenwald hemen, "Yaklaşık dört bin iki yüz adam," dedi. İtiraf etmeliyim ki çok etkilenmiştim. Bu sayıyı bulmam uzun zaman almıştı ve Gisela da problemi çözene kadar hesaplamalarımın doğru olduğundan emin olamamıştım.

"Hiçbir düşman her yere aynı anda saldıramaz, bu yüzden şehrin üç bin dört yüz kişilik bir garnizon tarafından savunulabileceğini tahmin ediyorum," dedim.

Mersiyalı soylulardan biri sanki böyle bir rakam imkânsızmış gibi hafif bir ıslık sesi çıkardı. "Wintanceaster'daki garnizonunuzdan sadece bin adam daha fazla kralım," diye belirttim. Elbette aradaki fark Wintanceaster milislerinin sırayla hizmet etmeye alışkın olduğu sadık bir Batı Sakson eyaletinde yer almasıydı.

"Peki bu adamları nereden bulacaksınız?" diye sordu bir Mersiyalı.

"Sizden," dedim sertçe.

"Ama..." diye başladı adam, sonra duraksadı. Mersiya milislerinin işe yaramaz olduğunu, kullanılmadıkları için zayıfladığını ve milisleri canladırmaya yönelik herhangi bir girişimin kuzey Mersiya'da hüküm süren kötü niyetli Dan kontların dikkatini çekebileceğini, bu yüzden bu adamların dikkat çekmemeyi ve sessiz kalmayı öğrendiğini söyleyecekti. Kurtların dikkatini çekmekten korktukları için çalılıklarda korkudan titreyen tazılar gibiydiler.

"Ama hiçbir şey," dedim, daha yüksek sesle ve daha sert. "Eğer bir adam ülkesinin savunmasına katkıda bulunmuyorsa o adam haindir. Toprağı elinden alınmalı, öldürülmeli ve ailesi köleliğe mahkûm edilmelidir."

Alfred'in bu sözlere itiraz edeceğini düşünmüştüm ama sessizliğini korudu. Aslında başıyla onayladı. Kınının içindeki kılıç bendim ve belli ki bir anlığına kılıcın çeliğini göstermemden memnun olmuştu. Mersiyalılar hiçbir şey söylemedi.

"Gemiler için de adama ihtiyacımız var, kralım," diye devam ettim.

"Gemiler mi?" diye sordu Alfred.

"Gemiler mi?" diye tekrarladı Erkenwald.

"Tayfalara ihtiyacımız var," diye açıkladım. Lundene'i ele geçirdiğimizde on yedisi savaş teknesi olmak üzere yirmi bir gemi ele geçirmiştik. Diğerleri daha geniş kirişliydi, ticaret için inşa edilmişler ama onlar da işe yarayabilir. "Gemilerim var," diye devam ettim, "ama mürettebata ihtiyaçları var ve bu mürettebatın iyi savaşçılar olması gerekiyor."

"Şehri gemilerle mi savunacaksınız?" diye sordu Erkenwald meydan okurcasına.

"Peki paranız nereden gelecek?" diye sordum. "Gümrük vergilerinden. Ama hiçbir tüccar buraya yelken açmaya cesaret edemez, bu yüzden halici düşman gemilerinden temizlemek zorundayım. Bu da korsanları öldürmek demek ve bunun için de savaşçı mürettebata ihtiyacım var. Kendi askerlerimi kullanabilirim ama onların yerine şehrin garnizonuna başka adamlar yerleştirilmeli."

"Gemilere benim ihtiyacım var," diye araya girdi Æthelred aniden.

Æthelred'in gemilere mi ihtiyacı vardı? O kadar şaşırmıştım ki hiçbir şey söyleyemedim. Kuzenimin görevi güney Mersiya'yı savunmak ve Danları ülkesinin geri kalan kısmından kuzeye doğru püskürtmekti, bu da karada savaşmak anlamına geliyordu. Şimdi birdenbire gemilere mi ihtiyacı olmuştu? Ne planlıyordu? Otlaklar boyunca kürek çekmeyi mi?

"Kralım," Æthelred konuşurken gülümsüyordu, sesi yumuşak ve saygılıydı, "köprünün batısındaki tüm gemilerin hizmetinizde kullanılmak üzere bana verilmesini öneriyorum," bunu söylerken Alfred'in önünde eğildi, "köprünün doğusundaki gemiler de kuzenime verilsin."

"Bu..." diye başladım ama Alfred sözümü kesti.

Kral kararlı bir şekilde, "Bu adil," dedi. Bu adil değil, saçmaydı. Nehrin köprünün doğusundaki bölümünde sadece iki savaş gemisi vardı, setin yukarısında ise on beş gemi. Bu on beş geminin varlığı Sigefrid'in biz ona saldırmadan önce Alfred'in topraklarına büyük bir baskın planladığını gösteriyordu ve halici düşmanlardan temizlemek için o gemilere ihtiyacım vardı. Ama damadını destekliyor görünmeye hevesli olan Alfred itirazlarımı bir kenara itti. "Elinizdeki gemileri kullanacaksınız Lord Uhtred," diye ısrar etti, "ben de hanedan birliklerimden yetmiş muhafızı bir gemiye tayfa olarak emrinize vereceğim."

Yani Danları haliçten iki gemiyle mi çıkaracaktım? Pes ederek duvara yaslandım. Tartışma çoğunlukla alınacak gümrük vergisinin miktarı ve komşu eyaletlerin ne kadar vergilendirileceği hakkında sürüp giderken bir kez daha neden bir adamın kılıcının özgür olduğu, az kanunun ve çok kahkahanın olduğu kuzeyde olmadığımı merak ettim.

Toplantı bittiğinde Piskopos Erkenwald beni bir köşeye sıkıştırdı. Boncuk gözleriyle bana baktığında kılıcımın kemerini takıyordum. "Bilmelisin ki senin atanmana karşı çıktım," diye selamladı beni.

"Ben de seninkine karşı çıkardım," dedim buruk bir sesle, Æthelred'in on beş savaş gemisini çalmasına hâlâ kızgındım.

"Tanrı pagan bir savaşçıyı kutsamayabilir," diye açıkladı yeni atanan piskopos, "ama bilge kral seni yetenekli bir asker olarak görüyor."

"Ve Alfred bilgeliğiyle ünlüdür," dedim düz bir sesle.

"Lord Æthelred ile konuştum," diye devam etti, sözlerimi duymazdan gelerek, "Lundene'in komşu eyaletleri için meclis kararları çıkarabileceğimi kabul etti. İtirazın var mı?"

Erkenwald artık milisleri canlandırma yetkisine sahip olduğunu kastediyordu. Bu yetki bana verilse daha iyi olurdu ama Æthelred'in buna razı olacağından şüpheliydim. Ne kadar kötü bir adam olsa da Erkenwald'ın Alfred'e sadık olmaktan başka bir şey yapacağını da düşünmüyordum. "İtirazım yok," dedim.

"O zaman Lord Æthelred'i kabulünüzden haberdar edeceğim," dedi resmi bir şekilde.

"Onunla konuştuğunda karısına vurmayı bırakmasını söyle," dedim.

Erkenwald sanki yüzüne vurmuşum gibi irkildi. "Karısını terbiye etmek onun Hristiyanlık görevi," dedi sertçe, "ve karısının görevi de ona boyun eğmek. Vaazımı dinlemediniz mi?"

"Her kelimesini," dedim.

"Bunu kendi başına o açtı," diye hırladı Erkenwald. "Ateşli bir ruhu var, ona meydan okuyor!"

"O bir çocuktan biraz daha fazlası," dedim, "aynı zamanda hamile bir çocuk."

"Aptallık bir çocuğun kalbinin derinliklerindedir," diye karşılık verdi Erkenwald, "bunlar Tanrı'nın sözleri! Peki Tanrı bir çocuğun aptallığı konusunda ne yapılması gerektiğini söylüyor? 'Değnekle terbiye edilirse akılsızlıktan uzaklaşır.'" Birden ürperdi. "İşte böyle yapıyorsunuz, Lord Uhtred! Çocuğu itaat etmesi için dövüyorsunuz! Bir çocuk acı çekerek, dayak yiyerek öğrenir, o hamile çocuk da görevini öğrenmeli. Tanrı böyle istiyor! Tanrı'ya şükürler olsun!"

Daha geçen hafta Erkenwald'ı bir aziz yapmak istediklerini duydum. Rahipler kuzey denizi kıyısındaki evime geldiklerinde karşılarında yaşlı bir adam buldular ve bana cehennem ateşinden yalnızca birkaç adım uzakta olduğumu söylediler. Sadece tövbe etmem gerektiğini, bu sayede cennete gideceğimi ve azizlerle birlikte sonsuza dek yaşayacağımı söylediler.

Zamanın kendisi tükenene kadar yanmayı tercih ederim.

Yedi

Küreklerden su damlıyordu ve damlalar süzülerek yavaşça yer değiştiren, birbirinden ayrılıp birleşen huzmelerin parladığı bir denizde küçük dalgalar yayıyordu. Gemimiz o değişen ışığın üzerinde sessiz bir şekilde duruyordu.

Güneşle yıkanan bir bulut kümesinin etrafından yayılan doğudaki gökyüzü erimiş altın rengindeydi, geri kalanı ise maviydi. Doğuda soluk mavi, batıda gecenin uzak okyanusun ötesindeki bilinmeyen topraklara doğru uzaklaştığı koyu mavi.

Güneyde Wessex'in alçak kıyısını görebiliyordum. Yeşil ve kahverengi kıyı ağaçsızdı ve o kadar da uzakta değildi, ama hafif dalgalı deniz bataklıkları ve sığlıkları gizlediği için daha yakına gidemezdim. Küreklerimiz dinleniyordu, rüzgâr kesilmişti ama gelgitin ve nehrin güçlü akıntısının etkisiyle durmaksızın doğuya doğru ilerliyorduk. Burası Temes'in haliciydi; su, çamur, kum ve dehşetle dolu geniş bir yer.

Gemimizin bir adı yoktu ve pruvasında ya da kıçında canavar başları taşımıyordu. Lundene'de ele geçirdiğim iki ticaret gemisinden biriydi ve geniş kirişli, ağır, koca gövdeli, hantal bir gemiydi. Bir yelken taşıyordu ama yelken serene toplanmıştı. Gelgitte altın şafağa doğru sürükleniyorduk.

Sağ elimde dümen küreğiyle duruyordum. Zırh giymiştim ama miğferim yoktu. İki kılıcım belime bağlıydı ama onlar da tıpkı zırhım gibi kirli kahverengi yün bir pelerinin altında saklıydı. Sıralarda on iki kürekçi vardı. Sihtric yanımdaydı, bir adam pruva platformundaydı ve benim gibi tüm bu adamlarda da ne zırh ne de silah görünüyordu.

Halicin kuzey yakasında kimsenin görmeyeceğini umarak Wessex kıyısı boyunca sürüklenen bir ticaret gemisine benziyorduk.

Ama bizi görmüşlerdi.

Ve bir korsan gemisi bizi takip ediyordu.

Kuzeyimize doğru kürek çekiyor, güneye ve doğuya doğru meylediyor, dönmemizi ve akıntıya karşı nehrin yukarısına kaçmaya çalışmamızı bekliyordu. Belki bir mil uzaktaydı ve kıç tarafının bir canavar başıyla sonlanan kısa siyah dik çizgisini görebiliyordum. Acelesi yoktu. Gemi kaptanı kürek çekmediğimizi görebiliyordu ve bu hareketsizliği bir panik işareti olarak algılayacaktı. Ne yapacağımızı tartıştığımızı düşünecekti. Kendi kürekleri suya yavaşça batıp çıkıyordu ama her kürek darbesi uzaktaki tekneyi ileri doğru iterek denizden kaçışımızı engelliyordu.

Gemimizin kıç küreklerinden birini kullanan Finan omzunun üzerinden, "Mürettebat elli kişi mi?" diye sordu.

"Belki daha fazla," dedim.

Sırıttı. "Kaç kişi daha fazla?"

"Yetmiş olabilir," diye tahmin ettim.

Kırk üç kişiydik ve on beşimiz hariç hepimiz geminin normalde mal taşıyacağı yerde saklanmıştık. Bu saklı adamlar sanki tuz ya da tahıl taşıyormuşuz gibi görünsün diye eski bir yelkenle örtülmüştü, yağmurdan ya da serpintiden korunması gereken bir yük.

Finan keyifle, "Yetmiş olursa eşine az rastlanır bir savaş olur," dedi.

"Savaş olmayacak," dedim, "çünkü bizim için hazır olmayacaklar," ki bu doğruydu. Kolay bir kurban gibi görünüyorduk, tombul bir gemideki bir avuç adam. Korsan gemisi yanaşacak, bir düzine adam gemiye atlarken mürettebatın geri kalanı sadece katliamı izleyecekti. En azından ben böyle olmasını umuyordum. İzleyen mürettebat elbette silahlı olacaktı ama savaş beklentisi içinde olmayacaklardı, kendi adamlarım ise savaşa fazlasıyla hazırdı.

"Unutmayın," diye seslendim yelkenin altındaki adamlar da beni duysun diye yüksek sesle, "hepsini öldüreceğiz!"

"Kadınları bile mi?" diye sordu Finan.

"Kadınları değil," dedim. Uzaktaki gemide kadın olacağından şüpheliydim.

Sihtric yanıma çömelmiş, gözlerini kısarak bana bakıyordu. "Neden hepsini öldürelim lordum?"

"Bizden korkmayı öğrensinler diye," dedim.

Altın rengindeki gökyüzü bir açılıyor bir kapanıyordu. Güneş bulut kümesinin üzerindeydi ve deniz yeni bir parlaklıkla ışıldıyordu. Düşmanın hafifçe titreşen durgun suda yansıyan görüntüsü uzundu.

"Sağa doğru! Tersine kürek çekin," diye seslendim. "Beceriksizmişsiniz gibi!"

Kürekçiler kasıtlı olarak acemice vuruşlarla suyu bulandırırken sırıttılar ve sanki kaçmaya çalışıyormuşuz gibi görünmesi için pruvamızı yavaşça nehrin yukarısına çevirdiler. Göründüğümüz kadar masum ve savunmasız olsaydık yapmamız gereken en mantıklı şey güney kıyısına doğru kürek çekmek, tekneyi karaya oturtmak ve canımızı kurtarmak için kaçmak olurdu ama bunun yerine dönüp akıntıya karşı kürek çekmeye başladık. Birbirine çarpan küreklerimiz bizi beceriksiz, korkmuş aptallar gibi gösterdi.

"Yemi yuttu," dedim kürekçilerimize, gerçi pruvamız artık batıya dönük olduğu için düşmanın hızla kürek çekmeye başladığını kendileri de görebiliyordu. Viking doğruca üzerimize geliyordu, kürekleri kanatlar gibi inip kalkıyor, her kürek darbesi gemiyi ittikçe pruvasına çarpan beyaz sular yükselip alçalıyordu.

Panik numarası yapmaya devam ettik. Birbirine çarpan küreklerimiz hantal gövdemizin etrafındaki suyu bulandırmaktan başka bir şey yapmıyordu. Çığlıkları berrak sabahta hüzünlü iki martı güdük direğimizin etrafında dönüyordu. Batıda, ufkun ötesinde uzanan Lundene'in dumanının gökyüzünü kararttığı yerde, başka bir geminin direği olduğunu bildiğim küçük, karanlık bir çizgi gördüm. Bize doğru geliyordu. Düşman gemisinin de onu görmüş olacağını, dost mu düşman mı olduğunu merak edeceğini biliyordum.

Bunun bir önemi yoktu çünkü düşmanın bizim küçük, az adamlı yük gemimizi ele geçirmesi sadece beş dakika sürecekti. Çekilen suların ve istikrarlı bir şekilde çekilen küreklerin batıdaki gemiyi debelendiğimiz yere getirebilmesi ise neredeyse bir saat alacaktı. Viking teknesi hızla geliyordu, kürekleri harika bir uyum içinde çalışıyordu ama hızı, gemi bize ulaştığında kürekçilerinin hem yorgun hem de hazırlıksız olacağı anlamına geliyordu. Geminin yüksek baş bodoslamasında gagası açık, sanki bir kurbanın kanlı etini koparmış gibi kırmızıya boyanmış bir kartal gururla duruyordu. Bir düzine silahlı adam oyma başın altında pruva platformuna doluşmuştu. Gemiye binip bizi öldürmesi gereken adamlar bunlardı.

Bir tarafta yirmi kürek kırk adam yapıyordu. Bir düzine de gemiye çıkacak olanlar vardı ama birbirlerine bu kadar yakın duran adamları saymak zordu, ayrıca dümen küreğinin yanında da iki adam duruyordu. "Elli ile altmış arasında," diye seslendim yüksek sesle. Düşman kürekçileri zırhlı değildi. Savaşmayı beklemiyorlardı. Çoğunun kılıçları ayaklarının dibindeydi ve kalkanları sintineye yığılmıştı.

"Kürekleri durdur!" diye seslendim. "Kürekçiler, kalkın!"

Kartal pruvalı gemi artık çok yakınımızdaydı. Iskarmozların gıcırtısını, kılıçlarının şakırtısını ve pruvanın ön kısmına çarpan suyun tıslamasını duyabiliyordum. Parlak baltaları, bizi öldüreceklerini düşünen adamların miğferli yüzlerini ve pruvasını doğrudan bizimkinin üzerine çevirmeye çalışan dümencinin yüzündeki endişeyi görebiliyordum. Kürekçilerim paniklemiş gibi yaparak etrafta dolanıyordu. Viking kürekçileri son bir hamle yaptı, ardından gemi kaptanının onlara kürek çekmeyi bırakmalarını emrettiğini duydum. Gemi suyu yararak hızla üzerimize doğru geldi. Artık çok yakındaydı, kokusunu alabilecek kadar yakındı. Dümenci pruvasını yan tarafımıza doğru kaydırırken pruva platformundaki adamlar kalkanlarını kaldırdı. Gemi avına doğru ilerlerken kürekler içeri çekilmişti.

Bir kalp atışı bekledim, düşman artık bizden kaçamayacak noktaya gelene kadar, sonra pusudan çıktık. "Şimdi!" diye bağırdım.

Yelken çekildi ve küçük gemimiz aniden silahlı adamlarla doldu. Pelerinimi çıkardım. Sihtric bana miğferimle kalkanımı getirdi. Bir adam düşman gemisini uyarmak için bağırınca dümenci ağırlığını uzun küreğine verip gemiyi hafifçe döndürdü, ama çok geç dönmüştü ve pruvası küreklerimizi kırarken parçalanan ahşabın sesini duydum. "Şimdi!" diye bağırdım tekrar.

Clapa pruvamızdaki adamımdı ve düşmanı kucağımıza çekmek için bir kanca fırlattı. Kanca düşmanın baş bodoslamasına saplandı, Clapa asılınca düşman gemisinin itici gücü geminin dönerek yan tarafımıza çarpmasına neden oldu. Adamlarım hemen içine doluştular. Bunlar benim hanedan birliklerim, eğitimli savaşçılarım, zırh giymiş, katliama aç adamlarımdı ve savaşa tamamen hazırlıksız olan zırhsız kürekçilerin arasına atladılar. İki gemi birbirine çarparken düşmanın savaş için silahlanmış ve hazırda bekleyen mürettebatı tereddüt etti. Zaten öldürmekte olan adamlarıma saldırabilirlerdi ama liderleri bağırarak onlara gemimize atlamalarını emretti. Adamlarımı arka taraftan vurmayı umuyordu, gayet akıllıca bir taktikti ama gemide hâlâ onları engellemeye yetecek kadar adamımız vardı. "Hepsini öldürün!" diye bağırdım.

Bir Dan, öyle olduğunu tahmin ediyorum, platformuma atlamaya çalıştı. Ona kalkanımla vurunca gemilerin arasında kayboldu ve zırhı onu anında denizin dibine götürdü. Gemiye binen diğer Vikingler kıç taraftaki kürekçi sıralarına ulaşmış, orada adamlarımı kesiyor ve küfrediyordu. Onların arkasında ve üstündeydim, yanımda sadece Sihtric vardı. İkimiz de dümen platformundan ayrılmayarak güvende kalabilirdik ama bir adam kavgadan uzak durarak liderlik yapamaz. Sihtric'e "Olduğun yerde kal," deyip atladım.

Atlarken bir meydan okuma çığlığı attım ve uzun boylu bir adam bana doğru döndü. Miğferinde bir kartal kanadı vardı, zırhı güzeldi, kolları halkalarla parlıyordu ve kalkanında bir kartal resmi vardı. Düşman gemisinin sahibi olduğunu anladım. O bir Viking lorduydu, sarı sakallı ve kahverengi gözlüydü, uzun saplı bir balta taşıyordu ve baltanın bıçağı çoktan kırmızıya boyanmıştı. Onu bana doğru savurdu, kalkanımla savuşturdum; sonra ayak bileklerimi kesmek için baltasını son anda yere indirdi, Thor'un lütfuyla gemi sendeleyince balta gücünü ticaret gemisinin bir kaburgasında kaybetti. Baltayı tekrar kaldırırken kalkanıyla kılıcımın darbesinden korundu, ben de kalkanla saldırarak ağırlığımla onu geriye ittim.

Düşmesi gerekirdi ama kendi adamlarına doğru sendeleyip ayakta kalmayı başardı. Bileğine bir kesik atınca Yılan Nefesi metale sürtündü. Onun çizmeleri de benimkiler gibi metal plakalarla korunuyordu. Balta savrulup kalkanıma çarptı ve kalkanı da kılıcıma çarptı. Çifte darbeyle geriye savruldum. Kürek kemiklerimi dümen platformunun kenarına vurdum. Beni yere düşürmeye çalışarak tekrar üzerime saldırdı. Sihtric'in hâlâ küçük kıç platformunun üzerinde durduğunu ve düşmanıma kılıç salladığını fark ettim ama hamlesi Dan'ın miğferinden sekip adamın zırhlı omuzlarında boşa gitti. Dengesiz olduğumu bildiği için ayaklarıma tekme attı. Düştüm.

"Pislik," diye hırladı, sonra geriye doğru bir adım attı. Arkasındaki adamları ölüyordu ama kendisi ölmeden önce beni öldürecek zamanı vardı. "Ben Olaf Eagleclaw*," dedi gururla, "ve seninle ölüler konağında buluşacağım."

"Bebbanburglu Uhtred," dedim. Baltasını havaya kaldırdığında hâlâ güvertede yatıyordum.

Sonra Olaf Eagleclaw çığlık attı.

Bilerek düşmüştüm. Benden daha ağırdı ve beni köşeye sıkıştırmıştı. Bana vurmaya devam edeceğini ve onu itmekte çaresiz kalacağımı biliyordum, bu yüzden düşmüştüm. Kılıç darbelerim onun güzel zırhında ve parlayan miğferinde boşa gitmişti ama şimdi Yılan Nefesi'ni yukarıya, zırhının eteğinin altından zırhsız kasıklarına doğru saplayıp ittirdim ve kanı güverteyi ıslatırken kılıcı bir kez daha sokup çıkardım. Balta elinden düşerken gözleri fal taşı gibi açılmış, ağzı bir karış açık bana bakıyordu. Artık ayakta duruyordum, Yılan Nefesi'ni ittirmeye devam ettim. Seğirerek düştü. Kılıcı vücudundan

---

* Kartal pençesi -çn.

çektiğimde sağ elinin balta sapını bulmak için çabaladığını gördüm. Boğazına hızlı bir hamleyle onu öldürmeden önce baltayı ona doğru tekmeleyip parmaklarını baltanın sapına dolamasını izledim. Geminin ahşapları üzerine daha fazla kan döküldü.

Bu küçük dövüşü kolaymış gibi anlattım. Kolay değildi. Bilerek düştüğüm doğru ama beni düşüren Olaf olmuştu. Direnmek yerine kendimi bırakmıştım. Bazen, yaşlılığımda, ölmem gereken ama ölmediğim anları hatırladıkça geceleri titreyerek uyanıyorum. Bu da o anlardan biri. Belki de yanlış hatırlıyorum? Yaşlılık eski şeyleri gölgeliyor. Güvertede sürtünen ayakların sesi, darbe alan adamların homurtuları, pis sintinenin kokusu, yaralı adamların nefes alıp verişleri de olmalıydı. Düşerken yaşadığım korkuyu hatırlıyorum, ölümün yaklaştığına dair o mide bulandırıcı, zihnin çığlıklarıyla dolu paniği. Sadece bir anlık bir olaydı, çok geçmeden sona erdi, bir darbe yağmuru ve panik dalgası, hatırlamaya bile değmeyecek bir kavga. Yine de Olaf Eagleclaw karanlıkta beni hâlâ uyandırabiliyor ve ben de denizin kuma vuruşunu dinleyerek uzanıyorum. Biliyorum ki ölüler konağında beni bekliyor olacak. Onu tamamen şans eseri mi öldürdüğümü merak edecek ve o ölümcül hamleyi planlayıp planlamadığımı bilmek isteyecek. Ayrıca, elinde bir silahla ölebilsin diye baltayı tekrar eline verdiğimi de hatırlayacak ve bunun için bana teşekkür edecek.

Onu görmek için sabırsızlanıyorum.

Olaf öldüğünde gemisi ele geçirilmiş ve mürettebatı katledilmişti. *Deniz Kartalı*'na yapılan saldırıya Finan önderlik etmişti. Gemiye böyle dendiğini biliyordum, çünkü adı geminin baş bodoslamasına runik harflerle kazınmıştı. "Savaş falan yoktu," diye rapor verdi Finan, sesi bezgin geliyordu.

"Sana söyledim," dedim.

"Kürekçilerden birkaçı silah bulmuş," dedi ve omuz silkerek gösterdikleri çabayı küçümsedi. Sonra da *Deniz Kartalı*'nın kanla kaplı sintinesini işaret etti. Beş adam orada çömelmiş, titriyordu. Sorgularcasına baktığımı gören Finan "Onlar Sakson, lordum," diyerek adamların neden hâlâ hayatta olduklarını açıkladı.

Beş adam balıkçıydı, bana Fughelness adında bir yerde yaşadıklarını söylediler. Onları çok zor anladım. İngilizce konuşuyorlardı ama o kadar garip bir aksanla konuşuyorlardı ki sanki yabancı bir dil gibiydi, yine de Fughelness'in bataklıklar ve derelerle dolu çorak bir ada olduğunu söylediklerinde anladım. Kuşların, ıssızlığın ve çamurun içinde kuşları tuzağa düşürerek, yılan balığı yakalayarak ve balık avlayarak yaşayan birkaç fakir insanın olduğu bir yer. Olaf'ın onları bir hafta önce yakaladığını ve kürek çekmeye zorladığını söylediler. On bir kişiydiler ama Finan'ın saldırısının şiddetiyle altısı ölmüş, sağ kalanlar adamlarımı düşman değil esir olduklarına ikna etmeyi başarmıştı.

Düşmanın her şeyini soyduktan sonra zırhlarını, silahlarını, kol halkalarını ve giysilerini *Deniz Kartalı*'nın direğinin dibine yığdık. Zamanla bu ganimetleri bölüşecektik. Her adam bir pay alacaktı; Finan üç, ben beş pay alacaktım. Üçte birini Alfred'e, üçte birini de Piskopos Erkenwald'a vermem gerekiyordu ama savaşta elde ettiğim ganimeti onlara nadiren veriyordum.

Çıplak ölüleri ticaret gemisine attık, orada kana bulanmış cesetlerden oluşan tüyler ürpertici bir yük oluşturdular. O bedenlerin ne kadar beyaz göründüğünü ama yüzlerinin ne kadar kararmış olduğunu düşündüğümü hatırlıyorum. Bir martı sürüsü bize doğru çığlık atıyor, aşağı inip cesetleri gagalamak istiyordu ama yakınlığımızdan tedirgin oldukları için bunu denemeye cesaret edemiyordu. Artık batıdan aşağıya doğru gelen gemi bize ulaşmıştı. Güzel bir savaş gemisiydi, pruvası bir ejderha başıyla taçlandırılmıştı, kıç tarafında bir kurt başı vardı ve direk başı, üzerinde kuzgun olan bir rüzgârgülü ile süslenmişti. Lundene'de ele geçirdiğimiz iki savaş gemisinden biriydi. Ralla ona *Tanrı'nın Kılıcı* adını vermişti, Alfred'in takdir edeceği bir isim. Gemi durdu ve gemi kaptanı Ralla ellerini kavuşturdu. "İyi iş!"

"Üç adam kaybettik," diye karşılık verdim. Üçü de Olaf'ın istilacılarına karşı savaşırken ölmüştü. O adamları *Deniz Kartalı*'na taşımıştık. Onları denize atıp deniz tanrısının kucağına bırakabilirdim ama Hristiyandılar ve arkadaşları onları Lundene'deki Hristiyan mezarlığına gömmek istiyordu.

"Onu çekmemi istiyor musun?" diye bağırdı Ralla ticaret gemisini işaret ederek.

Evet dedim. Ralla yük gemisinin baş bodoslamasına bir halat bağlarken bir duraklama oldu. Sonra birlikte kuzeye, Temes Nehri'nin halicine doğru kürek çektik. Martılar artık cesaretlenmiş, ölü adamların gözlerini oyuyordu.

Öğleye yakın saatlerdi ve gelgit azalmıştı. Yavaşça kürek çekip gücümüzü koruyarak güneşin aydınlattığı denizde süzülürken yağlı haliç yüksek güneşin altında uyuşuk bir şekilde kabarıyordu. Yavaş yavaş halicin kuzey kıyısı da görünmeye başladı.

Alçak tepeler günün sıcağında parıldıyordu. O kıyıya daha önce de kürek çekmiştim ve suyla dolu düz bir arazinin ötesinde ormanlık tepelerin uzandığını biliyordum. Sahili benden çok daha iyi bilen Ralla bize rehberlik etti. Yaklaştıkça işaretleri ezberledim. Biraz daha yüksek bir tepeyi, bir kayalığı ve bir ağaç kümesini fark ettim. Bunları tekrar göreceğimi biliyordum çünkü gemilerimizi Beamfleot'a doğru yüzdürüyorduk. Burası korsan gemilerinin iniydi, deniz yılanının uğrak yeriydi ve Sigefrid'in sığınağıydı.

Burası aynı zamanda Doğu Saksonların eski krallığıydı, çoktan yok olmuş bir krallık; ancak eski hikâyeler bir zamanlar onlardan korkulduğunu söyler. Deniz insanlarıydılar, yağmacılardı ama kuzeylerindeki Anglosaksonlar onları fethetmişti ve artık bu kıyı Guthrum'un krallığı Doğu Anglia'nın bir parçasıydı.

Guthrum'un başkentinden uzakta, kanunsuz bir kıyıydı. Burada, gelgitte kuruyan derelerde gemiler bekleyebilir ve gelgit yükseldiğinde malları Temes'e taşınan tüccarlara baskın yapmak için yuvalarından çıkabilirdi. Burası bir korsan yuvasıydı ve Sigefrid, Erik ve Haesten burada kamp kurmuştu.

Yaklaştığımızı görmüş olmalılar, ama ne gördüler? Kendi gemilerinden biri olan *Deniz Kartalı*'nı ve onunla birlikte başka bir Dan gemisini gördüler. Her iki tekne de canavar başlarıyla gururla süslenmişti. Üçüncü bir gemi gördüler, tombul bir kargo gemisi ve Olaf'ın başarılı bir seferden döndüğünü varsayacaklardı. *Tanrı'nın Kılıcı*'nın İngiltere'ye yeni gelen bir Nors gemisi olduğunu düşüneceklerdi. Kısacası, bizi gördüler ama hiçbir şeyden şüphelenmediler.

Karaya yaklaştığımızda kıç ve baş direklerinden canavar başlarının alınmasını emrettim. Bir tekne kendi sularına girerken böyle şeyler asla sergilenmezdi, çünkü hayvanlar düşman ruhları korkutmak için oradaydı ve Olaf Beamfleot'taki derelerde yaşayan ruhların dost olduğunu varsayarak onları korkutmak istemezdi. Böylece oyulmuş kafaların yerlerinden söküldüğünü gören Sigefrid'in kampındaki gözcüler eve dönmek için kürek çeken dostlar olduğumuzu düşündü.

Kaderin beni geri getireceğini bilerek o kıyıya baktım. Yılan Nefesi'nin kabzasına dokundum, çünkü onun da bir kaderi vardı ve buraya tekrar geleceğini biliyordum. Burası kılıcımın şarkı söyleyeceği bir yerdi.

Beamfleot dereye doğru dik bir eğimle inen bir tepenin altında uzanıyordu. Balıkçılardan biri, arkadaşlarından daha zeki görünen daha genç bir adam, yanımda durdu ve ben işaret ettikçe toprakları saydı. Tepenin altındaki yerleşim yerinin Beamfleot olduğunu doğruladı ve bir nehir olduğunda ısrar ettiği derenin de Hothlege olduğunu söyledi. Beamfleot Hothlege'in kuzey kıyısında yer alırken güney kıyısı alçak, karanlık, geniş ve kasvetli bir adaydı. Balıkçı bana "Caninga" dedi. İsimleri tekrarladım, gördüğüm toprakları ezberlediğim gibi onları da ezberledim.

Caninga ıslak bir yerdi; bataklık ve sazlıklardan, su kuşlarından ve çamurdan oluşan bir ada. Bana bir nehirden çok bir dere gibi görünen Hothlege içinden bir kanalın Beamfleot'un yukarısındaki tepeye doğru kıvrıldığı bir çamur yığınıydı ve şimdi Caninga'nın doğu ucunu dolaşırken Sigefrid'in kampının o tepeyi taçlandırdığını görebiliyordum. Yeşil bir tepeydi, topraktan yapılmış ve tepesinde ahşap bir çit bulunan surları kubbeli zirvesinde kahverengi bir yara izi gibi uzanıyordu. Güney surunun yamacı sarptı ve gelgitin açığa çıkardığı çamurun üzerinde bir gemi kalabalığının yattığı yere doğru alçalıyordu. Hothlege'in ağzı kanalı kapatan bir gemi tarafından korunuyordu. Gemi su yolunun ortasında yatıyor, baş ve kıç tarafındaki zincirlerle gelgitlere karşı korunuyordu. Zincirlerden biri Caninga'nın kıyısına batırılmış devasa bir direğe bağlıyken diğeri kanalın ağzının kuzey kıyısını oluşturan küçük adada tek başına büyüyen bir ağaca bağlıydı. Balıkçı baktığım yeri görüp adacığın adının "İki Ağaç Adası" olduğunu söyledi.

"Ama orada sadece bir ağaç var," diye işaret ettim.

"Babamın zamanında iki tane vardı, lordum."

Akıntı tersine dönmüştü. Sular taşmaya başlamıştı. Azgın sular halice doğru kabarıyor, üç gemimiz düşman kampına doğru sürükleniyordu. Ralla'ya "Dön!" diye seslenince yüzündeki rahatlamayı gördüm, "ama önce ejderhanın başını geri koy!"

Böylece Sigefrid'in adamları ejderhanın başının yerine konduğunu ve kartalın gagalı başının *Deniz Kartalı*'nın gövdesine yerleştirildiğini gördü. Bir şeylerin ters gittiğini anlamış olmalıydılar; sadece canavarlarımızı ortaya çıkardığımız için değil, gemilerimizi döndürdüğümüz ve Ralla küçük yük teknesini serbest bıraktığı için. Ayrıca, yüksek kalelerinden izlerken *Deniz Kartalı*'nın direğinde sancağımın açıldığını görmüş olmalıydılar. O kurt başlı bayrağı Gisela ve kadınları yapmıştı. Onu dalgalandırdım ki izleyenler *Deniz Kartalı*'nın mürettebatını kimin öldürdüğünü bilsin.

Sonra kürek çekerek akıntıya karşı güçlükle ilerledik. Caninga civarında güneye ve batıya döndük, ardından güçlü yeni gelgitin bizi nehrin yukarısına, Lundene'e doğru taşımasına izin verdik.

Ambarı kana bulanmış cesetlerle dolu olan yük gemisi de aynı gelgitle derenin yukarısına doğru ilerleyerek kanalın ortasında demirlemiş olan uzun gemiye çarptı.

Kuzenimin on beş savaş gemisi varken benim artık üç savaş gemim olmuştu. O ele geçirdiği tekneleri nehrin yukarısına taşımıştı, tekneler bildiğim kadarıyla orada çürüyordu. Eğer on gemim ve onları kullanacak mürettebatım olsaydı Beamfleot'u alabilirdim ama sadece üç gemim vardı ve yüksek kalenin altındaki dere tıka basa direklerle doluydu.

Yine de bir mesaj gönderiyordum.

Ölüm Beamfleot'a geliyordu.

Ölüm önce Hrofeceastre'yi ziyaret etti. Hrofeceastre eski Cent Krallığı'nda Temes'in halicinin güney kıyısında, Lundene'e yakın bir kasabaydı. Romalılar burada bir kale inşa etmişti ve artık eski kalenin içinde ve çevresinde oldukça büyük bir kasaba vardı. Elbette Cent uzun zamandır Wessex'in bir parçasıydı ve Alfred kasabanın savunmasının güçlendirilmesini emretmişti. Roma kalesinin eski toprak surları hâlâ ayakta olduğu için bu iş kolayca yapıldı. Yapılması gereken tek şey hendeğin derinleştirilmesi, meşeden bir çit yapılması ve surların dışında ya da çok yakınında bulunan bazı binaların yıkılmasıydı. İşin tamamlanması iyi olmuştu çünkü o yazın başlarında Frank Krallığı'ndan büyük bir Dan filosu geldi. Doğu Anglia'da bir sığınak bulup buradan güneye yelken açarak Temes Nehri'nin akıntısına kapıldılar ve gemilerini Hrofeceastre'nin üzerinde bulunduğu Medwæg Nehri'nde karaya oturttular. Ateş ve dehşet saçarak kenti yağmalamayı umuyorlardı ama yeni surlar ve güçlü garnizon onlara direndi.

Geleceklerini Alfred'den önce haber almıştım. Ona saldırıyı haber vermek için bir ulak gönderdim. *Deniz Kartalı*'nı aynı gün Temes'ten aşağı ve Medwæg'den yukarı götürdüğümde çaresiz olduğumu gördüm. En az altmış savaş gemisi nehrin çamurlu kıyısında karaya oturtulmuş, diğer ikisi de Batı Sakson gemilerinin saldırısını engellemek için birbirine zincirlenerek Medwæg'e bağlanmıştı. Kıyıda, işgalcilerin Hrofeceastre'yi kendi surlarıyla çevrelemek istediklerini düşündüren toprak bir set oluşturduğunu görebiliyordum.

İstilacıların lideri Gunnkel Rodeson adında bir adamdı. Sonradan öğrendiğime göre Frank Krallığı'ndaki kıt sezondan sonra Hrofeceastre'ın büyük kilisesi ve manastırında olduğu söylenen gümüşü ele geçirmek umuduyla yelken açmıştı. Gemilerinden uzaklaşarak sert bir güneydoğu rüzgârında *Deniz Kartalı*'nın yelkenini açıp halici geçtim. Beamfleot'u terk edilmiş bulmayı umuyordum ama Sigefrid'in gemilerinin ve adamlarının çoğunun Gunnkel'e katılmaya gittiği açık olsa da on altı gemi kalmıştı ve kalenin yüksek suru hâlâ adamlarla ve mızrak uçlarıyla doluydu.

Ve böylece Lundene'e geri döndük.

"Gunnkel'i tanıyor musun?" diye sordu Gisela. Neredeyse her zaman yaptığımız gibi Danca konuşuyorduk.

"Adını hiç duymadım."

"Yeni bir düşman mı?" diye sordu gülümseyerek.

"Kuzeyden aralıksız olarak geliyorlar," dedim. "Birini öldürürsen iki tanesi daha güneye yelken açıyor."

"O halde bu onları öldürmeyi bırakmak için çok iyi bir neden," dedi.

Bu, Gisela'nın kendi halkını öldürdüğüm için beni azarlamaya en çok yaklaştığı andı.

"Alfred'e yeminliyim," dedim soğuk bir ifadeyle.

Ertesi gün uyandığımda gemilerin köprüye doğru geldiğini gördüm. Bir boru sesi beni uyardı. Boru köprünün güney ucunda inşa ettiğim küçük bir burhun surlarındaki bir nöbetçi tarafından çalınıyordu. Bu burha basitçe güney savunması anlamına gelen Suthriganaweorc diyorduk ve Suthrige milisleri tarafından inşa edilip korunuyordu. Akıntıya karşı on beş savaş gemisi geliyordu. Yıkık köprünün ortasındaki kargaşanın en sakin olduğu yüksek suda kürek çekerek aralıktan geçtiler. On beş geminin hepsi sağ salim geçti ve üçüncüsünün kuzenim Æthelred'in şaha kalkmış beyaz atlı sancağını dalgalandırdığını gördüm. Köprünün altından geçtikten sonra gemiler iskelelere doğru kürek çekerek üçer üçer bağlandı.

Görünüşe göre Æthelred Lundene'e dönüyordu. Mersiya'nın bereketli topraklarına girmeyi seven Galli sığır hırsızlarına karşı savaşmak için yazın başında Æthelflaed'i batı Mersiya'daki ikametine götürmüştü. Artık geri dönmüştü.

Sarayına gitti. Elbette Æthelflaed de yanındaydı, çünkü Æthelred onu gözünün önünden ayırmak istemiyordu ama bunun aşktan kaynaklandığını sanmıyorum. Kıskançlıktı. Onun huzuruna çağrılmayı bekliyordum ama hiç kimse gelmedi ve ertesi sabah Gisela saraya gittiğinde geri çevrildi. Ona Leydi Æthelflaed'in hasta olduğu söylenmişti. "Bana kaba davranmadılar," dedi, "sadece bu konuda ısrarcıydılar."

"Belki de hastadır?" dedim.

"Bir dostu görmek için bir neden daha," dedi Gisela, açık kepenklerden yaz güneşinin Temes'i pırıl pırıl bir gümüş rengine boyadığı yere bakarak. "Onu bir kafese kapattı, değil mi?"

Sözümüzü Piskopos Erkenwald, daha doğrusu piskoposun yakında geleceğini haber veren rahiplerinden biri kesti. Erkenwald'ın onun önünde asla açıkça konuşmayacağını bilen Gisela mutfağa giderken ben de onu kapımda karşıladım.

O adamı hiç sevmedim. Zamanla birbirimizden nefret edecektik ama Alfred'e sadıktı, becerikliydi ve vicdanlıydı. Havadan sudan konuşarak vakit kaybetmeden bana Lundene milislerini ayağa kaldırmak için bir ferman çıkardığını söyledi. "Kral, muhafızlarının kuzeninizin gemilerine katılmasını emretti."

"Ya ben?"

"Siz burada kalacaksınız," dedi kaba bir şekilde, "ben de öyle."

"Peki ya milisler?"

"Şehrin savunması için kraliyet birliklerinin yerini aldılar."

"Hrofeceastre yüzünden mi?"

"Kral paganları cezalandırmaya kararlı," dedi Erkenwald, "ama o Hrofeceastre'de Tanrı'nın işini yaparken diğer paganların Lundene'e saldırma ihtimali var. Böyle bir saldırının başarılı olmasını engelleyeceğiz."

Hiçbir pagan Lundene'e saldırmadı, bu yüzden Hrofeceastre'deki olaylar gelişirken ben şehirde oturdum ve garip bir şekilde bu olaylar meşhur oldu. Bugünlerde insanlar sık sık yanıma gelip bana Alfred'i soruyor çünkü onu hatırlayan birkaç kişiden biriyim. Elbette hepsi kilise adamı ve hakkında hiçbir şey bilmiyormuş gibi davrandığım dindarlığını duymak istiyorlar ama bazıları savaşlarını da soruyor. Bataklıklardaki sürgününü ve Ethandun'daki zaferini biliyorlar ama Hrofeceastre'yi de duymak istiyorlar. Bu çok garip. Alfred düşmanlarına karşı pek çok zafer kazanacaktı ve Hrofeceastre de şüphesiz bu zaferlerden biriydi ama insanların artık inandığı gibi büyük bir zafer değildi.

Elbette bir zaferdi ama daha büyük bir zafer olabilirdi. Bütün bir Viking filosunu yok etme ve Medwæg'i onların kanıyla karartma şansı vardı ama bu şans kaybedildi. Alfred Hrofeceastre'deki savunmanın istilacıları yerinde tutacağına güveniyordu ve o atlılardan oluşan bir ordu toplarken bu surlar ve garnizon görevini yaptı. Kendi kraliyet hanedanından askerleri vardı, buna Wintanceaster ile Hrofeceastre arasındaki tüm hükümdarların savaşçılarını ekledi. Hepsi birlikte doğuya doğru at sürdüler, onlar ilerledikçe ordu büyüdü ve şimdi Hrofeceastre kasabası olan eski Roma kalesinin hemen güneyindeki Mæides Stana'da toplandı.

Alfred hızlı ve iyi hareket etmişti. Kasaba iki Dan saldırısını püskürtmüştü ve artık Gunnkel'in adamları kendilerini sadece Hrofeceastre garnizonunun değil, Wessex'in en iyi savaşçılarından binden fazlasının da tehdidi altında buldular.

Oynadığı kumarı kaybettiğini anlayan Gunnkel, Alfred'e bir elçi gönderdi. Alfred konuşmayı kabul etti. Onun beklediği şey Æthelred'in gemilerinin Medwæg'in ağzına varmasıydı çünkü o zaman Gunnkel tuzağa düşecekti, bu yüzden Alfred konuştukça konuştu ama gemiler hâlâ ortada yoktu. Gunnkel Alfred'in ona gitmesi için para vermeyeceğini, konuşmanın bir oyun olduğunu ve Batı Sakson kralının savaşmayı planladığını anlayınca kaçtı. İki gün süren oyalama amaçlı görüşmelerin ardından gece yarısı işgalciler kamp ateşlerini hâlâ karada olduklarını göstermek için yanar halde bırakıp gemilerine bindi ve gelgitle Temes'e açıldı. Böylece Hrofeceastre kuşatması sona erdi. Bu büyük bir zaferdi çünkü bir Viking ordusu Wessex'ten utanç verici bir şekilde kovulmuştu ama Medwæg'in suları kanla koyulaşmamıştı. Gunnkel yaşadı. Beamfleot'tan gelen gemiler oraya geri döndü ve başka gemiler de onlarla birlikte gitti, böylece Sigefrid'in kampı aç savaşçılardan oluşan yeni mürettebatla güçlenmiş oldu. Gunnkel'in filosunun geri kalanı ya Frank Krallığı'nda daha kolay avlar aramaya gitti ya da kendilerine Doğu Anglia kıyılarında sığınak buldu.

Tüm bunlar olurken Æthelred hâlâ Lundene'deydi.

Gemilerindeki biranın ekşi olduğundan şikâyet etti. Piskopos Erkenwald'a, adamlarının mideleri çalkalanırken ve içindekileri kusarken savaşamayacaklarını söyledi, bu yüzden fıçıların boşaltılıp yeni mayalanmış birayla tekrar doldurulmasını istedi. Bu iki gün sürdü. Ertesi gün mahkemede hüküm vermek için ısrar etti. Bu iş Erkenwald'a aitti ama Mersiya hükümdarı olarak Æthelred'in de bunu yapmaya her türlü hakkı vardı. Beni görmek istememiş olabilirdi ya da Gisela Æthelflaed'i ziyaret etmeye çalıştığında saraydan geri çevrilmiş olabilirdi, ama hiçbir özgür vatandaş hükümlere tanık olmaktan men edilemezdi, biz de böylece büyük sütunlu salondaki kalabalığa katıldık.

Æthelred pekâlâ taht olabilecek bir sandalyeye yayılmıştı. Sandalyenin yüksek bir sırtı, süslü oymalı kolları ve kürklü yastıkları vardı. Bizi görüp görmediğini bilmiyorum, gördüyse de önemsemedi ama yanındaki daha alçak bir sandalyede oturan Æthelflaed bizi kesinlikle gördü. Bize açıkça bizi tanımadığını belli eden bir ifadeyle baktı, sonra da sıkılmış gibi yüzünü başka yöne çevirdi. Æthelred'i meşgul eden davalar önemsizdi, ama her şikâyetçiyi dinlemekte ısrar etti. İlk şikâyet sahte ağırlık kullanmakla suçlanan bir değirmenci hakkındaydı ve Æthelred şüpheliyi acımasızca sorguladı. Arkadaşı Aldhelm hemen arkasında oturuyor, Æthelred'in kulağına sürekli öğütler fısıldıyordu. Aldhelm'in bir zamanlar yakışıklı olan yüzü ona attığım dayaktan dolayı yara bere içindeydi, burnu yamulmuş ve bir elmacık kemiği düzleşmişti. Bu tür konularda sık sık karar veren bana göre değirmenci açıkça suçluydu ama Æthelred ve Aldhelm'in aynı sonuca varması uzun zaman aldı. Adam bir kulağını kaybetmeye ve bir yanağına damga vurulmaya mahkûm edildi, sonra genç bir rahip yüksek sesle Aziz Alban kilisesindeki fakirlere yardım kutusundan çalmakla suçlanan bir fahişeye karşı bir suçlama okudu. Rahip hâlâ konuşurken Æthelflaed aniden irkildi. Bir eliyle karnını tutarak öne doğru fırladı. Kusacak sandım ama açık ağzından acı dolu bir inlitiden başka bir şey çıkmadı. Öne doğru eğilmiş, ağzı açık ve bir eli hâlâ hamilelik belirtisi göstermeyen karnına kenetlenmiş halde kaldı.

Salon sessizliğe gömülmüştü. Æthelred genç karısına baktı, onun sıkıntısı karşısında çaresiz görünüyordu, sonra açık bir kemerden iki kadın gelip bir dizlerinin üzerine çökerek Æthelred'in iznini aldıktan sonra Æthelflaed'in ayrılmasına yardım etti. Yüzü solmuş olan kuzenim eliyle rahibe işaret etti. "Suçlamanın başından tekrar başla, peder," dedi Æthelred, "dikkatim dağıldı."

"Neredeyse bitirmiştim, lordum," dedi rahip yardımsever bir şekilde, "ve suçu tanımlayabilecek yeminlilerim var."

"Hayır, hayır, hayır!" Æthelred elini kaldırdı. "Suçlamayı duymak istiyorum. Yargılamamız eksiksiz olmalı."

Böylece rahip tekrar başladı. O konuştukça halk sıkıntıyla kıpırdanıp durdu ve tam o sırada Gisela dirseğime dokundu.

Az önce bir kadın onunla konuşmuştu. Gisela tuniğimi çekiştirerek döndü ve salonun arka tarafındaki kapıdan geçerek kadını takip etti. Æthelred'in mükemmel yargıç rolüne kendini fazla kaptırıp gidişimizi fark etmeyeceğini umarak onu takip ettim.

Kadını bir zamanlar bir avlunun manastır tarafı olan ancak bir süre sonra açık arkatın sütunlarının saz ve çamurdan yapılmış paravanlarla doldurulduğu bir koridorda takip ettik. Koridorun sonunda taş bir çerçevenin içine kaba bir ahşap kapı yerleştirilmişti. Oyma sarmaşıklar duvarın üzerinde kıvrılıyordu. Uzakta, bir Roma tanrısının şimşek fırlattığını gösteren küçük karolarla döşenmiş bir oda ve onun ötesinde, papatyalar ve düğün çiçekleriyle parlak bir çim parçasına gölge düşüren üç armut ağacının bulunduğu güneşli bir bahçe vardı. Æthelflaed ağaçların altında bizi bekliyordu.

Salondan iki büklüm ve öğürerek çıkmasına neden olan sıkıntıdan eser yoktu. Dimdik duruyordu. Yüzünde ciddi bir ifade vardı ama bu ciddiyet Gisela'yı gördüğünde gülümsemeye dönüştü. Sarıldılar. Æthelflaed'in gözlerini yaşlara engel olmak istermiş gibi kapattığını gördüm.

"Hasta değil misiniz, leydim?" diye sordum.

"Sadece hamileyim," dedi, gözleri hâlâ kapalı bir şekilde, "hasta değilim."

"Az önce hasta görünüyordunuz," dedim.

"Sizinle konuşmak istedim," dedi Gisela'dan uzaklaşarak, "hasta gibi davranmak mahremiyet için tek yoldu. Hasta olmama dayanamıyor. Kustuğumda beni yalnız bırakıyor."

"Sık sık hasta oluyor musun?" diye sordu Gisela.

"Her sabah çok hasta oluyorum," dedi Æthelflaed, "ama herkes olmuyor mu?"

"Bu sefer değil," dedi Gisela, muskasına dokunarak. Odin'in karısı ve tanrıların yaşadığı Asgard'ın kraliçesi Frigg'in küçük bir resmini takıyordu. Frigg hamilelik ve doğum tanrıçasıydı ve muskanın Gisela'nın taşıdığı çocuğu güvenli bir şekilde doğurmasını sağlaması gerekiyordu. Bu küçük imge ilk iki çocuğumuzda işe yaramıştı, üçüncü çocukta da işe yaraması için dua ediyordum.

"Her sabah kusuyorum," dedi Æthelflaed, "sonra günün geri kalanında iyi hissediyorum." Karnına dokundu, ardından Gisela'nın artık çocuğuyla şişmiş olan karnını okşadı. "Bana doğum hakkında bir şeyler anlatmalısın," dedi Æthelflaed endişeyle. "Çok acı verici, değil mi?"

"Acıyı unutuyorsun," dedi Gisela, "çünkü sevinç acıyı bastırıyor."

"Acıdan nefret ederim."

"Şifalı bitkiler var," dedi Gisela, ikna edici görünmeye çalışarak, "ve çocuk doğduğunda çok fazla neşe oluyor."

Onlar doğumdan bahsederken ben tuğla duvara yaslanıp armut ağacının yapraklarının ötesindeki mavi gökyüzüne baktım. Bizi getiren kadın gitmişti. Yalnızdık. Tuğla duvarın ötesinde bir yerde, bir adam acemilere kalkanlarını yukarıda tutmaları için bağırıyordu ve alıştırma yaparken tahtalara vurulan sopaların seslerini duyabiliyordum. Yeni şehri, Saksonların şehirlerini kurdukları surların dışındaki Lundene'i düşündüm. Orada yeni bir sur yapmamı ve orayı garnizonumla savunmamı istiyorlardı ama ben reddediyordum çünkü Alfred reddetmemi emretmişti ve yeni şehir bir surla çevrili olursa korunacak çok fazla sur olacaktı. Saksonların eski şehre taşınmasını istiyordum. Eski Roma surunun ve garnizonumun korumasını isteyen birkaçı gelmişti ama çoğu inatla yeni şehirde kaldı. Æthelflaed aniden düşüncelerimi bölerek "Ne düşünüyorsun?" diye sordu.

"Erkek olduğu için Thor'a şükrediyor," dedi Gisela, "ve doğum yapmak zorunda olmadığı için."

"Doğru," dedim, "ayrıca eğer insanlar eski şehirde yaşamak yerine yeni şehirde ölmeyi tercih ediyorsa o zaman ölmelerine izin vermeliyiz diye düşünüyordum."

Æthelflaed bu duygusuz ifade karşısında gülümsedi. Bana doğru geldi. Yalın ayaktı ve çok küçük görünüyordu. "Gisela'ya vurmuyorsun, değil mi?" diye sordu bana bakarak.

Gisela'ya bakıp gülümsedim. "Hayır, leydim," dedim nazikçe.

Æthelflaed bana bakmaya devam etti. Kahverengi benekli mavi gözleri, hafif kalkık bir burnu vardı ve alt dudağı üst dudağından daha büyüktü. Morlukları geçmişti ama bir yanağındaki hafif kızarıklık en son darbe aldığı yeri gösteriyordu. Çok ciddi görünüyordu. Altın sarısı saçları başlığının etrafında dalgalanıyordu. "Beni neden uyarmadın Uhtred?" diye sordu.

"Çünkü uyarılmak istemedin," dedim.

Bunu düşündü, sonra sertçe başıyla onayladı. "Hayır, istemedim, haklısın. Kendimi kafese koydum, değil mi? Sonra da kilitledim."

"O zaman kilidi aç," dedim acımasızca.

"Yapamam," dedi sertçe.

"Yapamaz mısın?" diye sordu Gisela.

"Anahtar Tanrı'da."

Bunun üzerine gülümsedim. "Senin tanrını hiçbir zaman sevmedim," dedim.

"Kocamın senin kötü bir adam olduğunu söylemesine şaşmamalı," diye karşılık verdi Æthelflaed gülümseyerek.

"Öyle mi diyor?"

"Senin kötü, güvenilmez ve hain olduğunu söylüyor."

Gülümsedim. Hiçbir şey söylemedim.

"Domuz kafalı," diye devam etti Gisela, "basit fikirli ve acımasız."

"İşte bu ben," dedim.

"Ve çok nazik," diye bitirdi Gisela.

Æthelflaed hâlâ bana bakıyordu. "Senden korkuyor," dedi, "ve Aldhelm senden nefret ediyor," diye devam etti. "Elinden gelse seni öldürecek."

"Deneyebilir," dedim.

"Aldhelm kocamın kral olmasını istiyor," dedi Æthelflaed.

"Peki kocan ne düşünüyor?" diye sordum.

"Hoşuna giderdi," dedi Æthelflaed. Şaşırmamıştım. Mersiya'nın bir kralı yoktu. Æthelred krallıkta hak iddia edebilirdi, ama kuzenim Alfred'in desteği olmadan bir hiçti ve Alfred Mersiya'da kimsenin kral olarak anılmasını istemiyordu.

"Neden baban kendini Mersiya kralı ilan etmiyor?" diye sordum Æthelflaed'e.

"Sanırım bir gün edecek," dedi.

"Ama henüz değil?"

"Mersiya gururlu bir ülke," dedi, "ayrıca her Mersiyalı Wessex'i sevmiyor."

"Sen de onlara Wessex'i sevdirmek için mi oradasın?"

Karnına dokundu. "Belki de babam ilk torununun Mersiya'da kral olmasını istiyordur," dedi. "Batı Sakson kanı taşıyan bir kral?"

"Ve Æthelred'in kanını," dedim suratımı ekşiterek.

İç çekti. "Kötü bir adam değil," dedi hüzünle, sanki kendini ikna etmeye çalışıyormuş gibi.

"Seni dövüyor," dedi Gisela sertçe.

"İyi bir adam olmak istiyor," dedi Æthelflaed. Koluma dokundu. "Senin gibi olmak istiyor, Uhtred."

"Benim gibi!" Neredeyse gülerek söylemiştim.

"Korkulmak istiyor," diye açıkladı Æthelflaed.

"O zaman neden burada vakit kaybediyor?" diye sordum. "Neden gemilerini alıp Danlarla savaşmaya gitmiyor?"

Æthelflaed iç çekti. "Çünkü Aldhelm ona yapmamasını söylüyor," dedi. "Aldhelm, eğer Gunnkel Cent ya da Doğu Anglia'da kalırsa o zaman babamın burada daha fazla kuvvet bulundurması gerekeceğini söylüyor," diye devam etti. "Doğuyu gözlemeye devam etmek zorunda."

"Bunu zaten yapmak zorunda," dedim.

"Ama Aldhelm, babam sürekli Temes'in halicindeki bir pagan sürüsü için endişelenmek zorunda kalırsa Mersiya'da olanları fark etmeyebileceğini söylüyor."

"Kuzenimin kendini kral ilan edeceği yer mi?" diye tahmin ettim.

"Wessex'in kuzey sınırını savunmak için istediği bedel bu olacak," dedi Æthelflaed.

"Ve sen de kraliçe olacaksın," dedim.

Bunun üzerine yüzünü buruşturdu. "Bunu istediğimi mi sanıyorsun?"

"Hayır," diye kabul ettim.

"Hayır," diye onayladı. "Benim istediğim Danların Mersiya'dan gitmesi. Danların Doğu Anglia'dan gitmesini istiyorum. Danların Northumbria'dan gitmesini istiyorum." Bir çocuktan biraz daha fazlasıydı; kalkık burunlu, parlak gözlü, zayıf bir çocuktu ama içi çeliktendi. Danlar tarafından yetiştirildiğim için onları seven benimle ve bir Dan olan Gisela ile konuşuyordu ama sözlerini yumuşatmaya çalışmamıştı. İçinde Danlara karşı bir nefret vardı, babasından miras kalan bir nefret. Sonra aniden ürperdi ve içindeki çelik kayboldu. "Ayrıca, yaşamak istiyorum," dedi.

Ne diyeceğimi bilemedim. Kadınlar doğum yaparken ölürdü. Pek çoğu ölürdü. Gisela'nın doğum yaptığı iki seferde de Odin ve Thor'a kurban vermiştim ama yine de korkmuştum ve şimdi de korkuyordum, çünkü yine hamileydi.

"En bilge kadınlardan yardım alıyorsun," dedi Gisela, "ve onların kullandığı otlara ve tılsımlara güveniyorsun."

"Hayır," dedi Æthelflaed kararlı bir şekilde, "o değil."

"O zaman ne?"

"Bu gece," dedi Æthelflaed, "gece yarısı. St. Alban'ın kilisesinde."

"Bu gece mi? Kilisede mi?" diye sordum, kafam tamamen karışmış bir şekilde.

Kocaman mavi gözleriyle bana baktı. "Beni öldürebilirler," dedi.

"Hayır!" diye itiraz etti Gisela duyduklarına inanamayarak.

"Çocuğun kendisinden olduğundan emin olmak istiyor!" diye sözünü kesti Æthelflaed, "tabii ki ondan! Ama emin olmak istiyorlar ve ben korkuyorum!"

Gisela Æthelflaed'i kollarının arasına alıp saçlarını okşadı. "Kimse seni öldürmeyecek," dedi usulca, bana bakarak.

"Kilisede olun lütfen," dedi Æthelflaed, başı Gisela'nın göğüslerine bastırıldığı için kısılmış bir sesle.

"Seninle olacağız," dedi Gisela.

"Alban'a adanmış olan büyük kiliseye gidin," dedi Æthelflaed. Usulca ağlıyordu. "Peki canın ne kadar acıyor?" diye sordu. "İkiye bölünmek gibi mi? Annem öyle söylüyor!"

"Kötü," diye itiraf etti Gisela, "ama başka hiçbir şeye benzemeyen bir sevince yol açıyor." Æthelflaed'i okşadı ve gece yarısı olacakları açıklayabilecekmişim gibi bana baktı, ama kuzenimin kuşkucu zihninde ne olduğu hakkında hiçbir fikrim yoktu.

Bizi armut ağacının bahçesine götüren kadın kapıda belirdi. "Kocanız, hanımım," dedi telaşla, "sizi salonda istiyor."

"Gitmeliyim," dedi Æthelflaed. Koluyla gözlerini sildi, bize keyifsizce gülümsedi ve gitti.

"Ona ne yapacaklar?" diye sordu Gisela öfkeyle.

"Bilmiyorum."

"Büyü mü?" diye sordu. "Hristiyan büyücülüğü mü?"

"Bilmiyorum," dedim tekrar, bilmiyordum da. Çağrının gece yarısı, en karanlık saatte, kötülüğün ortaya çıktığı, şekil değiştirenlerin kol gezdiği ve Gece Gezenler'in geldiği saatte olduğunu saymazsak. Gece yarısı.

Sekiz

Aziz Alban Kilisesi çok eskiydi. Alt duvarlar taştandı, yani burayı Romalılar inşa etmişti ancak bir süre sonra çatı çökmüş, üst duvarlar parçalanmıştı. Bu yüzden artık baş yüksekliğinin üzerindeki neredeyse her şey ahşap, kamış ve sazdan yapılmıştı. Kilise Lundene'in ana caddesi üzerinde yer alıyordu. Bu cadde kuzeyden güneye, artık Bishop's Gate olarak anılan yerden yıkık köprüye kadar uzanıyordu. Beocca bir keresinde bana kilisenin Mersiya kralları için bir kraliyet şapeli olduğunu söylemişti ve belki de haklıydı. "Ayrıca Alban bir askerdi!" diye de eklemişti. Hikâyelerini bildiği ve sevdiği azizlerden bahsederken her zaman coşkulu olurdu, "Yani onu sevebilirsin!"

"Onu sadece asker olduğu için mi sevmeliyim?" diye sormuştum kuşkuyla.

"O cesur bir askerdi!" demişti Beocca; duraklamış, aktarması gereken önemli bir bilgi olduğundan heyecanla burnunu çekmişti, "ayrıca şehit edildiğinde celladının gözleri yuvalarından fırladı!" Kendi sağlam gözüyle bana bakıp gülümsemişti. "Düştüler, Uhtred! Kafasından fırladılar! Bu Tanrı'nın cezasıydı, anlıyor musun? Kutsal bir adamı öldürürsen Tanrı gözlerini çıkarır!"

"Yani Jænberht Kardeş kutsal değil miydi?" diye sormuştum.

Jænberht Peder Beocca'yı ve diğer kilise adamlarını dehşete düşürerek kilisenin birinde öldürdüğüm bir keşişti. "Hâlâ gözlerim var, peder," diye belirtmiştim.

"Kör olmayı hak ediyorsun!" demişti Beocca, "ama Tanrı merhametlidir. Bazen garip bir şekilde merhametli olduğunu söylemeliyim."

Bir süre Alban hakkında düşündükten sonra, "Eğer tanrınız bir adamın gözlerini çıkarabiliyorsa neden Alban'ın hayatını kurtarmadı?" diye sormuştum.

"Çünkü Tanrı kurtarmamayı seçti, tabii ki!" diye cevap vermişti Beocca burnunu çekerek, ki bu tam da bir Hristiyan rahipten tanrılarının başka bir açıklanamaz eylemini açıklamasını istediğinizde aldığınız türden bir cevaptı.

"Alban Romalı bir asker miydi?" diye sormuştum, tanrısının kaprisli ve acımasız doğasını sorgulamamayı tercih ederek.

"O bir Briton'du," demişti Beocca, "çok cesur ve çok kutsal bir Briton."

"Bu onun Galli olduğu anlamına mı geliyor?"

"Tabii ki öyle!"

"Belki de tanrınız bu yüzden ölmesine izin verdi," demiştim. Beocca istavroz çıkarıp gözlerini göğe çevirmişti.

Alban bir Galli olmasına ve biz Saksonların Gallileri hiç sevmemesine rağmen Lundene'de onun adını taşıyan bir kilise vardı ve Gisela, Finan ve ben oraya vardığımızda kilise ölü azizin cesedi kadar ölü görünüyordu. Sokak gece karanlığındaydı. Birkaç evin pencere kepenklerinden küçük bir ateşin ışığı sızıyordu ve yakındaki bir sokakta bir tavernadan yüksek sesle söylenen şarkılar duyuluyordu ama kilise kapkaranlık ve sessizdi. "Bundan hoşlanmadım," diye fısıldadı Gisela. Boynundaki muskaya dokunduğunu biliyordum. Evden ayrılmadan önce bu geceye dair bir işaret görmeyi umarak rün çubuklarını atmıştı ama çubukların rasgele dağılması kafasını karıştırmıştı.

Yakınlardaki bir ara sokakta bir şey hareket etti. Bir fareden başka bir şey olmayabilirdi ama Finan ve ben kılıçlarımızı kınlarından sıyırarak döndük. Ara sokaktaki gürültü hemen kesildi. Yılan Nefesi'ni yün astarlı kınına geri soktum.

Üçümüz de kukuletalı koyu renk pelerinler giyiyorduk, bu yüzden Aziz Alban'ın karanlık ve sessiz kapısının önünde dururken bizi izleyen biri varsa rahip ya da keşiş olduğumuzu düşünecekti. Kapının kenarlarından hiçbir ışık sızmıyordu. İçerideki mandalı kaldıran kısa ipi çekerek kapıyı açmaya çalıştım ama görünüşe göre kapı kilitliydi. Sertçe ittim, kilitli kapıyı salladım, sonra bir yumrukla ahşaplarına vurdum ama yanıt gelmedi. Sonra Finan koluma dokununca ayak seslerini duydum. "Sokağın karşısına," diye fısıldadım. Gürültüyü duyduğumuz ara sokağa geçtik. Küçük, dar geçit lağım kokuyordu.

"Bunlar rahip," diye fısıldadı Finan bana.

İki adam sokakta yürüyordu. Kepenkleri aralık bir pencereden sızan küçük ışıkta bir an için kendilerini gösterdiklerinde siyah cüppelerini ve göğüslerine taktıkları gümüş haçların parıltısını gördüm. Kilisenin önünde durdular. İçlerinden biri kilitli kapıya sertçe vurdu. Üç kez vurdu, durdu, bir kez daha vurdu, yine durdu, sonra üç kez daha vurdu.

Kilit mandalının kaldırıldığını ve kapı açılırken menteşelerin gıcırdadığını duyduk, sonra kapının içindeki bir perde kenara çekilirken sokak ışıkla doldu. Bir rahip ya da keşiş iki adamın mum ışığındaki kiliseye girmesine izin verdi, sonra birkaç dakika önce kapıyı tıkırdatan kişiyi arayarak yolun yukarısına ve aşağısına baktı. Kendisine bir soru yöneltilmiş olmalıydı ki dönüp cevap verdi. "Burada kimse yok lordum," deyip kapıyı çekti. Kilit mandalının düştüğünü duydum ve içerideki perde çekilip kilise tekrar karanlığa gömülene kadar bir an için kapının pervazında bir ışık belirdi.

"Bekleyin," dedim.

Bekledik. Rüzgârın sazdan çatılarda çıkardığı hışırtıyı ve yıkık evlerdeki uğultusunu dinledik. Kapının tıkırdatıldığını unutmaları için uzun bir süre bekledim.

"Gece yarısına yakın olmalı," diye fısıldadı Gisela.

"Kapıyı kim açarsa açsın susturulmalı," dedim usulca. Kilisenin içinde neler olduğunu bilmiyordum ama o kadar gizliydi ki kilise kilitliydi ve içeri girmek için kapıyı şifreli bir şekilde çalmak gerekiyordu, ayrıca davetsiz olduğumuzu ve kapıyı açan adam gelişimizi sorun ederse Æthelflaed'in içinde bulunduğu tehlikeyi asla keşfedemeyeceğimizi biliyordum.

"Onu bana bırakın," dedi Finan mutlulukla.

"O bir kilise adamı," diye fısıldadım, "bu seni endişelendiriyor mu?"

"Karanlıkta, lordum, bütün kediler siyahtır."

"Ne demek istiyorsun?"

"Onu bana bırakın," dedi İrlandalı tekrar.

"O zaman kiliseye gidelim," dedim. Üçümüz caddeyi geçtik. Kapıyı sertçe çaldım. İlk önce üç kez, sonra bir defa, ardından da üç kez daha vurdum.

Kapının açılması uzun zaman aldı ama sonunda demir çubuk kalktı ve kapı dışarı doğru itildi. "Başladılar," diye fısıldadı cüppeli bir figür, sonra onu yakasından tutup sokağa doğru sürükledim. Finan karnına vurduğunda adamın nefesi kesildi. İrlandalı ufak tefek bir adamdı ama kıvrak kollarında olağanüstü bir güç vardı ve nefesi kesilen adam iki büklüm oldu. Kapının iç perdesi girişi kapatmıştı, bu yüzden kilisenin içindeki hiç kimse dışarıda neler olduğunu göremiyordu. Finan adama bir yumruk daha atarak onu yere serdi, sonra da yere yığılmış figürün üzerine diz çöktü. "Yaşamak istiyorsan git buradan," diye fısıldadı Finan. "Kiliseden çok uzaklara git ve bizi gördüğünü unut. Anlıyor musun?"

"Evet," dedi adam.

Finan emri pekiştirmek için adamın kafasına hafifçe vurduktan sonra ayağa kalktı. Karanlık figürün ayağa fırlayıp tökezleyerek yokuş aşağı uzaklaştığını gördük. Gerçekten gittiğinden emin olmak için kısa bir süre bekledim, sonra üçümüz içeri girdik ve Finan kapıyı çekip çubuğu yerine bıraktı.

Perdeyi çektim.

Kilisenin en karanlık yerindeydik ama yine de kendimi açıkta hissediyordum çünkü sunağın bulunduğu en uç kısım mumlarla aydınlatılmıştı. Sunağın karşısında duran bir sıra cüppeli adamın gölgeleri bizi gizliyordu. Rahiplerden biri bize doğru döndü ama sadece pelerinli ve kukuletalı üç figür gördüğünden bizim rahip olduğumuzu düşünmüş olmalı ki sunağa doğru döndü.

Sunağın geniş ve alçak kürsüsündekileri seçebilmem biraz zaman aldı çünkü rahipler ve keşişler tarafından gizlenmişlerdi ama sonra kilise adamlarının hepsi gümüş haçın önünde eğildi. Æthelred ve Aldhelm'in sunağın sol tarafında, Piskopos Erkenwald'ın ise sağ tarafında durduğunu gördüm. Aralarında Æthelflaed vardı. Küçük göğüslerinin hemen altından kemerli, beyaz keten bir elbise giymişti ve sarı saçları sanki yeniden bir kız çocuğuymuş gibi salınıktı. Korkmuş görünüyordu. Yaşlı bir kadın Æthelred'in arkasında duruyordu. Sert bakışlı bir kadındı ve gri saçları kafatasının tepesinde sıkıca toplanmıştı.

Piskopos Erkenwald Latince dua ederken her birkaç dakikada bir onu izleyen rahipler ve keşişler -toplam dokuz kişiydiler- sözlerini tekrarlıyordu. Erkenwald üzerine mücevherli haçlar dikilmiş kırmızı ve beyaz bir cüppe giymişti. Her zaman sert olan sesi taş duvarlardan yankılanırken kilise adamlarının tepkileri donuk bir mırıltıdan ibaretti.

Æthelred sıkılmış görünüyordu, Aldhelm ise alevlerle aydınlatılmış mabette ortaya çıkan gizemlerden oldukça keyif alıyor gibiydi.

Piskopos duasını bitirdi, izleyenlerin hepsi "Amin," dedi ve Erkenwald sunaktan bir kitap almadan önce hafif bir duraklama oldu. Kitabın deri kapağını açıp kaskatı sayfaları çevirerek bir martı tüyüyle işaretlediği yere geldi. "Bu," artık İngilizce konuşuyordu, "Rabb'in sözüdür."

Rahipler ve keşişler, "Rabbin sözünü dinleyin," diye mırıldandı.

"Eğer bir adam karısının sadakatsizliğinden korkuyorsa," diye daha yüksek sesle konuştu piskopos, yankılanan cırtlak sesiyle, "onu rahibin önüne getirecek! Ve bir armağan getirecek!" Piskopos dikkatle zırhın üzerine soluk yeşil bir pelerin giymiş olan Æthelred'e baktı. Hatta kılıçlarını bile kuşanmıştı ki bu çoğu rahibin kilisede asla izin vermeyeceği bir şeydi. "Bir armağan!" diye tekrarladı piskopos.

Æthelred sanki uykusundan uyandırılmış gibi ayağa kalktı. Kılıç kemerinden sarkan bir torbayı karıştırıp küçük bir kese çıkararak piskoposa doğru uzattı. "Arpa," dedi.

Erkenwald, "Tanrı'nın emrettiği gibi," diye karşılık verdi ama teklif edilen arpayı almadı.

"Ve gümüş," diye ekledi Æthelred, torbasından aceleyle ikinci bir kese çıkararak.

Erkenwald iki armağanı da alıp haçın önüne koydu. Çivilenmiş tanrısının pırıl pırıl parlayan görüntüsü önünde eğildi, sonra büyük kitabı tekrar eline aldı. "Bu Rabb'in sözüdür," dedi ateşli bir şekilde, "toprak bir kaba kutsal su koyacağız ve rahip mabedin zeminindeki topraktan alıp o tozu suya koyacak."

Kitap sunağa geri konarken bir rahip piskoposa, Erkenwald önünde eğildiği için içinde kutsal su olduğu belli olan sade, topraktan bir kap uzattı. Erkenwald eğilip yerden bir avuç toprak alarak onu suyun içine döktü ve kitabı tekrar eline almadan önce kabı sunağın üzerine koydu.

"Seni suçluyorum kadın," dedi zalimce, kitaptan başını kaldırıp Æthelflaed'e bakarak, "eğer başka bir adam seninle yatmadıysa, kocanla evliyken yoldan çıkıp günah işlemediysen lanet getiren bu acı su sana zarar vermesin!"

Rahiplerden biri "Amin," dedi.

"Rabb'in sözü!" dedi bir başkası.

"Ama kocanla evliyken yoldan çıkıp başka biriyle yatarak günah işlediysen," Erkenwald kelimeleri okurken tükürükler saçıyordu, "Rab sana eriyen kalça, şişen karın versin." Kitabı sunağın üzerine geri koydu. "Konuş, kadın."

Æthelflaed sadece piskoposa baktı. Hiçbir şey söylemedi. Gözleri korkudan faltaşı gibi açılmıştı.

"Konuş, kadın!' diye hırladı Piskopos. "Hangi kelimeleri söylemen gerektiğini biliyorsun! Söyle o zaman!"

Æthelflaed konuşamayacak kadar korkmuş görünüyordu. Aldhelm Æthelred'e bir şeyler fısıldadı, o da başını salladı ama hiçbir şey yapmadı. Aldhelm tekrar fısıldadı, Æthelred yine başını salladı ve bu sefer Aldhelm bir adım öne çıkıp Æthelfaed'e vurdu. Sert bir darbe değildi, sadece kafasına bir tokat atmıştı, ama istemsizce öne doğru bir adım atmama yetti. Gisela kolumu tutarak beni durdurdu. "Konuş kadın," diye emretti Aldhelm Æthelflaed'e.

"Amin," diye fısıldamayı başardı Æthelflaed, "amin."

Gisela'nın eli hâlâ kolumdaydı. Sakin olduğumun bir işareti olarak parmaklarını okşadım. Kızgındım, şaşırmıştım ama sakindim. Gisela'nın elini okşadım, sonra parmaklarımı Yılan Nefesi'nin kabzasına indirdim.

Æthelflaed belli ki doğru kelimeleri söylemişti çünkü Piskopos Erkenwald sunaktan toprak kabı aldı. Sanki tanrısına gösteriyormuş gibi onu haçın önünde yükseğe kaldırdı, ardından toprakla kirlenmiş sudan birazını dikkatlice gümüş bir kadehe döktü. Toprak kabı tekrar yükseğe kaldırdı, sonra onu törensel bir şekilde Æthelflaed'e sundu. "Acı suyu iç," diye emretti ona.

Æthelflaed tereddüt etti, sonra Aldhelm'in zırhlı kolunun ona tekrar vurmaya hazır olduğunu görüp itaatkâr bir şekilde kaba uzandı.

Kabı aldı, kısa bir süre ağzının önünde tuttu, sonra gözlerini kapadı, yüzünü buruşturdu ve içindekileri içti. Adamlar dikkatle izleyerek kadının bardağı boşalttığından emin oldular. Mumların alevi çatıdaki baca deliğinden gelen cereyanla titredi ve şehrin bir yerinde aniden bir köpek uludu. Gisela artık kolumu kavramış, parmaklarını pençe gibi sıkıyordu.

Erkenwald kabı alıp boş olduğuna emin olduktan sonra başıyla Æthelred'e işaret etti. "İçti," diye onayladı. Æthelflaed'in yüzü, gözyaşları artık üzerinde bir tüy kalem, bir kap mürekkep ve bir parça parşömen olan sunağın titrek ışığını yansıttığından parlıyordu. "Şu anda yaptığım şey Tanrı'nın sözüne göredir," dedi Erkenwald ciddiyetle.

"Amin," dedi rahipler. Æthelred sanki gözlerinin önünde etinin çürümeye başlamasını bekliyormuş gibi karısını izliyordu. Æthelflaed'in kendisi ise o kadar titriyordu ki yere yığılacağını sandım.

Piskopos, "Tanrı bana lanetleri yazmamı emrediyor," dedikten sonra sunağa doğru eğildi. Tüy kalemi uzun bir süre çiziktirdi. Æthelred hâlâ dikkatle Æthelflaed'e bakıyordu. Piskopos bir şeyler karalarken rahipler onu izliyordu. "Ve lanetleri yazdıktan sonra," dedi Erkenwald, mürekkep kabını kapatarak, "göklerdeki Babamız Yüce Tanrı'nın buyruklarına göre onları siliyorum."

Bir rahip, "Rabb'in sözünü dinleyin," dedi.

"Adına şükürler olsun," dedi bir başkası.

Erkenwald içine az miktarda kirli su döktüğü gümüş tası alıp içindekileri yeni yazılmış kelimelerin üzerine damlattı. Parmağıyla mürekkebi temizledi, sonra parşömeni kaldırarak yazının unutulması için bulandırıldığını gösterdi. "Bitti," dedi gösterişli bir şekilde, sonra gri saçlı kadına başıyla işaret etti. "Görevini yap!" diye emretti ona.

Yaşlı, kederli bir yüzü olan kadın Æthelflaed'in yanına gitti. Kız geri çekildi ama Aldhelm onu omuzlarından yakaladı. Æthelflaed dehşet içinde çığlık atınca Aldhelm'in cevabı kafasına sertçe vurmak oldu. Æthelred'in karısına başka bir adam tarafından yapılan bu saldırıya tepki göstermesi gerektiğini düşündüm ama belli ki bunu onaylıyordu, çünkü Aldhelm'in Æthelflaed'i tekrar omuzlarından tutmasını izlemekten başka bir şey yapmadı. Yaşlı kadın Æthelflaed'in keten elbisesinin eteğini yakalamak için eğilirken Aldhelm onu hareketsiz tuttu. "Hayır!" diye itiraz etti Æthelflaed ağlamaklı, çaresiz bir sesle.

"Onu bize göster!" diye parladı Erkenwald. "Bize kalçalarını ve karnını göster!"

Kadın itaatkâr bir şekilde Æthelflaed'in kalçalarını göstermek için elbiseyi kaldırdı.

"Yeter!" Bu kelimeyi söylerken bağırmıştım.

Kadın dondu kaldı. Rahipler eğilmiş Æthelflaed'in çıplak bacaklarına bakıyor ve karnını ortaya çıkarmak için elbisenin kaldırılmasını bekliyordu. Aldhelm hâlâ onu omuzlarından tutuyordu, piskopos ise kilisenin kapısında benim konuştuğum yerdeki gölgelere doğru bakıyordu. "Kim o?" diye sordu Erkenwald.

"Sizi şeytani piçler," dedim, adımlarım taş duvarlarda yankılanarak ilerlerken, "sizi iğrenç piç kuruları." O geceki öfkemi hatırlıyorum, soğuk ve vahşi bir öfke beni sonuçlarını düşünmeden müdahale etmeye itmişti. Karımın rahiplerinin hepsi öfkenin günah olduğunu vaaz eder, ama öfkesi olmayan bir savaşçı gerçek bir savaşçı değildir. Öfke bir mahmuzdur, bir kışkırtıcıdır, korkunun üstesinden gelerek bir adamın savaşmasını sağlar ve o gece Æthelflaed için savaşacaktım. "O bir kralın kızı," diye hırladım, "o yüzden bırak o elbiseyi!"

"Tanrı sana ne derse onu yapacaksın," diye hırladı Erkenwald kadına, ama kadın ne elbisenin eteğini indirmeye ne de daha fazla kaldırmaya cesaret edebildi.

Eğilmiş rahiplerin arasından sıyrıldım. Birinin kıçına öyle sert bir tekme attım ki piskoposun ayaklarının dibindeki kürsüye doğru yuvarlandı. Erkenwald, gümüş tepeliği bir çobanın değneği gibi kıvrılmış olan asasını eline alıp bana doğru savurdu ama gözlerimi görünce hamlesini durdurdu. Yılan Nefesi'ni çektim, uzun çeliği kının ağzına sürtünerek tıslıyordu. "Ölmek mi istiyorsun?" diye sordum Erkenwald'a. Sesimdeki tehdidi duyup asasını yavaşça yere indirdi. "Elbiseyi bırak," dedim kadına. Tereddüt etti. "Bırak onu, seni pis orospu," diye hırladım, sonra piskoposun kıpırdadığını hissedip Yılan Nefes'ini boğazının hemen altında parlayacak şekilde döndürdüm. "Tek bir kelime, piskopos," dedim, "tek bir kelime ve tanrınla hemen burada tanışacaksın. Gisela!" diye seslendim. Gisela sunağa geldi. "Kocakarıyı al," dedim ona, "Æthelflaed'i de al ve karnının şişip şişmediğine ya da kalçalarının çürüyüp çürümediğine bak. Bunu mahremiyet içinde yap. Ve sen!" Kılıcı ucu Aldhelm'in yaralı yüzünü gösterecek şekilde çevirdim, "Kral Alfred'in kızından ellerini çek, yoksa seni Lundene Köprüsü'ne asarım ve kuşlar gözlerini oyup dilini yer." Æthelflaed'i bıraktı.

Dili çözülen Æthelred "Buna hakkınız yok..." dedi.

"Buraya Alfred'den bir mesaj getirdim," diye sözünü kestim. "Gemilerinin nerede olduğunu bilmek istiyor. Yelken açmanı istiyor. Görevini yapmanı istiyor. Öldürülecek Danlar varken neden burada gizlendiğini bilmek istiyor." Yılan Nefesi'ni kınına sokup yerine yerleşmesine izin verdim. "Ayrıca," diye devam ettim kılıcımın kilisede yankılanan sesi geçtiğinde, "kızının onun için değerli olduğunu ve onun için değerli olan şeylere kötü davranılmasından hoşlanmadığını bilmeni istiyor." Bu mesajı ben uydurdum elbette.

Æthelred sadece bana baktı. Hiçbir şey söylemedi, ama çenesi titreyen yüzünde bir öfke ifadesi vardı. Alfred'den bir mesaj getirdiğime inanmış mıydı? Bunu bilemezdim ama görevinden kaçtığını bildiği için böyle bir mesajdan korkmuş olmalıydı.

Piskopos Erkenwald da aynı derecede öfkeliydi. "Tanrı'nın evinde kılıç taşımaya nasıl cüret edersin?" diye sordu öfkeyle.

"Bundan daha fazlasını yapmaya da cüret ederim, piskopos," dedim. "Kardeş Jænberht'i duydun mu? Değerli şehitlerinden biri? Onu bir kilisede öldürdüm ve tanrınız ne onu kurtardı ne de kılıcımı durdurdu." Jænberht'in boğazını keserken yaşadığım şaşkınlığı hatırlayarak gülümsedim. O keşişten nefret etmiştim. "Kralınız," dedim Erkenwald'a, "tanrısının işinin yapılmasını istiyor ve bu iş Danları öldürmek, genç bir kızın çıplaklığına bakarak kendinizi eğlendirmek değil."

"Bu Tanrı'nın işi!" diye bağırdı Æthelred.

O an onu öldürmek istedim. Elim Yılan Nefesi'nin kabzasına gittiğinde kılıcın titrediğini hissettim, ama tam o sırada kocakarı geri geldi. "O..." diye başladı kadın, sonra Æthelred'e attığım nefret dolu bakışı görünce sustu.

"Konuş kadın!" diye emretti Erkenwald.

"Hiçbir belirti göstermiyor lordum," dedi kadın isteksizce. "Teni lekesiz."

"Göbeği ve kalçaları?" diye üsteledi Erkenwald.

"O temiz," diye konuştu Gisela kilisenin yan tarafındaki bir girintiden. Bir kolunu Æthelflaed'e dolamıştı, sesi buruktu.

Erkenwald bu haberden rahatsız olmuş gibiydi ama kendini toparladı ve Æthelflaed'in gerçekten temiz olduğunu isteksizce kabul etti. Æthelred'e, "O kesinlikle lekesiz, lordum," dedi, beni görmezden gelerek. Finan izleyen rahiplerin arkasında duruyordu, varlığı onlar için bir tehditti. İrlandalı gülümsüyor ve Æthelred gibi kılıç kuşanmış olan Aldhelm'i izliyordu. Her iki adam da beni öldürmeye çalışabilirdi ama ikisi de silahlarına dokunmadı.

"Karın lekesiz değil," dedim Æthelred'e, "senin tarafından kirletildi."

Yüzü sanki ona tokat atmışım gibi gerildi. "Sen..." diye başladı.

O zaman öfkemi serbest bıraktım. Kuzenimden çok daha uzun ve geniştim. Onu sunaktan kilisenin yan duvarına doğru ittim ve orada onunla öfke dolu bir tıslamayla konuştum. Söylediklerimi sadece o duyabilirdi. Aldhelm Æthelred'i kurtarmak isteyebilirdi ama Finan onu izliyordu ve İrlandalının ünü Aldhelm'in kıpırdamaması için yeterliydi. "Æthelflaed'i küçüklüğünden beri tanırım," dedim Æthelred'e, "ve onu kendi çocuğum gibi severim. Bunu anlıyor musun, piç kurusu? O benim kızım gibi, senin için de iyi bir eş. Ve eğer ona bir daha dokunursan kuzen, Æthelflaed'in yüzünde bir morluk daha görürsem seni bulur ve öldürürüm." Durdum, artık susmuştu.

Dönüp Erkenwald'a baktım. "Peki ya Leydi Æthelflaed'in kalçaları çürümüş olsaydı ne yapacaktın, piskopos?" diye alay ettim. "Alfred'in kızını öldürmeye cesaret edebilir miydin?"

Erkenwald onu bir rahibe manastırına mahkûm etmekle ilgili bir şeyler mırıldandı ama umurumda değildi. Aldhelm'in yanında durup ona baktım. "Ve sen," dedim, "bir kralın kızına vurdun." Ona öyle sert vurdum ki sunağa doğru döndü ve dengesini sağlamak için sendeledi. Ona karşılık vermesi için bir şans vererek bekledim ama cesareti kalmamıştı, ona tekrar vurdum ve sonra geri çekilerek kilisedeki herkesin duyabileceği şekilde sesimi yükselttim. "Wessex kralı, Lord Æthelred'e yelken açmasını emrediyor."

Alfred böyle bir emir vermemişti ama Æthelred kayınpederine böyle bir emir verip vermediğini sormaya cesaret edemezdi. Erkenwald'a gelince Alfred'e bir kilisenin içinde kılıç taşıdığımı ve tehditler savurduğumu söyleyeceğinden emindim ve Alfred buna kızacaktı. Bir kiliseyi kirlettiğim için bana, kızını aşağıladıkları için rahiplere kızacağından daha çok kızacaktı ama ben Alfred'in kızmasını istiyordum. Beni yeminimden azlederek ve böylece hizmetinden serbest bırakarak cezalandırmasını istiyordum. Alfred'in beni yeniden özgür bir adam; kılıcı, kalkanı ve düşmanları olan bir adam yapmasını istiyordum. Alfred'den kurtulmak istiyordum ama Alfred buna izin vermeyecek kadar zekiydi. Beni nasıl cezalandıracağını biliyordu.

Yeminimi tutmamı sağlayacaktı.

İki gün sonra, Gunnkel Hrofeceastre'den kaçalı uzun bir zaman geçmişken Æthelred nihayet denize açıldı. Wessex'in o zamana kadar topladığı en güçlü filo olan on beş savaş gemisi, Steapa tarafından Æthelred'e iletilen öfkeli bir mesajın itici gücüyle gelgitte nehirden aşağı süzüldü. İri adam Hrofeceastre'den gelmişti ve Alfred'den taşıdığı mesajda, mağlup Vikingler kaçarken donanmanın neden oyalandığını öğrenmek istiyordu. Steapa o gece bizim evde kaldı. Akşam yemeğinde bana, "Kral mutsuz," dedi, "onu hiç bu kadar kızgın görmemiştim!" Steapa'nın yemek yiyişi Gisela'yı büyülemişti. Bir eliyle dişleriyle parçaladığı domuz pirzolalarını tutuyor, diğer eliyle de ağzının boş bir köşesine ekmek tıkıştırıyordu. "Çok kızgın," dedi bira içmek için duraklayarak. "Sture," diye ekledi gizemli bir şekilde, bir parça daha pirzola alarak.

"Sture?"

"Gunnkel orada kamp kurmuştu. Alfred muhtemelen oraya geri döndüğünü düşünüyor."

Sture Doğu Anglia'da, Temes'in kuzeyinde bir nehirdi. Oraya bir kez gitmiştim ve uzun, kumlu bir araziyle doğudan gelen fırtınalardan korunan geniş bir ağzı olduğunu hatırlıyordum.

"Orada güvende," dedim.

"Güvende mi?" diye sordu Steapa.

"Guthrum'un bölgesi."

Steapa dişlerinin arasından bir parça et çıkarmak için durakladı. "Guthrum onu orada barındırıyordu. Alfred bundan hoşlanmıyor. Guthrum'un kulağının çekilmesi gerektiğini düşünüyor."

"Alfred Doğu Anglia ile savaşa mı gidiyor?" diye sordu Gisela şaşırarak.

"Hayır, leydim. Sadece kulağını çekecek," dedi Steapa, çenesiyle birkaç kıkırdadığı parçalayarak. Sanırım yarım domuzu yemişti ve hiçbir yavaşlama belirtisi göstermiyordu. "Guthrum savaş istemiyor leydim. Ama ona paganları barındırmaması gerektiği öğretilmeli. Bu yüzden Lord Æthelred'i Gunnkel'in Sture'deki kampına saldırması ve bunu yaparken de Guthrum'un sığırlarından bazılarını çalması için gönderiyor. Sadece kulağını çekiyor." Steapa bana ciddi bir bakış attı. "Gelemeyecek olman çok yazık."

"Öyle," diye kabul ettim.

Alfred'in Guthrum'u cezalandırmak amacıyla bir sefere liderlik etmesi için neden Æthelred'i seçtiğini merak ediyordum. Æthelred Wessexli Alfred'e yemin etmiş olmasına rağmen bir Batı Sakson bile değildi. Kuzenim bir Mersiyalıydı ve Mersiyalılar hiçbir zaman gemileriyle ün yapmamıştır. Peki neden Æthelred'i seçmişti? Bulabildiğim tek açıklama, Alfred'in en büyük oğlu Edward'ın sesi hâlâ kalınlaşmamış bir çocuk olduğu ve Alfred'in kendisinin de hasta bir adam olduğuydu. Kendi ölümünden ve Edward'ın çocuk yaşta tahta geçmesi durumunda Wessex'e çökebilecek olan kaostan korkuyordu. Bu yüzden Alfred Æthelred'e, Gunnkel'in gemilerini Medwæg'de tuzağa düşürmedeki başarısızlığını telafi etmek için bir şans ve Wessex'in soylularını ve hükümdarlarını, kendisi Edward tahta geçecek yaşa gelmeden ölürse Mersiya hükümdarı Æthelred'in onları yönetebileceğine ikna edecek kadar büyük bir ün kazanma fırsatı sunuyordu.

Æthelred'in donanması Doğu Anglia'daki Danlara bir mesaj taşıyordu. Eğer Wessex'e saldırırsanız, diyordu Alfred, biz de size saldırırız. Kıyılarınızı taciz ederiz, evlerinizi yakarız, gemilerinizi batırırız ve sahilleriniz ölüm kokar. Alfred, Æthelred'i bir Viking yapmıştı ve ben bunu kıskanmıştım.

Gemilerimle açılmak istedim ama Lundene'de kalmam emredildiğinden itaat etmek zorundaydım ve gemilerimle açılmak yerine büyük filonun Lundene'den ayrılışını izledim. Etkileyiciydi. Ele geçirilen savaş gemilerinin en büyüğünün bir tarafında otuz kürek vardı ve bu gemiler altı taneydiler, en küçüğünde bile yirmi kürek bulunuyordu. Æthelred bu akında neredeyse bin adama liderlik ediyordu ve bunların tamamı iyi adamlar, Alfred'in hanedan birliklerinden eğitimli savaşçılardı. Æthelred büyük gemilerden biriyle yelken açmıştı, bir zamanlar geminin gövdesinde simsiyah büyük bir kuzgun başı vardı ama o gagalı suret gitmişti ve artık geminin adı "haç taşıyıcısı" anlamına gelen *Rodbora*'ydı. Geminin gövdesi devasa bir haçla süslüydü ve gemide savaşçılar, rahipler ve elbette Æthelflaed vardı, çünkü Æthelred onsuz hiçbir yere gitmezdi.

Yaz mevsimiydi. Yazın bir kasabada hiç yaşamamış olanlar ne o pis kokuyu ne de o sinekleri hayal edebilir. Kırmızı akbabalar sokaklara üşüşmüş, leşlerle besleniyordu. Rüzgâr kuzeyden estiğinde tabakhanelerin çukurlarındaki sidik ve hayvan dışkısı kokusu, insanların şehirdeki lağımının kokusuna karışıyordu. Gisela'nın karnı büyüdükçe onun için duyduğum korku da büyüyordu.

Elimden geldiğince sık denize açıldım. *Deniz Kartalı*'nı ve *Tanrı'nın Kılıcı*'nı gelgitle nehre indirdik ve sular yükselince geri döndük. Beamfleot'tan gelen gemilerin peşindeydik ama Sigefrid'in adamları derslerini almıştı ve derelerinden yanlarında üç gemiden daha azı varsa asla ayrılmıyorlardı. Yine de bu gemi grupları av peşinde koşsa da ticaret sonunda Lundene'e ulaşmaya başlamıştı, çünkü tüccarlar büyük konvoylar halinde yelken açmayı öğrenmişti. Bir düzine gemi birbirine eşlik ediyordu, hepsi de silahlı adamlarla doluydu. Bu yüzden Sigefrid'in kazancı kısıtlıydı, ama benimki de öyleydi.

Kuzenimin seferinden haber almak için iki hafta bekledim ve Temes'de her zamanki gezintimi yaptığım bir gün akıbetini öğrendim. Lundene'in dumanını ve kokularını geride bırakıp temiz deniz rüzgârlarını hissettiğimiz her zaman kutsanmış bir andı. Nehir balıkçılların kol gezdiği geniş bataklıkların etrafından dolanırdı. O gün mutlu olduğumu hatırlıyorum çünkü her yerde mavi kelebekler vardı. *Deniz Kartalı*'nın ve peşimizden gelen *Tanrı'nın Kılıcı*'nın üzerine kondular. Bir böcek uzattığım parmağımın üzerine tünedi ve kanatlarını açıp kapattı.

"Bu iyi şans demek lordum," dedi Sihtric.

"Öyle mi?"

"Orada ne kadar uzun süre kalırsa şansınız da o kadar uzun sürer," dedi Sihtric. Kendi elini uzattı ama mavi kelebek oraya konmadı.

"Görünüşe göre hiç şansın yok," dedim neşeyle. Parmağımdaki kelebeği izlerken Gisela'yı ve doğumu düşündüm. Orada kal, diye emrettim sessizce böceğe ve öyle de yaptı.

Sihtric sırıtarak, "Şanslıyım lordum," dedi.

"Öyle mi?"

"Ealhswith Lundene'de," dedi. Ealhswith Sihtric'in sevdiği fahişeydi.

"Lundene'de onun için Coccham'dakinden daha fazla ticaret var," dedim.

"O işi bıraktı," dedi Sihtric hararetle.

Şaşırmış bir halde ona baktım. "Bıraktı mı?"

"Evet, lordum. Benimle evlenmek istiyor, lordum."

Yakışıklı, genç bir adamdı; şahin yüzlü, siyah saçlı ve yapılıydı. Onu neredeyse çocukluğundan beri tanıyordum ve sanırım bu onun hakkındaki izlenimlerimi değiştirmişti, çünkü onu hâlâ Cair Ligualid'de hayatını bağışladığım o korkmuş çocuk olarak görüyordum. Ealhswith belki de onun dönüştüğü genç adamı görmüştü. Uzaklara baktım. Güney bataklıklarından yükselen küçük bir duman bulutunu izliyordum. Ateşin kimin ateşi olduğunu ve sivrisineklerin cirit attığı bu bataklıkta insanların nasıl yaşadığını merak ettim. "Uzun zamandır onunla birliktesin," dedim.

"Evet, lordum."

"Onu bana gönder," dedim. Sihtric bana yeminliydi. Bu yüzden evlenmek için iznime ihtiyacı vardı çünkü karısı benim hanemin bir parçası olacaktı ve benim sorumluluğum altına girecekti. "Onunla konuşacağım," diye ekledim.

"Onu seveceksiniz lordum."

Bunun üzerine gülümsedim. "Umarım öyle olur," dedim.

Bir kuğu sürüsü teknelerimizin arasında kanat çırpıyor, yaz havasında kanat sesleri yükseliyordu. Gisela'yla ilgili korkularım dışında kendimi mutlu hissediyordum ve kelebek de bu endişemi yatıştırıyordu, gerçi bir süre sonra parmağımdan fırlayıp güneye doğru giden kuğuların arkasından beceriksizce kanat çırptı. Yılan Nefesi'nin kabzasına, sonra da muskama dokundum ve Gisela'nın güvende olması için Frigg'e dua ettim.

Caninga'ya varmadan önce öğlen olmuştu. Gelgit alçalmıştı ve çamur düzlükleri tek geminin biz olduğumuz sakin halice doğru uzanıyordu. *Deniz Kartalı*'nı Caninga'nın güney kıyısına yaklaştırıp Beamfleot'un deresine doğru baktım ama sıcak hava adayı bulanıklaştırdığından işe yarar hiçbir şey göremiyordum. "Görünüşe göre gitmişler," diye yorum yaptı Finan. O da benim gibi kuzeye doğru bakıyordu.

"Hayır," dedim, "orada gemiler var." Titreşen havanın içinden Sigefrid'in gemilerinin direklerini görebildiğimi sanıyordum.

"Olması gerektiği kadar çok değil," dedi Finan.

"Bir bakalım," dedim, böylece adanın doğu ucunun etrafında kürek çektik ve Finan'ın haklı olduğunu keşfettik. Sigefrid'in gemilerinin yarısından fazlası küçük Hothlege Nehri'ni terk etmişti.

Sadece üç gün önce derede otuz altı direk varken şimdi sadece on dört direk vardı. Kayıp gemilerin nehrin yukarısına, Lundene'e doğru gitmediklerini biliyordum; çünkü onları görmüş olurduk, bu durumda da geriye sadece iki seçenek kalıyordu: Ya Doğu Anglia kıyılarının doğusuna ve kuzeyine gitmişlerdi ya da Cent'e yeni bir baskın yapmak için güneye doğru kürek çekmişlerdi. Çok sıcak, yüksek ve parlak olan güneş, yüksek kampın surlarındaki mızrak uçlarından göz kamaştırıcı bir ışık yansıtıyordu. Adamlar o yüksek surdan bizi izliyordu ve dönüp yelkenlerimizi açtığımızı, şafaktan beri esen hafif bir kuzeydoğu rüzgârının bizi halicin güneyine taşıdığını gördüler. Bir akıncı grubunun bir kasabaya saldırmak, yağmalamak ve yakmak için karaya çıktığını söyleyecek büyük bir duman bulutu arıyordum ama Cent'in üzerindeki gökyüzü açıktı. Yelkenleri indirip doğuya, Medwæg'in ağzına doğru kürek çektik. Hâlâ duman görmüyorduk, sonra baş tarafımızda konuşlanmış keskin gözlü Finan gemileri gördü.

Altı gemi.

Küçük bir gemi grubu değil, en az yirmi teknelik bir filo arıyordum ve ilk başta altısının Lundene'e doğru kürek çekerken birbirlerine arkadaşlık eden ticaret gemileri olduğunu düşündüğümden dikkat etmedim, ama sonra Finan kürekçi sıralarının arasından aceleyle yanıma geldi. "Bunlar savaş gemileri," dedi.

Doğuya doğru baktım. Gövdelerindeki koyu benekleri görebiliyordum ama benim gözlerim Finan'ınki kadar keskin olmadığından şekillerini seçemiyordum. Altı gövde sıcak havanın bulanıklığında titreşiyordu. "Hareket ediyorlar mı?" diye sordum.

"Hayır, lordum."

"Neden oraya demirlemişler?" diye merak ettim. Gemiler Medwæg'in ağzının uzak tarafında, "parlak burun" anlamına gelen Scerhnesse denilen noktanın hemen açığındaydı ve burası demirlemek için garip bir yerdi çünkü alçak noktadan güçlü bir şekilde dönen akıntılar vardı.

Finan, "Sanırım karaya oturmuşlar, lordum," dedi. Eğer gemiler demirlemiş olsaydı akıntının onları nehrin yukarısına taşıdığını düşünürdüm ama karaya oturmuş tekneler genellikle adamların karaya çıktığı anlamına gelirdi, karaya çıkmanın tek nedeni ise yağma bulmaktı.

"Ama Scaepege'de çalacak bir şey kalmadı," dedim şaşkınlıkla. Scerhnesse Temes'in halicinin güney tarafındaki bir ada olan Scaepege'nin batı ucunda yer alıyordu. Scaepege Viking akınları tarafından taciz edilmiş, hırpalanmış ve tekrar taciz edilmişti. Orada çok az insan yaşıyordu ve yaşayanlar da derelerde saklanıyordu. Scaepege ile ana kara arasındaki kanal Swealwe olarak bilinirdi ve bütün Viking filoları kötü havalarda buraya sığınırdı. Scaepege ve Swealwe tehlikeli yerlerdi ama gümüş ya da köle bulunacak yerler değildi.

"Daha yakına gidelim," dedim. Finan pruvaya geri döndü, Ralla da *Tanrı'nın Kılıcı*'yla *Deniz Kartalı*'nın yanına yanaştı. Uzaktaki gemileri işaret ettim. "Şu altı gemiye bir göz atacağız!" diye seslendim karşı tarafa. Ralla başıyla onayladı, bir emir verdi ve kürekler suya gömüldü.

Medwæg'in geniş açıklığını geçerken Finan'ın haklı olduğunu gördüm. Altısı da savaş gemisiydi, altısı da yük taşıyan herhangi bir gemiden daha uzun ve zayıftı ve hepsi karaya oturtulmuştu. Mürettebatın karada ateş yaktığını düşündüren bir duman tabakası güneye ve batıya doğru süzülüyordu. Pruvalarda canavar başları göremiyordum ama bu hiçbir şey ifade etmiyordu. Viking mürettebatı Scaepege'nin tamamını Dan toprağı olarak görmüş ve adanın ruhlarını korkutmamak için ejderhalarını, kartallarını, kuzgunlarını ve yılanlarını çıkarmış olabilirdi.

Clapa'yı dümene çağırdım. "Onu doğruca gemilere doğru götür," diye emrettim, sonra da Finan'a katılmak için ileriye, pruvaya gittim. Osferth küreklerden birinin başında terliyor ve suratını asıyordu. "Kas yapmak için kürek çekmek gibisi yok," dedim neşeyle ve çatık kaşlarla ödüllendirildim.

İrlandalının yanına tırmandım. "Danlara benziyorlar," diye selamladı beni.

"Altı mürettebatla savaşamayız," dedim.

Finan kasıklarını kaşıdı. "Sence orada kamp mı kuruyorlar?" Bu kötü bir düşünceydi. Sigefrid'in gemilerinin halicin kuzey tarafından yelken açması, güney kıyısında başka bir engerek yuvası inşa edilmeden de yeterince kötüydü. "Hayır," dedim, çünkü ilk kez benim gözlerim İrlandalınınkinden daha keskin çıkmıştı. "Hayır," dedim, "kamp kurmuyorlar." Muskama dokundum.

Finan hareketimi görmüş, sesimdeki öfkeyi duymuştu. "Ne?" diye sordu.

"Soldaki gemi," dedim işaret ederek, "o *Rodbora.*" Kıç direğine monte edilmiş haçı görmüştüm.

Finan ağzını açtı ama bir an için hiçbir şey söylemedi. Sadece baktı. Altı gemi, sadece altı gemi ve Lundene'den on beş gemi ayrılmıştı. "Yüce Tanrı'm," diye konuştu Finan sonunda. İstavroz çıkardı. "Belki de diğerleri nehrin yukarısına gitmiştir?"

"Onları görürdük."

"O zaman arkadan mı geliyorlar?"

"Haklı olsan iyi olur," dedim ciddi bir ifadeyle, "yoksa dokuz gemi gitmiş demektir."

"Tanrı'm, hayır."

Artık yaklaşmıştık. Kıyıdaki adamlar teknemdeki kartal başını görüp beni Viking sandı ve bazıları karaya oturmuş iki geminin arasındaki sığlığa koşup orada bir kalkan duvarı oluşturarak saldırmam için bana meydan okudu. Kalkan duvarının ortasındaki devasa figürü görünce, "Bu Steapa," dedim. Kartalın indirilmesini emrettim, sonra da barış için geldiğimi göstermek üzere ellerim boş, kollarım havada, durdum. Steapa beni tanıdı ve kalkanlar indirilip silahlar kınlarına sokuldu. Bir an sonra *Deniz Kartalı*'nın pruvası yumuşak bir şekilde kumlu çamurun üzerine kaydı. Gelgit yükseliyordu, yani gemi güvendeydi.

Yan taraftan belime kadar gelen suya atlayıp kıyıya çıktım. Sahilde en az dört yüz adam olduğunu tahmin ediyordum. Bu sayı sadece altı gemi için çok fazlaydı ve kıyıya yaklaştığımda bu adamların çoğunun yaralı olduğunu gördüm. Kana bulanmış sargı bezleri ve solgun yüzleriyle yatıyorlardı. Rahipler aralarında diz çökerken kumsalın tepesinde, solgun otların alçak kum tepelerini kapladığı yerde, yeni kazılmış mezarlara dalgaların karaya attığı odunlardan derme çatma haçlar çakıldığını gördüm.

Steapa beni bekliyordu, yüzü her zamankinden daha asıktı. "Ne oldu?" diye sordum.

"Ona sor," dedi buruk bir sesle. Başını sahile doğru sallayınca Æthelred'in üzerinde bir tencerenin hafifçe fokurdadığı ateşin yanında oturduğunu gördüm. Her zamanki maiyeti de yanındaydı, Aldhelm de buna dahildi ve kırgın bir yüz ifadesiyle beni izliyordu. Onlara doğru yürürken hiçbiri konuşmadı. Ateş çıtırdıyordu. Æthelred bir parça su yosunuyla oynuyordu ve yaklaştığımın farkında olsa da başını kaldırıp bakmadı.

Ateşin yanında durdum. "Diğer dokuz gemi nerede?" diye sordum.

Æthelred sanki beni gördüğüne şaşırmış gibi başını kaldırdı. Gülümsedi. "İyi haberlerim var," dedi. Bu haberin ne olduğunu sormamı bekliyordu ama sadece onu izleyip hiçbir şey söylemedim. "Kazandık," dedi coşkulu bir ifadeyle, "büyük bir zafer!"

"Muhteşem bir zafer," diye araya girdi Aldhelm.

Æthelred'in gülümsemesinin zoraki olduğunu gördüm. Sonraki kelimeleri bir araya getirmek için sanki büyük bir çaba sarf ediyormuş gibi durakladı. "Gunnkel kılıçlarımızın gücünü öğrendi," dedi.

"Gemilerini yaktık!" diye övündü Aldhelm.

"Ve büyük bir katliam yaptık," diyen Æthelred'in gözlerinin parladığını gördüm.

Yaralıların yattığı ve yaralanmamış olanların başlarını eğmiş oturduğu sahilde bir aşağı bir yukarı baktım. "On beş gemiyle gittiniz," dedim.

"Onların gemilerini yaktık," dedi Æthelred. Ağlayacağını sandım.

"Diğer dokuz gemi nerede?" diye sordum.

"Burada durduk," dedi Aldhelm. Tekneleri karaya çekme kararlarını eleştirdiğimi düşünmüş olmalı ki, "çünkü akıntıya karşı kürek çekemezdik," diye ekledi.

"Diğer dokuz gemi?" diye sordum tekrar ama cevap alamadım. Hâlâ sahili tarıyordum ama aradığım şeyi bulamıyordum. Dönüp başını yine öne eğmiş olan Æthelred'e baktım.

Bir sonraki soruyu sormaya korkuyordum ama sorulması gerekiyordu. "Karın nerede?" diye sordum.

Sessizlik.

"Æthelflaed nerede?" diye sordum daha yüksek sesle.

Bir martı sert, kederli bir çığlık attı. "O alındı," dedi Æthelred sonunda, o kadar kısık bir sesle konuşmuştu ki zar zor duyabildim.

"Alındı mı?"

"Esir alındı," dedi Æthelred, sesi hâlâ kısıktı.

"Yüce Tanrı'm," dedim Finan'ın en sevdiği cümleyi kullanarak. Rüzgâr acı dumanı yüzüme doğru savurdu. Bir an için duyduklarıma inanamadım ama etrafımdaki her şey Æthelred'in muhteşem zaferinin aslında feci bir yenilgi olduğunu kanıtlıyordu. Dokuz gemi gitmiş olsa da gemilerin yeri doldurulabilirdi, Æthelred'in askerlerinin yarısı yok olmuştu ama ölenlerin yerine yenileri bulunabilirdi, ama bir kralın kızının yerini nasıl doldurabilirdiniz ki? "O kimde?" diye sordum.

"Sigefrid," diye mırıldandı Aldhelm.

Bu da Beamfleot'taki kayıp gemilerin nereye gittiğini açıklıyordu.

Ve Æthelflaed, kendisine yemin ettiğim tatlı Æthelflaed esir alınmıştı.

Sekiz gemimiz Temes'ten Lundene'e doğru akıntıya karşı yol aldı. Berrak ve sakin bir yaz akşamıydı. Güneş şehrin üzerini kaplayan duman perdesinin üzerinde dev bir kırmızı küre gibi asılı duruyordu. Æthelred yolculuğu *Rodbora*'yla yapmıştı ve *Deniz Kartalı*'nın onun yanında kürek çekmesi için hızını düşürdüğümde ahşaplarını lekeleyen kanın siyah çizgilerini gördüm. Kürek darbelerini hızlandırıp gemiyi tekrar ileri götürdüm.

Steapa benimle birlikte *Deniz Kartalı*'nda yolculuk etti ve koca adam bana Sture Nehri'nde neler olduğunu anlattı.

Gerçekten de muhteşem bir zafer olmuştu. Æthelred'in filosu nehrin güney kıyısında kamp kuran Vikingleri şaşırtmıştı. "Şafakta geldik," dedi Steapa.

"Bütün gece denizde mi kaldınız?"

"Lord Æthelred emretti," dedi Steapa.

"Cesurca," diye yorumladım.

"Sakin bir geceydi," dedi Steapa küçümseyerek, "ve gün ağarırken gemilerini bulduk. On altı gemi." Aniden durdu. Suskun bir adamdı, birkaç kelimeden fazlasını bir arada konuşmakta zorlanırdı.

"Karaya mı çekilmişlerdi?" diye sordum.

"Demir atmışlardı," dedi.

Bu, Danların gemilerinin gelgitin her durumunda hazır olmasını istediklerini gösteriyordu ama aynı zamanda gemilerin savunulamayacağı anlamına da geliyordu, çünkü mürettebatları çoğunlukla karaya çıkmıştı ve kamp kurmak için toprak duvarlar örüyordu. Æthelred'in filosu düşman gemilerindeki az sayıdaki adamın işini kısa sürede bitirmiş, ardından çapa görevi gören halatla sarılmış büyük taşlar yukarı çekilmiş ve on altı gemi kuzey kıyısına çekilerek, orada karaya oturtulmuştu. "Onları orada tutacaktı," diye açıkladı Steapa, "işi bitene kadar, sonra da geri getirecekti."

"İşi bitene kadar mı?" diye sordum.

"Biz ayrılmadan önce bütün paganları öldürmek istiyordu," dedi Steapa ve Æthelred'in filosunun Sture ile bitişiğindeki Arwan Nehri'nde nasıl yağma yaptığını, Dan salonlarını yakmak, Dan sığırlarını kesmek ve fırsat bulduklarında Danları öldürmek için kıyılara nasıl adam indirdiğini anlattı. Sakson akıncıları paniğe neden olmuştu. Halk iç bölgelere kaçmıştı ama Sture ağzındaki kampında gemisiz kalan Gunnkel paniğe kapılmamıştı.

"Kampa saldırmadınız mı?" diye sordum Steapa'ya.

"Lord Æthelred çok iyi korunduğunu söyledi."

"Bitmemiş olduğunu söylediğini sanıyordum?"

Steapa omuz silkti. "Kazık çitleri inşa etmemişlerdi," dedi, "en azından bir tarafta, bu yüzden içeri girip onları öldürebilirdik ama kendi adamlarımızın çoğunu da kaybederdik."

"Doğru," diye itiraf ettim.

"Bu yüzden onun yerine çiftliklere saldırdık," diye devam etti Steapa. Æthelred'in adamları Dan yerleşimlerini yağmalarken Gunnkel güneye, Doğu Anglia kıyısındaki diğer nehirlere haberciler göndermişti. Orada, nehir kıyılarında başka Viking kampları vardı. Gunnkel takviye kuvvet çağırmıştı.

"Lord Æthelred'e ayrılmasını söyledim," dedi Steapa kasvetle, "ona ikinci gün söyledim. Yeterince uzun kaldığımızı söyledim."

"Seni dinlemedi mi?"

"Bana aptal olduğumu söyledi," dedi Steapa omuz silkerek. Yağma isteyen Æthelred bu yüzden Sture'de kalmıştı ve adamları ona pişirme kaplarından oraklara kadar değerli buldukları her şeyi getirmişti. "Biraz gümüş buldu," dedi Steapa, "ama fazla değil."

Ve Æthelred kendini zenginleştirmek için beklerken korsanlar toplanmıştı.

Dan gemileri güneyden gelmişti. Sigefrid'in gemileri Beamfleot'tan yola çıkmış, Colaun, Hwealf ve Pant nehirlerinin ağızlarından kürek çeken diğer teknelere katılmıştı. Bu nehirlerden sık sık geçmiştim ve gelgitlerle çamurların arasından kayan, yüksek pruvaları vahşi hayvanlarla süslenmiş ve gövdeleri intikamcı adamlarla, kalkanlarla ve silahlarla dolu, ince ve hızlı gemileri gözümde canlandırdım.

Dan gemileri Sture'nin güneyindeki Horseg adasının açıklarında, yaban kuşlarının uğrak yeri olan geniş koyda toplandı. Sonra gri bir sabahta, denizden esen bir yaz fırtınası altında ve dolunayın güçlendirdiği bir gelgitte, otuz sekiz gemi Sture'e girmek için okyanustan geldi.

"Pazar günüydü," dedi Steapa, "ve Lord Æthelred bir vaaz dinlememiz için ısrar etti."

"Alfred bunu duyduğuna memnun olacak," dedim alaycı bir tavırla.

"Sahildeydi," dedi Steapa, "Dan teknelerinin karaya oturtulduğu yerde."

"Neden orada?"

"Çünkü rahipler kötü ruhları teknelerden kovmak istiyordu," dedi ve bana ele geçirilen gemilerdeki canavar başlarının kumun üzerine nasıl büyük bir yığın halinde istiflendiğini anlattı. Etraflarına yakındaki bir sazlıktan alınan samanla birlikte dalgaların karaya attığı odunlar yığılmış, sonra rahiplerin yüksek sesle ettiği dualar eşliğinde yığın ateşe verilmiş. Ejderhalar ve kartallar, kuzgunlar ve kurtlar yanmış, alevleri yükseğe sıçramış ve yağmur yanan odunların üzerine düşüp tıslarken büyük ateşin dumanı iç kesimlere doğru yayılmış. Rahipler dua edip ilahiler söyleyerek paganlara karşı kazandıkları zaferi kutlarken kimse çiseleyen yağmurun içinden gelen karanlık şekilleri fark etmemiş.

Korkuyu, kaçışı ve katliamı sadece hayal edebilirim. Kıyıya atlayan Danlar, kılıç ustaları Danlar, mızrak ustaları Danlar, balta ustaları Danlar. Bu kadar çok adamın kaçabilmiş olmasının tek nedeni diğer birçoğunun ölüyor olmasıydı. Danlar öldürmeye başlamıştı ve öldürecek o kadar çok adam bulmuşlardı ki gemilere kaçanlara ulaşamamışlardı. Diğer Dan gemileri Sakson filosuna saldırıyordu ama *Rod-*

bora onları durdurmuştu. Steapa, "Gemide adam bırakmıştım," dedi.

"Neden?"

"Bilmiyorum," dedi kasvetli bir şekilde. "Sadece içimde bir his vardı."

"O hissi bilirim," dedim. O hissi ensemin karıncalanmasından bilirim, tehlikenin yakında olduğuna dair muğlak, şekilsiz bir kuşkudur ama asla göz ardı edilmemesi gerekir. Tazılarımın aniden uykudan başlarını kaldırıp usulca hırladıklarını ya da gözlerini bana dikip sessiz bir yakarışla sızlandıklarını görmüşümdür. Bu olduğunda gök gürültüsünün yaklaştığını bilirim ve her seferinde gök gürler, ama köpeklerin bunu nasıl hissettiğini bilmiyorum. Yine de aynı duygudan, gizli tehlikenin verdiği rahatsızlıktan kaynaklanıyor olmalı.

"Eşine az rastlanır bir dövüştü," dedi Steapa donuk bir sesle.

Nehir Lundene'e ulaşmadan önce Temes'in son kıvrımını dönüyorduk. Şehrin onarılmış surlarını görebiliyordum, eski Roma taşına karşı ham ahşap. Surlara sancaklar asılmıştı. Bayrakların çoğunda azizler ya da haçlar vardı, her gün şehri doğudan teftişe gelen düşmana meydan okuyan parlak semboller. Düşman Alfred'i şaşkına çevirecek bir zafer kazandı, diye düşündüm.

Steapa savaşla ilgili ayrıntıları vermekten kaçınıyordu, ben de öğrendiğim azıcık şeyi ağzından zorla almak zorunda kaldım. Düşman teknelerinin çoğunlukla kumsalın doğu ucunda karaya çıktığını, büyük ateşin onları oraya çektiğini, *Rodbora* ve diğer yedi Sakson teknesinin ise daha batıda olduğunu söyledi. Kumsal paganların uluyup öldürdüğü çığlıklarla dolu bir kaos yerine dönmüştü. Saksonlar batıdaki gemilere ulaşmaya çalışmış, Steapa da kaçaklar gemilere hücum ederken onları korumak için bir kalkan duvarı yapmıştı.

"Æthelred sana ulaştı," diye yorumladım yüzümü ekşiterek.

"Hızlı koşabiliyor," dedi Steapa.

"Peki ya Æthelflaed?"

"Onun için geri dönemezdik," dedi.

"Hayır, eminim," dedim. Doğru söylediğini biliyordum. Bana Æthelflaed'in düşman tarafından nasıl tuzağa düşürüldüğünü ve kuşatıldığını anlattı. Æthelred ele geçirilen Dan gemilerinin pruvalarına kutsal su serpen rahiplere eşlik ederken o hizmetçileriyle birlikte büyük ateşin yanındaymış.

"Onun için gerçekten geri dönmek istedi," diye itiraf etti Steapa.

"Öyle de yapmalıydı," dedim.

"Ama bu mümkün değildi," dedi, "biz de kürek çekerek uzaklaştık."

"Sizi durdurmaya çalışmadılar mı?"

"Denediler," dedi.

"Ve?" diye üsteledim.

"Bazıları gemiye çıkmayı başardı," deyip omuz silkti. Steapa'nın elinde baltayla gemiye çıkanları öldürüşünü gözümün önüne getirdim. "Onları kürek çekerek geçmeyi başardık," dedi, sanki kolay bir şeymiş gibi. Danlar kaçan her tekneyi durdurmalıydılar, diye düşündüm, yine de altı gemi denize kaçmayı başarmıştı. "Ama toplamda sekiz tekne kaldı," diye ekledi Steapa.

Demek ki iki Sakson teknesine yapılan saldırı başarılı olmuştu. Balta ve kılıç darbelerini, kana bulanmış dip kerestelerini düşünerek irkildim. "Sigefrid'i gördün mü?" diye sordum.

Steapa başıyla onayladı. "Bir sandalyedeydi. Bağlanmıştı."

"Peki Æthelflaed'in yaşayıp yaşamadığını biliyor musun?" diye sordum.

"Yaşıyor," dedi Steapa. "Ayrılırken onu gördük. Lundene'deki o gemideydi, gitmesine izin verdiğin gemi."

"*Dalga Terbiyecisi*," dedim.

"Sigefrid'in gemisi," dedi Steapa, "ve kızı bize gösterdi. Onu dümen platformuna oturttu."

"Giyinik miydi?"

"Giyinik mi?" diye sordu, sanki sorum bir şekilde uygunsuzmuş gibi kaşlarını çatarak. "Evet, giyinikti," dedi.

"Şansımız varsa ona tecavüz etmezler," dedim, doğruyu söylediğimi umarak. "Sağ salim daha değerli."

"Değerli mi?"

Lundene'in pis kokusu burnumuza geldiğinde, "Fidye için kendini hazırla," dedim.

Deniz Kartalı iskelesine yanaştı. Gisela bekliyordu. Ona haberi verdiğimde acı içindeymiş gibi küçük bir çığlık attı, sonra Æthelred'in karaya çıkmasını bekledi ama Æthelred beni görmezden geldiği gibi onu da görmezden geldi. Yokuş yukarı sarayına doğru yürürken yüzü solgundu. Adamları, hayatta kalanlar, koruyucu bir şekilde etrafını sarmıştı.

Bayat mürekkebi bulup tüy kalemimi sivrilterek Alfred'e bir mektup daha yazdım.

Üçüncü Bölüm

Temizlik

Dokuz

Temes'e doğru yelken açmamız yasaklanmıştı.

Piskopos Erkenwald bana bu emri verdiğinde içgüdüsel olarak ona hırladım ve geniş haliçteki tüm Sakson gemilerinin Danları acımasızca taciz etmesi gerektiğini söyledim. Beni yorum yapmadan dinledi, sözümü bitirdiğimde de söylediğim her şeyi görmezden geldi. Dik masasının üzerinde duran bir kitabı kopyalıyordu. "Peki sizin şiddetiniz neye yarayacak?" diye sordu sonunda sert bir sesle.

"Onlara bizden korkmayı öğretecek," dedim.

"Bizden korkmayı," diye yineledi, her kelimeyi çok belirgin bir şekilde ve alaycı bir tavırla vurgulayarak. Tüy kalemi parşömenin üzerini çiziktirmeye devam etti. Beni Æthelred'in sarayının yanındaki evine çağırmıştı ve ev şaşırtıcı derecede konforsuz bir yerdi. Büyük odada boş bir ocak, bir sıra ve piskoposun üzerinde yazı yazdığı dik masadan başka bir şey yoktu. Genç bir rahip sırada oturmuş, hiçbir şey söylemeden endişeyle ikimizi izliyordu. Rahibin sadece tanıklık etmek için orada olduğundan emindim, böylece bu toplantıda konuşulanlar hakkında bir tartışma çıkarsa piskopos kendisini destekleyecek birine sahip olacaktı. Erkenwald uzun bir süre daha beni görmezden geldi, masanın üzerine eğilip gözlerini zahmetle karaladığı kelimelere dikti. "Eğer haklıysam," diye konuştu aniden, işine bakmaya devam etse de, "Danlar kısa bir süre önce Wessex'ten gönderilen en büyük filoyu yok etti. Birkaç küreğinizle suyu dalgalandırırsanız korkacaklarını pek sanmıyorum."

"Yani suyu sakin mi bırakacağız?" diye sordum öfkeyle.

"Şunu söyleyebilirim ki," dedi, sonra başka bir harf yazarken durakladı, "kral bizden talihsiz bir durumu," başka bir harf yazarken yine durakladı, "daha da kötüleştirecek herhangi bir şey yapmamızı istemeyecektir."

"Talihsiz durum kızının Danlar tarafından her gün tecavüze uğraması mı?" diye sordum. "Ve bizden hiçbir şey yapmamamızı mı bekliyorsunuz?"

"Kesinlikle. Emirlerimi anlamışsınız. Kötü bir durumu daha da kötüleştirmek için hiçbir şey yapmayacaksınız." Hâlâ bana bakmıyordu. Kalemi kabına daldırdı ve ucundaki fazla mürekkebi dikkatlice temizledi. "Bir eşek arısının sizi sokmasını nasıl önlersiniz?" diye sordu.

"Sokmadan önce öldürerek," dedim.

"Hareketsiz kalarak," dedi piskopos, "ve biz de şimdi böyle davranacağız, durumu daha da kötüleştirecek hiçbir şey yapmayarak. Bayanın tecavüze uğradığına dair herhangi bir kanıtınız var mı?"

"Hayır."

"Kadın onlar için değerli," dedi piskopos, benim Steapa'ya kullandığım argümanı tekrarlayarak, "ve bu değeri azaltmak için hiçbir şey yapmayacaklarını tahmin ediyorum. Pagan âdetleri konusunda benden daha bilgili olduğunuza şüphe yok, ama düşmanlarımızda zerre kadar sağduyu varsa ona rütbesinin gerektirdiği saygıyı göstereceklerdir." Sonunda yan gözle bana nefret dolu bir bakış attı. "Fidyeyi toplama zamanı geldiğinde askerlere ihtiyacım olacak," dedi.

Yani adamlarım ellerinde para olan herkesi tehdit edecekti. "Peki kaç adam?" diye sordum somurtarak, benden nasıl bir katkı beklendiğini merak ediyordum.

"Otuz yıl önce Frank Krallığı'nda," diye yazıyordu piskopos yine, "Saint Denis Manastırı'nın başrahibi Louis esir alındı. Dindar ve iyi bir adamdı. Başrahip ve kardeşi için fidye olarak üç yüz kırk üç kilo altın ve bin yüz yirmi beş kilo gümüş ödendi. Leydi Æthelflaed sadece bir kadın olabilir, ama düşmanlarımızın farklı bir meblağa razı olacaklarını sanmıyorum." Hiçbir şey söylemedim. Piskoposun söylediği fidye hayal bile edilemezdi ama Sigefrid'in de aynı miktarı, hatta büyük ihtimalle daha fazlasını isteyeceğini düşünmekte kesinlikle haklıydı. "Gördüğünüz gibi," diye devam etti piskopos soğuk bir tavırla, "hanımefendinin değeri paganlar için oldukça önemli ve onun değerini düşürmek istemeyeceklerdir. Lord Æthelred'e bu konuda güvence verdim ve eğer onu bu umudundan vazgeçirmezseniz minnettar olurum."

"Sigefrid'den haber aldınız mı?" diye sordum, Erkenwald'ın Æthelflaed'e iyi davranıldığından çok emin göründüğünü düşünerek.

"Hayır, ya siz?" Soru bir meydan okumaydı. Sigefrid ile gizli görüşmeler yapıyor olabileceğimi ima ediyordu. Cevap vermedim, zaten piskopos da cevap vermemi beklemiyordu. "Kralın görüşmeleri bizzat yürütmek isteyeceğini tahmin ediyorum," diye devam etti. "Bu yüzden o buraya gelene kadar ya da bana aksi yönde bir emir verene kadar Lundene'de kalacaksınız. Gemileriniz denize açılmayacak!"

Gemilerim denize açılmadı. Ama Norsların gemileri yelken açıyordu. Yaz boyunca artan ticaret canavar başlı tekne sürülerinin Beamfleot'tan kürek çekerek halici temizlemesiyle sıfıra indi. En iyi bilgi kaynaklarım tüccarlarla birlikte öldü, sadece birkaç adam nehrin yukarısına doğru yol alabildi. Bunlar genellikle avlarını Lundene'deki balık pazarına getiren balıkçılardı ve artık elliden fazla geminin Beamfleot'un yüksek kalesinin altındaki kuruyan derede beklediğini iddia ediyorlardı. Vikingler halice akın ediyordu.

Piskoposun tahrik edici bir şey yapmamamı emrettiği gece Gisela'ya, "Sigefrid ve kardeşinin zengin olacağını biliyorlar," dedim.

"Çok zengin," dedi donuk bir şekilde.

"Bir ordu toplayacak kadar zengin," diye devam ettim buruk bir şekilde, çünkü fidye bir kez ödendiğinde Thurgilson kardeşler altın dağıtıcısı olacaktı ve her denizden gelen gemiler Wessex'e girebilecek bir güruha dönüşecekti. Bir zamanlar Ragnar'ın yardımına muhtaç olan kardeşlerin tüm Sakson topraklarını fethetme hayali, Æthelflaed'in yakalanması sayesinde artık kuzeyden hiç yardım almadan gerçekleşecekmiş gibi görünüyordu.

"Lundene'e saldıracaklar mı?" diye sordu Gisela.

"Sigefrid'in yerinde olsaydım Temes'i geçer ve Cent üzerinden Wessex'e girerdim," dedim. "Bir orduyu nehrin karşısına geçirmeye yetecek kadar gemisi olacak ve bizim onu durduracak gücümüz yok."

Stiorra kayın ağacından oyduğum ve Gisela'nın keten parçalarıyla giydirdiği tahta bir bebekle oynuyordu. Kızım oyununa o kadar odaklanmış ve o kadar mutlu görünüyordu ki onu kaybettiğimi gözümün önüne getirmeye çalıştım. Alfred'in sıkıntısını hayal etmeye çalıştım ve kalbimin bunun düşüncesine bile tahammül edemediğini fark ettim. Gisela karnını okşayarak "Bebek tekmeliyor," dedi.

Doğumun yaklaştığını düşündüğümde her zaman yaşadığım paniği hissettim. "Oğlana bir isim bulmalıyız," dedim düşüncelerimi gizleyerek.

"Yoksa kıza mı?"

"Oğlana," dedim kararlılıkla, ama o gece gelecek çok kasvetli göründüğü için sevinç duymadan.

* * *

Piskoposun öngördüğü gibi Alfred geldi ve bir kez daha saraya çağrıldım, ancak bu sefer herhangi bir vaazdan muaf tutulduk. Kral Sture'deki felaketten sonra geriye kalan muhafızlarıyla birlikte geldi, ben de Steapa'yı bir kâhyanın kılıçlarımızı topladığı avluda karşıladım. Rahipler de gelmişti, bir karga sürüsü gibi gaklıyorlardı ama aralarında Peder Pyrlig, Peder Beocca ve beni şaşırtan bir şekilde Peder Willibald'ın dostane yüzleri de vardı. Willibald tüm neşesiyle avluyu geçip beni kucakladı. "Her zamankinden daha uzunsunuz lordum!" dedi.

"Peki sen nasılsın peder?"

"Tanrı beni kutsamayı uygun gördü!" dedi mutlulukla. "Bugünlerde Exanceaster'daki ruhlara hizmet ediyorum!"

"O şehri seviyorum," dedim.

"Yakınlarda bir eviniz vardı, değil mi? Sizinle..." Willibald utanarak durakladı.

"Gisela'dan önce evlendiğim o dindar zavallıyla," dedim. Mildrith hâlâ yaşıyordu ama o günlerde bir rahibe manastırındaydı ve ben o mutsuz birlikteliğin acısını neredeyse çoktan unutmuştum. "Peki ya sen?" diye sordum. "Evli misin?"

"Çok hoş bir kadınla," dedi Willibald neşeyle. Bir zamanlar benim öğretmenimdi, gerçi bana çok az şey öğretmişti ama yine de iyi bir adamdı, nazik ve saygılıydı.

"Exanceaster piskoposu hâlâ fahişeleri meşgul ediyor mu?" diye sordum.

"Uhtred, Uhtred!" diye azarladı Willibald beni, "bunları sadece beni şok etmek için söylediğini biliyorum!"

"Ayrıca doğruyu da söylüyorum," dedim. "Kızıl saçlı biri vardı," diye devam ettim, "ondan gerçekten hoşlanıyordu. Hikâyeye göre onun kendi cübbesini giymesinden hoşlanıyordu ve sonra..."

"Hepimiz günah işledik," diye kesti sözümü aceleyle, "ve Tanrı'nın beklentilerinin altında kaldık."

"Sen de mi? Kızıl saçlı mıydı?" diye sordum, sonra rahatsız olmasına güldüm. "Seni görmek güzel peder. Seni Exanceaster'dan Lundene'e getiren nedir?"

Willibald, "Kral, Tanrı onu korusun, eski dostlarla bir araya gelmek istedi," dedi ve sonra başını salladı. "Kötü bir durumda Uhtred, kötü bir durumda. Sana yalvarıyorum, onu üzecek bir şey söyleme. Duaya ihtiyacı var!"

"Yeni bir damada ihtiyacı var," dedim suratımı ekşiterek.

"Lord Æthelred Tanrı'nın sadık bir kulu," dedi Willibald, "ve asil bir savaşçı! Belki henüz senin ününe sahip değil ama adı düşmanlarımıza korku salıyor."

"Öyle mi?" diye sordum. "Neden korkuyorlar? Onlara tekrar saldırırsa gülmekten ölebileceklerinden mi?"

"Lord Uhtred!" diye azarladı tekrar beni.

Güldüm, sonra Willibald'ı takip ederek soyluların, rahiplerin ve hükümdarların toplandığı sütunlu salona girdim. Bu resmi bir witanegemot, yani krala tavsiyelerde bulunmak için yılda iki kez toplanan büyük adamlardan oluşan kraliyet konseyi değildi ama orada bulunan neredeyse herkes witan'dı. Bazıları Wessex'in dört bir yanından, bazıları da Güney Mersiya'dan gelmişti ve Alfred'in vereceği karar her krallığın desteğini alsın diye hepsi Lundene'e çağrılmıştı. Æthelred çoktan içerideydi, kimseyle göz göze gelmiyordu, Alfred'in başkanlık edeceği kürsünün altındaki bir sandalyeye çökmüştü. Sandalyesinin yanına çömelip kulağına fısıldayan Aldhelm hariç herkes Æthelred'den uzak duruyordu.

Alfred Erkenwald ve Kardeş Asser eşliğinde geldi. Kralın hiç bu kadar bitkin göründüğünü görmemiştim. Bir elini karnına dayamıştı, bu da hastalığının kötü olduğunu gösteriyordu ama yüzüne derin çizgiler ve solgun, neredeyse umutsuz bir görünüm veren şeyin bu olduğunu sanmıyorum. Saçları seyrelmişti ve onu ilk kez yaşlı bir adam olarak görüyordum. O yıl otuz altı yaşındaydı. Kürsüdeki sandalyesine oturdu, erkeklerin oturabileceğini göstermek için elini salladıysa da hiçbir şey söylemedi. Bir dua okumak ve ardından önerisi olanların konuşmasını istemek Piskopos Erkenwald'a düştü.

Konuştular, konuştular ve sonra biraz daha konuştular. Onları saran gizem Beamfleot'taki kamptan neden hiçbir mesaj gelmediğiydi. Bir casus Alfred'e kızının yaşadığını, hatta Erkenwald'ın tahmin ettiği gibi ona saygılı davranıldığını bildirmişti ama Sigefrid'den hiçbir haberci gelmemişti. Piskopos Erkenwald, "Bizim yalvarmamızı istiyor," diye belirtti, kimse aksini dünmüyordu. Æthelflaed'in Doğu Anglia Kralı Æthelstan'a ait topraklarda esir tutulduğu ve Hristiyanlaştırılmış Dan'ın yardım edeceğinden emin olunduğu belirtildi. Piskopos Erkenwald bir heyetin kralla görüşmek için çoktan yola çıktığını söyledi.

"Guthrum savaşmayacak," dedim ilk katkımı yaparak.

"Kral Æthelstan," dedi Piskopos Erkenwald, Guthrum'un Hristiyan adını vurgulayarak, "sürekli bir müttefik olduğunu kanıtlıyor. Eminim bize yardım teklif edecektir," dedi.

"Savaşmayacak," dedim tekrar.

Alfred yorgun bir şekilde elini bana doğru sallayarak söyleyeceklerimi duymak istediğini belirtti.

"Guthrum yaşlı," dedim, "ve savaş istemiyor. Beamfleot yakınlarındaki adamlarla da başa çıkamaz. Her geçen gün daha da güçleniyorlar. Guthrum onlarla savaşırsa kaybedebilir ve kaybederse Sigefrid Doğu Anglia'da kral olur." Bu düşünce kimsenin hoşuna gitmemişti ama buna itiraz da edemezlerdi. Sigefrid Osferth'in ona verdiği yaraya rağmen giderek güçleniyordu ve şimdiden Guthrum'un kuvvetlerine meydan okuyacak kadar destekçisi vardı.

"Kral Æthelstan'ın savaşmasını istemem," dedi Alfred mutsuz bir şekilde, "çünkü herhangi bir savaş kızımın hayatını riske atacaktır. Bunun yerine bir fidyenin gerekliliğini düşünmeliyiz."

Odadaki adamlar ihtiyaç duyulacak büyük meblağı hayal ederken bir sessizlik oldu. Bazıları, en zenginleri, Alfred'in bakışlarından kaçınırken eminim hepsi Alfred'in vergi toplayıcıları ve askerleri ziyarete gelmeden önce servetlerini nereye saklayabileceklerini düşünüyordu. Piskopos Erkenwald sessizliği bozarak üzüntüyle kilisenin yoksul olduğunu, aksi takdirde seve seve katkıda bulunacağını söyledi. "Elimizdeki küçük meblağlar Tanrı'nın işine adanmış durumda," dedi.

Göğsünde üç gümüş haç parıldayan şişman bir başrahip, "Gerçekten de öyle," diye onayladı.

"Ve Leydi Æthelflaed artık bir Mersiyalı," diye homurdandı Wiltunscir'den bir rahip, "bu yüzden büyük yükü Mersiyalılar taşımalı."

"O benim kızım," dedi Alfred sessizce, "ve elbette gücümün yettiği kadar katkıda bulunacağım."

"Ama ne kadar paraya ihtiyacımız olacak?" diye sordu Peder Pyrlig enerjik bir şekilde. "Önce bunu bilmemiz gerekiyor, lordum, bu da birinin paganlarla görüşmek için seyahat etmesi gerektiği anlamına geliyor. Eğer onlar bizimle konuşmazsa o zaman biz onlarla konuşmalıyız. Sevgili piskoposun dediği gibi," burada Pyrlig Erkenwald'a doğru ciddi bir şekilde eğildi, "yalvaran taraf olmamızı istiyorlar."

"Bizi küçük düşürmek istiyorlar," diye homurdandı bir adam.

"Gerçekten de öyle!" Peder Pyrlig de aynı fikirdeydi. "Öyleyse bu aşağılanmaya maruz kalmak için bir heyet göndermeliyiz."

"Siz Beamfleot'a gider miydiniz?" diye sordu Alfred Pyrlig'e umutla.

Galli adam başını salladı. "Kralım, o paganların benden nefret etmek için sebepleri var," dedi. "Gönderilecek adam ben değilim. Yine de Lord Uhtred," dedi beni işaret ederek, "Erik Thurgilson'a bir iyilik yaptı."

"Ne iyiliği?" diye sordu Kardeş Asser hemen.

"Onu Galli keşişlerin ihaneti konusunda uyardım," dedim. Alfred bana onaylamayan bir bakış atarken gülüşmeler oldu. "Kendi gemisini alıp Lundene'e gitmesine izin verdim," diye açıkladım.

"Bir iyilik bu mutsuz durumun ortaya çıkmasını sağladı," diye karşılık verdi Asser. "Eğer Thurgilson'ları gerektiği gibi öldürmüş olsaydınız burada olmazdık."

"Bizi buraya getiren şey Sture'da oyalanmanın aptallığıydı," dedim. "Eğer besili bir sürünüz varsa onu bir kurdun ininin yanında otlamaya bırakmazsınız."

"Yeter!" dedi Alfred sertçe. Æthelred öfkeden titriyordu. Şimdiye kadar tek kelime etmemişti ama şimdi sandalyesinde dönmüş beni işaret ediyordu. Ağzını açtı. Öfkeli bir karşılık vermesini beklerken arkasını dönüp kustu. Kusması ani ve şiddetliydi, bir anda midesinden boşalan yoğun sıvı pis kokuyordu. Kusmuğu gürültüyle kürsüye saçılırken titriyordu.

Dehşete kapılan Alfred sadece izledi. Aldhelm aceleyle bir adım uzaklaştı. Rahiplerden bazıları istavroz çıkardı. Kimse konuşmadı ya da ona yardım etmek için hareket etmedi. Kusması durmuş gibi görünüyordu ama sonra tekrar titredi ve bir kez daha kustu. Æthelred son kalıntıları tükürdükten, dudaklarını koluna sildikten sonra gözleri kapalı, solgun bir yüzle sandalyesinin arkasına yaslandı.

Alfred, damadının ani krizini izlemiş ama sonra odaya geri dönmüştü ve olanlarla ilgili hiçbir şey söylemedi. Odanın kenarında bir hizmetçi duruyordu, Æthelred'in yardımına gitmek istediği belliydi ama kürsüye izinsiz girmekten korkuyordu. Bir eliyle karnını tutan Æthelred hafifçe inledi. Aldhelm kusmuk havuzuna sanki daha önce hiç böyle bir şey görmemiş gibi bakıyordu.

Kral, "Lord Uhtred," diyerek mahcup sessizliği bozdu.

"Kralım," diye cevap verdim, eğilerek.

Alfred kaşlarını çattı. "Norslarla fazla dost olduğunuzu söyleyenler var, Lord Uhtred?"

"Size bir yemin ettim, kralım," dedim sert bir şekilde, "ve bu yemini Peder Pyrlig'e, sonra da kızınıza tekrar ettim. Eğer Norslarla fazla dost olduğumu söyleyenler beni bu üçlü yemini bozmakla suçlamak istiyorsa onlarla istedikleri yerde kılıç kılıca karşılaşacağım ve sayamayacağım kadar çok Nors öldürmüş bir kılıçla yüzleşecekler."

Bu sessizlik getirdi. Pyrlig sinsice gülüyordu. Oradaki tek bir adam bile benimle dövüşmek istemiyordu ve beni yenebilecek tek kişi olan Steapa ise sırıtıyordu, gerçi Steapa'nın sırıtışı bir şeytanı bile korkutup inine geri döndürebilecek ölümcül bir sırıtıştı.

Kral sanki öfke gösterilerim bıktırıcı olmuş gibi iç çekti. "Sigefrid sizinle konuşacak mı?" diye sordu.

"Kont Sigefrid benden nefret ediyor, kralım."

"Ama sizinle konuşacak mı?" diye üsteledi Alfred.

"Ya konuşacak ya da beni öldürecek," dedim, "ama kardeşi beni seviyor ve Haesten bana borçlu, bu yüzden evet, sanırım konuşacaklar."

"Ayrıca yetenekli bir arabulucu da göndermelisiniz, kralım," dedi Erkenwald, "paganlara daha fazla iyilik yapması için ayartılamayacak bir adam. Hazinedarımı önerebilirim. Çok kurnaz bir adamdır."

"O aynı zamanda bir rahip," dedim, "ve Sigefrid rahiplerden nefret ediyor. Ayrıca bir rahibin çarmıha gerilmesini izlemek için yanıp tutuşuyor." Erkenwald'a gülümsedim. "Belki de hazinedarınızı göndermelisiniz. Ya da belki bizzat kendiniz gelirsiniz?"

Erkenwald boş gözlerle bana baktı. Tanrısının beni cezalandırmak için bir yıldırım göndermesi umuduyla dua ettiğini düşündüm ama tanrısı bu isteğini yerine getirmedi. Kral tekrar iç çekti. "Kendiniz pazarlık edebilir misiniz?" diye sordu sabırla.

"At satın almışlığım var, lordum," dedim, "yani evet, pazarlık yapabilirim."

"Bu bir at için pazarlık yapmakla aynı şey..." diye başladı Erkenwald öfkeyle, sonra kral ona doğru yorgun bir şekilde elini sallayınca sustu.

"Lord Uhtred sizi kızdırmaya çalışıyordu, piskopos," dedi kral, "ve en iyisi ona başarılı olduğunu gösterme zevkini tattırmamak."

"Pazarlık yapabilirim, kralım," dedim, "ama bu durumda çok değerli bir kısrak için pazarlık yapıyorum. Ucuz olmayacaktır."

Alfred başıyla onayladı. "Belki de piskoposun hazinedarını yanına almalısın?" diye önerdi tereddütle.

"Sadece bir tek yoldaş istiyorum lordum," dedim, "Steapa."

"Steapa mı?" Alfred şaşırmış gibiydi.

"Bir düşmanla karşılaştığınızda, lordum, o zaman varlığı bile bir tehdit olan bir adamı yanınıza almanız iyi olur," diye açıkladım.

"İki yoldaş alacaksın," diye düzeltti kral. "Sigefrid'in nefretine rağmen kızımın kutsal ayinlerin nimetinden faydalanmasını istiyorum. Yanınıza bir rahip almalısınız Lord Uhtred."

"Madem ısrar ediyorsunuz lordum," dedim küçümsememi gizleme zahmetine girmeden.

"Israr ediyorum," dedi sesine güç katarak. "Ve hemen buraya döneceksiniz," diye devam etti, "çünkü nasıl olduğunu bilmek istiyorum." Ayağa kalktı ve diğer herkes ayağa fırlayıp eğildi.

Æthelred tek kelime etmemişti.

Beamfleot'a gidiyordum.

Yüzümüz at sürdük. Sadece üçümüz Sigefrid'in kampına gidecektik ama üç adam Lundene ve Beamfleot arasındaki kırsal alanda korumasız at süremezdi. Burası sınır topraklarıydı, Doğu Anglia'nın sınırındaki vahşi ve düz bir araziydi. Bu yüzden kalkanlarımız ve silahlarımızla at sürerek halka savaşmaya hazır olduğumuzu gösterdik. Gemiyle gitmek daha hızlı olabilirdi ama Alfred'i atlarla gitmenin avantajlı olduğuna ikna etmiştim. "Beamfleot'u denizden gördüm," demiştim ona önceki akşam, "ve zapt edilemez. Sarp bir tepe lordum ve zirvesinde bir kale var. O kaleyi karadan görmedim lordum ve görmem gerek."

"Görmen mi gerek?" Cevap veren Kardeş Asser'di. Sanki kralı koruyormuş gibi Alfred'in sandalyesinin yanında duruyordu.

"İş savaşa gelirse kara tarafından saldırmak zorunda kalabiliriz," demiştim.

Kral bezgin bir ifadeyle bana bakmıştı. "Savaş olmasını mı istiyorsun?" diye sormuştu.

"Eğer bir savaş olursa Leydi Æthelflaed ölecek," demişti Asser.

"Kızınızı size geri vermek istiyorum," demiştim Alfred'e, Galli keşişi görmezden gelerek, "ama sadece bir aptal, lordum, yaz bitmeden onlarla savaşmak zorunda kalmayacağımızı düşünür. Sigefrid çok güçlenmeye başladı. Gücünün artmasına izin verirsek tüm Wessex'i tehdit edebilecek bir düşmana sahip olacağız, o yüzden çok güçlenmeden onu durdurmalıyız."

"Şimdi savaşmak yok," diye ısrar etmişti Alfred. "Gerekirse oraya karadan gidin, onlarla konuşun ve bana hemen haber getirin."

Alfred bir rahip gönderilmesi konusunda ısrar etmişti ama beni rahatlatan bu işe Peder Willibald'ın seçilmesi oldu. "Leydi Æthelflaed'in eski bir dostuyum," diye açıkladı Willibald Lundene'den yola çıkarken. "O bana her zaman düşkün olmuştur," diye devam etti, "ben de ona."

Smoca'ya binmiştim. Finan ve hane halkımdan savaşçılar benimle birlikteydi, ayrıca Alfred'in Steapa komutasındaki elli seçkin adamı da yanımdaydı. Sancak taşımıyorduk, onun yerine Sihtric ateşkes için geldiğimizi belirtmek üzere yapraklı bir kızılağaç dalı tutuyordu.

Lundene'in düz ve ıssız; doğusu dereler, hendekler, sazlıklar, bataklık otları ve yaban kuşlarıyla dolu berbat bir yerdi. Sağımızda, bazen Temes'in gri bir örtü olarak göründüğü yerde, bataklık yaz güneşi altında bile karanlık görünüyordu. Bu ıslak arazide çok az insan yaşardı, yine de sazdan yapılmış birkaç alçak kulübenin yanından geçtik. Hiç insan yoktu. Kulübelerde yaşayan yılan balığı avcıları geldiğimizi görmüş ve ailelerini güvenli saklanma yerlerine götürmüş olmalıydı.

Pek de yol sayılmayan patika bataklığın kenarındaki hafif yüksek araziyi takip edip kille kaplı küçük, dikenli tarlalardan geçiyordu. Rüzgârda eğilmiş az sayıdaki ağaç ise bodurdu. Doğuya doğru gittikçe daha çok ev gördük ve bu binalar giderek büyüdü. Öğle vakti atları sulamak ve dinlendirmek için bir konakta durduk. Konağın etrafı bir kazık çitle çevriliydi ve bir hizmetkâr temkinli bir şekilde kapıdan çıkıp burada ne yaptığımızı sordu. "Neredeyiz biz?" diye sordum, sorusuna cevap vermeden önce.

"Wocca's Dun, lordum," diye cevap verdi. İngilizce konuşuyordu.

Buruk bir şekilde gülümsedim çünkü "dun" tepe demekti ve görebildiğim kadarıyla tepe yoktu, gerçi konak çok hafif bir tümseğin üzerinde duruyordu. "Wocca burada mı?" diye sordum.

"Arazinin sahibi artık torunu lordum, burada değil."

Smoca'nın eyerinden inip dizginleri Sihtric'e fırlattım. "Su içmesine izin vermeden önce onu yürüt," dedim, ardından hizmetkâra döndüm. "Peki bu torun kime yeminli?" diye sordum.

"Hakon'a hizmet ediyor, lordum."

"Peki Hakon?" diye sordum, konağın bir Sakson'a ait olduğunu ama bir Dan'a yemin ettiğini belirterek.

"Kral Æthelstan'a yeminli, lordum."

"Guthrum'a mı?"

"Evet, lordum."

"Guthrum adamlarını çağırdı mı?"

"Hayır lordum," dedi hizmetkâr.

"Peki Guthrum çağırsaydı Hakon ve efendin itaat eder miydi?" diye sordum.

Hizmetkâr temkinli göründü. "Beamfleot'a gittiler," dedi ve bu gerçekten ilginç bir cevaptı. Hizmetkârın bana söylediğine göre Hakon Guthrum tarafından kendisine verilen bu killi toprakların geniş bir bölümünü elinde tutuyordu ama Hakon şimdi Guthrum'a olan yemini ile Sigefrid'den duyduğu korku arasında kalmıştı.

"Yani Hakon Kont Sigefrid'i mi takip edecek?" diye sordum.

"Sanırım öyle lordum. Beamfleot'tan bir çağrı geldi lordum, o kadarını biliyorum ve efendim Hakon'la birlikte oraya gitti."

"Savaşçılarını aldılar mı?"

"Sadece birkaçını lordum."

"Savaşçılar çağrılmadı mı?"

"Hayır, lordum."

Yani Sigefrid henüz bir ordu toplamıyor, daha ziyade Doğu Anglia'nın zengin adamlarını bir araya getirerek onlardan ne beklendiğini anlatıyordu. Zamanı geldiğinde onların savaşçılarını isteyecekti ve şüphesiz artık onları Æhelflaed'in fidyesi ödendiğinde sahip olacakları zenginliklerin hayaliyle baştan çıkarıyordu. Peki ya Guthrum? Guthrum, sanırım, yeminli adamları Sigefrid tarafından baştan çıkarılırken öylece izliyordu. Bu süreci durdurmak için kesinlikle hiçbir girişimde bulunmuyordu ve muhtemelen Norsların cömert vaatleri karşısında bunu engelleyecek gücünün de olmadığını düşünüyordu. Bu durumda Sigefrid'in kuvvetlerini Wessex'e karşı kullanmasına izin vermek, onu Doğu Anglia tahtını gasp etmeye teşvik etmekten daha iyiydi. "Ve Wocca'nın torunu, efendiniz, o bir Sakson mu?" diye sordum cevabı bildiğim halde.

"Evet, lordum. Gerçi kızı bir Danla evli." Öyle görünüyordu ki bu sıkıcı topraklardaki Saksonlar, belki başka seçenekleri olmadığı için, belki de evliliklerle bağlılıkları değiştiği için Danların yanında savaşacaktı.

Hizmetkâr bize bira, tütsülenmiş yılan balığı ve ekmek verdi. Yemek yedikten sonra, güneş batıya doğru kayarak düz araziden aniden yükselen büyük tepeler üzerinde parlarken yolumuza devam ettik. Güneşe bakan yamaçlar dikti, öyle ki tepeler yeşil bir sur gibi görünüyordu. "Bu Beamfleot," dedi Finan.

"Yukarıda," diye onayladım. Beamfleot tepelerin güney ucunda yer alıyor olmalıydı, ancak bu mesafeden kaleyi ayırt etmek imkânsızdı. Moralimin bozulduğunu hissettim. Eğer Sigefrid'e saldırmamız gerekiyorsa birlikleri Lundene'den yönlendirmek en doğru yol olurdu ama savaşmak için o dik yamaçları tırmanmaya hiç niyetim yoktu. Steapa'nın da aynı önseziyle yamaca baktığını görebiliyordum. "İş savaşa gelirse Steapa!" diye seslendim neşeyle, "oraya önce seni ve birliklerini göndereceğim!"

Cevap olarak suratını astı.

"Bizi görmüş olmalılar," dedim Finan'a.

"Bir saattir bizi izliyorlar, lordum," dedi.

"Öyle mi?"

"Mızrak uçlarının parıltısını izliyordum," dedi İrlandalı. "Bizden saklanmaya çalışmıyorlar."

Tepeye tırmandığımızda uzun bir yaz akşamının başlangıcıydı. Hava ılıktı ve yamacı örten ağaçların arasından süzülen ışık çok güzeldi. Bir yol zikzaklar çizerek tepeye doğru ilerliyordu ve biz yavaşça tırmanırken yukarıdan gelen parıltıları görebiliyordum. Bunların mızrak uçlarından ya da miğferlerden gelen yansımalar olduğunu biliyordum. Düşmanlarımız bizi izliyordu ve bizim için hazırdılar.

Sadece üç atlı bekliyordu. Üçü de zırhlıydı, hepsinin başında miğfer vardı ve miğferlerinin uzun at kılı tüyleri adamlara vahşi bir görünüm veriyordu. Sihtric'in kızılağaç dalını görmüşlerdi ve zirveye yaklaştığımızda üç adam bize doğru mahmuzladı. Askerlerimi durdurmak için elimi kaldırdım ve yanımda sadece Finan olduğu halde üç tüylü atlıyı selamlamak için onlara doğru ilerledim.

"Sonunda geldiniz," diye seslendi içlerinden biri ağır aksanlı İngilizcesiyle.

Danca "Barış için geldik," dedim.

Adam güldü. Yüzünü göremiyordum çünkü miğferinin yanakları vardı, o yüzden tek seçebildiğim sakallı ağzı ve gölgeli gözlerinin parıltısıydı. "Barış içinde geliyorsunuz çünkü başka türlü gelmeye cesaret edemezsiniz," dedi. "Yoksa kralınızın kızının bacak arasına girdikten sonra karnını mı deşmemizi istiyorsunuz?"

"Kont Sigefrid'le konuşacağım," dedim kışkırtmalarına aldırmadan.

"Acaba o seninle konuşmak istiyor mu?" diye sordu adam.

Mahmuzunu herhangi bir amaç için değil, sadece binicisinin binicilikteki becerisini göstermek için atına şöyle bir dokundurdu ve aygır güzelce döndü, "Peki sen kimsin?" diye sordu.

"Bebbanburglu Uhtred."

"Bu ismi duymuştum," diye cevap verdi adam.

"O zaman ismimi Kont Sigefrid'e söyle," dedim, "ve ona Kral Alfred'den selam getirdiğimi söyle."

"Bu ismi de duymuştum," dedi adam, sabrımızla oynamak için duraklayarak. "Yolu takip edebilirsiniz," dedi sonunda, patikanın tepenin yamacında kaybolduğu yeri işaret ederek, "büyük bir taşa geleceksiniz. Taşın yanında bir salon var. Siz ve tüm adamlarınız orada bekleyeceksiniz. Kont Sigefrid yarın sizinle konuşmak isteyip istemediğini, gitmenizi isteyip istemediğini ya da ölümlerinizle eğlenmek isteyip istemediğini size bildirecek." Mahmuzunu tekrar atının böğrüne dokundurdu ve üç adam da nal sesleri durgun yaz havasında gürleyerek hızla uzaklaştı.

Ve büyük taşın yanındaki salonu bulmak için at sürmeye devam ettik.

* * *

Çok eski olan salon yıllar içinde neredeyse siyaha dönmüş meşeden yapılmıştı. Sazdan çatısı dikti ve bina onu güneşten koruyan uzun meşelerle çevriliydi. Salonun önünde, çimenlerin arasında, bir insandan daha uzun, yontulmamış taştan bir sütun duruyordu. Taşın üzerinde bir oyuk vardı ve oyukta kayanın büyülü özelliklere sahip olduğuna inanan halkın simgeleri olan çakıl taşları ve kemik parçaları vardı. Finan istavroz çıkardı. "Bunu oraya eski insanlar koymuş olmalı," dedi.

"Hangi eski insanlar?"

"Dünya gençken burada yaşayanlar," dedi, "bizden önce gelenler. İrlanda'nın her yerine böyle taşlar koymuşlar." Taşa ihtiyatla baktı ve atını mümkün olduğunca uzağından geçirdi.

Salonun dışında tek bir topal uşak bekliyordu. Bir Sakson'du. Bize o yerin adının Thunresleam olduğunu söyledi ki bu isim de eskiydi. "Thor'un Korusu" anlamına geliyordu ve bana salonun eski Saksonların, Hristiyanların çivilenmiş tanrısını kabul etmemiş Saksonların, daha eski tanrıları olan benim tanrım Thor'a taptıkları bir yerde inşa edilmiş olması gerektiğini söylüyordu. Taşa dokunmak için Smoca'nın eyerinden eğilip Thor'a Gisela'nın doğumdan sağ çıkması ve Æthelflaed'in kurtarılması için dua ettim. "Sizin için yiyecek var lordum," dedi topal uşak, Smoca'nın dizginlerini alarak.

Sadece yemek ve bira yoktu, bir ziyafet vardı, ayrıca ziyafeti hazırlamak, bira, bal likörü ve huş şarabı doldurmak için Sakson kadın köleler vardı. Domuz eti, sığır eti, ördek, kurutulmuş morina, kurutulmuş mezgit balığı, yılan balığı, yengeç ve kaz vardı. Ekmek, peynir, bal ve tereyağı vardı. Peder Willibald yiyeceklerin zehirli olabileceğinden korktu ve ben bir kaz budu yerken beni korkuyla izledi. "İşte," dedim, dudaklarımdaki yağı elimin tersiyle silerek, "hâlâ hayattayım."

"Tanrı'ya şükürler olsun," dedi Willibald, hâlâ endişeyle beni izleyerek.

"Thor'a şükürler olsun," dedim, "burası onun tepesi."

Willibald istavroz çıkardı, sonra bıçağını bir parça ördeğe sapladı. "Bana Sigefrid'in Hristiyanlardan nefret ettiği söylendi," dedi endişeyle.

"Ediyor. Özellikle de rahiplerden."

"O zaman neden bizi bu kadar iyi besliyor?"

"Bizi hor gördüğünü göstermek için," dedim.

"Bizi zehirlemek için değil mi?" diye sordu, endişesi yatışmamıştı.

"Ye, tadını çıkar." Norsların bizi zehirleyeceğinden şüpheliydim. Ölmemizi isteyebilirlerdi, ama bizi küçük düşürmeden önce değil, yine de ihtiyatı elden bırakmayarak salona giden yola bir nöbetçi diktim. Sigefrid'in seçtiği aşağılama yönteminin biz içeride uyurken gecenin köründe salonu yakmak olmasından korkuyordum. Bir keresinde bir salonun yakılışını izlemiştim. Korkunç bir şeydi.Savaşçılar panik halindeki sakinleri, insanların ölmeden önce çığlık attığı, düşen ve yanan sazların cehennemine geri sürüklemek için dışarıda beklemişti. Ertesi sabah, salonun yakılmasından sonra kurbanlar küçük çocuklar kadar küçülmüştü, cesetleri büzülmüş ve kararmış, elleri kıvrılmıştı. Yanmış dudakları korkunç ve sonsuz bir acı çığlığıyla dişlerinden geriye çekilmişti.

Ama o kısa yaz gecesinde kimse bizi öldürmeye çalışmadı. Bir süre nöbet tuttum, baykuşları dinledim, sonra güneşin sık ağaçların arasından doğuşunu izledim. Bir süre sonra üç kez tekrarlanan kederli bir boru sesi duydum, sonra üç kez daha çaldı. Sigefrid'in adamlarını çağırıyor olması gerektiğini anladım. Yakında bizi çağırtacağını düşünerek özenle giyindim. En iyi zırhımı, güzel savaş miğferimi ve gün sıcak olacağa benzese de uzun sırtında şimşekler çakan siyah pelerinimi giymeyi tercih ettim. Botlarımı giyip kılıçlarımı kuşandım. Steapa da zırh giymişti ama onun zırhı kirli ve kararmış, botları aşınmış, kınının örtüsü yırtılmıştı. Yine de her nasılsa benden çok daha korkunç görünüyordu. Peder Willibald siyah cüppesini giymiş, içinde İncil ve semboller bulunan küçük bir çanta taşıyordu. "Benim için tercümanlık yapacaksın, değil mi?" diye sordu ciddiyetle.

"Alfred neden Danca bilen bir rahip göndermedi?" diye sordum.

"Biraz konuşabiliyorum!" dedi Willibald, "ama arzu ettiğim kadar değil. Hayır, kral beni Leydi Æthelflaed'i avutabileceğimi düşündüğü için gönderdi."

"Öyle yaptığından emin ol," dedim, sonra döndüm çünkü Cerdic güneydeki ağaçların arasından geçen patikadan koşarak gelmişti.

"Geliyorlar lordum," dedi.

"Kaç kişiler?"

"Altı, lordum. Altı atlı."

Altı adam salonun etrafındaki açıklığa doğru at sürdüler. Durup etraflarına baktılar. Miğferleri görüş açılarını kısıtlıyor, onları atlarımızı görebilmek için başlarını abartılı bir şekilde hareket ettirmeye zorluyordu. Kafa sayıyor, araziyi keşfetmek için bir keşif grubu göndermediğimden emin olmaya çalışıyorlardı. Sonunda böyle bir grubun var olmadığından emin olan liderleri bana doğru bakmaya tenezzül etti. Onun bir önceki gün tepede bizi karşılayan adam olduğunu düşündüm. "Yalnız sen gelmelisin," dedi beni göstererek.

"Üçümüz geliyoruz," dedim.

"Yalnız sen," diye ısrar etti.

"O zaman şimdi Lundene'e dönüyoruz," dedim ve döndüm.

"Toparlanın! Eyerler! Acele edin! Gidiyoruz!"

Adam hiç itiraz etmedi. "O zaman üç," dedi umursamazca, "ama Kont Sigefrid'in huzuruna at üzerinde gitmeyeceksiniz. Yürüyeceksiniz."

Bu konuda hiç itiraz etmedim. Sigefrid'in amacının bizi küçük düşürmek olduğunu biliyordum ve bunu en iyi bizi kampına kadar yürüterek başarabilirdi. Lordlar ata biner, sıradan insanlar yürürdü ama Steapa, Peder Willibald ve ben ağaçların arasından geçip güneşin parıldadığı Temes'e hâkim geniş bir çimenliğe çıkan patikayı takip ederek uysalca altı atlının arkasından yürüdük. Aşağı taraf kaba barınaklarla kaplıydı, Sigefrid'i desteklemek için gelen yeni tayfaların yakında ele geçirip dağıtacağı hazinenin beklentisiyle inşa ettikleri yerler.

Sigefrid'in kampına giden yokuşu tırmandığımızda fena halde terlemiştim. Artık Caninga'yı ve derenin doğu yakasını görebiliyordum. Her iki yeri de deniz kıyısından yakından tanıyordum ama bu kartal yüksekliğinden hiç görmemiştim. Kuruyan Hothlege'de artık çok daha fazla gemi olduğunu da görebiliyordum. Vikingler balta, kılıç ve mızrakla saldırabilecekleri zayıf bir nokta bulmak için dünyayı dolaşıyordu ve Æthelflaed'in ele geçirilmesi tam da böyle bir fırsatı ortaya çıkardığından burada toplanmışlardı.

Yüzlerce adam kapıda bekliyordu. Kalenin büyük salonuna doğru bir geçit açmışlardı ve üçümüz sakallı, silahlı adamlardan oluşan bu korkutucu sıranın arasından, uzun bir platform oluşturmak için bir araya getirilmiş iki büyük çiftlik arabasına doğru yürümek zorunda kaldık. Bu derme çatma platformun ortasında Sigefrid'in oturduğu bir sandalye vardı. Sıcağa rağmen siyah ayı cübbesini giymişti. Kardeşi Erik büyük sandalyenin bir yanında, sinsi sinsi sırıtan Haesten ise diğer yanında duruyordu. Üçlünün arkasında bir sıra miğferli muhafız, önlerinde ise vagonların yataklarından sarkan kuzgun, kartal ve kurt sancakları vardı. Sigefrid'in önünde yerde Æthelred'in donanmasından ele geçirilen sancaklar duruyordu. Mersiya hükümdarının şaha kalkmış bir attan oluşan kendi büyük sancağı da oradaydı ve yanında haçlar ve azizleri gösteren bayraklar vardı. Sancaklar kirlenmişti. Danların sırayla ele geçirdikleri sancakların üzerine işediklerini tahmin ettim. Æthelflaed'den hiç iz yoktu. Sigefrid'in onu halka sergileyeceğini düşünmüştüm ama tepedeki bir düzine binanın birinde koruma altında olmalıydı.

"Alfred bize havlamaları için köpek yavrularını göndermiş!" diye duyurdu Sigefrid, kirli sancaklara ulaştığımızda.

Miğferimi çıkardım. "Alfred'in size selamı var," dedim. Bir an için Sigefrid'in beni salonunda karşılayacağını düşünmüştüm ama sonra beni açık havada karşılamak istediğini, böylece mümkün olduğunca çok sayıda takipçisinin rezil oluşumu görmesini istediğini fark ettim.

"Bir köpek yavrusu gibi mızmızlanıyorsun," dedi Sigefrid.

"Ve Leydi Æthelflaed'in arkadaşlığından keyif almanı diliyor," diye devam ettim.

Şaşkınlıkla kaşlarını çattı. Geniş yüzü tombullaşmıştı, gerçekten de daha kiloluydu çünkü Osferth'in ona verdiği yara bacaklarını kullanmasını engellemiş olsa da iştahını engellememişti, bu yüzden sakat, çökmüş ve iğrenç bir şekilde oturmuş, öfkeyle bana bakıyordu. "Keyif almamı mı?" diye hırladı. "Ne saçmalıyorsun?"

İzleyenlerin beni duyması için sesimi yükselterek "Wessex kralının başka kızları da var!" dedim. "Güzel Æthelgifu ve kız kardeşi Æfthryth var, o zaman Æthelflaed'e neden ihtiyacı olsun ki? Hem kız çocukları ne işe yarar? O bir kral ve oğulları var, Edward ve Æthelweard, bir adamın şanı oğullarıdır, kızları ise yüktür. Bu yüzden onun için mutluluk diliyor. Ona veda etmem için beni gönderdi."

Sigefrid küçümseyerek, "Köpek yavrusu bizi eğlendirmeye çalışıyor," dedi. Elbette bana inanmıyordu ama teklif edeceğim düşük fidyeyi haklı çıkarmaya yetecek kadar küçük bir şüphe tohumu ekebilmeyi umuyordum. Nihai fiyatın çok yüksek olacağını biliyordum, Sigefrid de biliyordu ama belki bunu yeterince sık tekrarlarsam Alfred'in Æthelflaed'i çok da umursamadığına onu ikna edebilirdim. "Belki de onu sevgilim olarak almalıyım?" diye önerdi Sigefrid.

Erik'in kardeşinin yanında rahatsızca kıpırdadığını fark ettim.

"Bu onun için bir şans olurdu," dedim umursamazca.

"Yalan söylüyorsun, köpek yavrusu," dedi Sigefrid, ama sesinde küçücük de olsa bir kuşku kırıntısı vardı. "Ama Sakson kaltak hamile. Belki babası çocuğunu satın alır?"

"Eğer oğlan olursa," dedim kararsızca, "belki."

"O zaman bir teklif yapmalısın," dedi Sigefrid.

"Alfred bir torun için küçük bir meblağ ödeyebilir," diye başladım.

"İyi niyetin konusunda beni değil Weland'ı ikna etmelisin," diye sözümü kesti Sigefrid.

"Wayland* mi?" diye sordum Tanrıların Demircisi'ni kastettiğini düşünerek.

"Dev Weland," dedi Sigefrid ve gülümseyerek başıyla arkamı işaret etti. "O bir Dan," diye devam etti, "ve hiç kimse Weland'ı yenemedi."

Döndüğümde, karşımda hayatımda gördüğüm en büyük adamın durduğunu gördüm. Kocaman bir adam. Şüphesiz bir savaşçıydı ama ne silah ne de zırh taşıyordu. Deri pantolon ve çizme giyiyordu ama belden yukarısı çıplaktı, geniş göğsüne ve devasa kollarına mürekkeple çizilmiş ve renklendirilmiş siyah ejderhalar kıvrımlı kaslarını açığa vuruyordu. Ön kolları daha önce gördüklerimin hepsinden daha büyük halkalarla doluydu, çünkü hiçbir normal halka Weland'a uymazdı. Vücudundaki ejderhalar gibi siyah olan sakalı küçük muskalarla bağlanmıştı, kafası ise keldi. Yaralı yüzü kötücül ve vahşiydi, yine de göz göze geldiğimizde gülümsedi.

"Weland'ı yalan söylemediğine ikna etmelisin," dedi Sigefrid, "aksi halde seninle konuşmam."

Bu tür bir şey bekliyordum. Alfred'e göre Beamfleot'a gelecek, medeni bir tartışma yürütecek ve ona usulünce rapor edeceğim ılımlı bir uzlaşmaya varacaktık ama Norsları tanırdım. Onların eğlenmeye ihtiyacı vardı. Eğer pazarlık yapa-

---

* Demirci Völund (İngilizce: Wayland,Weyland), Cermen mitolojisinde geçen efsanevi demirci. Volsung'un oğlu Sigmund'un efsanevi kılıcı "Gram"ı o yapmıştır. Bu kılıç, Odin tarafından Sigmund'a verilmiştir ve Sigmund'un son savaşında kırılmıştır -çn.

caksam önce gücümü göstermeli, kendimi kanıtlamalıydım ama Weland'a bakarken başarısız olacağımı biliyordum. Benden bir baş uzundu, ki ben çoğu erkekten bir baş uzundum ama beni böylesi zorlu bir sınava karşı uyaran aynı içgüdü Steapa'yı yanıma almama neden olmuştu.

Steapa ölüm saçan gülümsemesini takınmıştı. Ne Sigefrid'in ne benim konuşmamı anlamıştı ama Weland'ın nasıl durduğunu görmüştü. "Dövülmesi mi gerekiyor?" diye sordu bana.

"Bırak ben yapayım," dedim.

"Ben yaşadığım sürece olmaz," diye yanıtladı Steapa. Kılıç kemerini çözüp silahlarını Peder Willibald'a verdikten sonra ağır zırhını başından geçirdi. Dövüşü bekleyen seyirciler gürültülü bir tezahürat yaptılar.

Sigefrid arkamdan, "Umarım adamın kazanır, köpek yavrusu," dedi.

"Kazanacak," dedim, hissetmediğim bir güvenle.

"İlkbaharda, köpek yavrusu," diye hırladı Sigefrid, "beni bir rahibi çarmıha germekten alıkoydun. Hâlâ merak ediyorum. Adamın kaybederse o rahip bozuntusunu senin yanında çarmıha gereceğim."

"Ne diyor?" Willibald Sigefrid'in kendisine yönelttiği kötü niyetli bakışı görmüştü ve şaşırtıcı olmayan bir şekilde gergin görünüyordu.

"Dövüşü etkilemek için Hristiyan büyülerini kullanmaman gerektiğini söylüyor," diye yalan söyledim.

"Yine de dua edeceğim," dedi Peder Willibald cesurca.

Weland kocaman kollarını geriyor, kalın parmaklarını büküyordu. Ayaklarını yere vurdu, sonra bir güreşçi pozisyonu aldı. Gerçi bu dövüşün güreş kurallarına uygun olacağından şüpheliydim. Dikkatle onu izliyordum. Steapa'ya sessizce,

"Sağ bacağını tercih ediyor," dedim, "bu da sol bacağının daha önce yaralandığı anlamına gelebilir."

Nefesimi boşa harcamıştım çünkü Steapa beni dinlemiyordu. Gözleri kısık ve öfkeliydi, her zaman ifadesiz olan yüzü yoğunlaşmış bir öfkenin maskesi gibiydi. Deli bir adam gibi görünüyordu. Onunla dövüştüğüm tek zamanı hatırladım. Yule'dan hemen önceki bir gündü, Guthrum'un Danlarının beklenmedik bir şekilde Cippanhamm'a indiği gün. Steapa o dövüşümüzden önce sakindi. O uzak kış gününde bana, aletlerine ve becerisine güvenerek işine giden bir işçi gibi görünmüştü, ama şu anda öyle görünmüyordu. Kişisel bir öfke içindeydi ve bunun nedeni nefret ettiği bir paganla dövüşmesi miydi, yoksa Cippanhamm'da beni hafife alması mıydı, bilmiyordum.

Umurumda da değildi. "Unutma," diye tekrar denedim, "Demirci Wayland topaldı."

"Başla!" diye seslendi Sigefrid arkamdan.

"Tanrı ve İsa," diye bağırdı Steapa, "cehennem ve İsa!" Sigefrid'in komutuna tepki vermiyordu, hatta onu duyduğundan bile şüpheliyim. Bunun yerine son gücünü topluyordu, tıpkı bir okçunun okuna ölümcül bir güç vermek için yayının ipini bir santim daha çekmesi gibi, sonra bir hayvan gibi uluyup saldırdı.

Weland da saldırdı. Kızışma mevsimindeki geyikler gibi çarpıştılar.

Danlar ve Norslar Sigefrid'in muhafızlarının mızraklarıyla sınırlanan bir çember oluşturarak etraflarına toplanmıştı ve bu iki dev adam birbirine çarparken izleyen savaşçılar soluk soluğa kalmıştı. Steapa kafasını Weland'ın suratına geçirmeyi umarak başını eğmişti ama Weland son anda hamle yapınca vücutları birbirine çarptı ve birbirlerine tutunmaya çalışırken bir hengâme yaşandı. Steapa Weland'ın pantolonunu yakalamıştı, Weland da Steapa'nın saçlarını çekiyordu ve ikisi de boşta kalan ellerini birbirlerine yumruk atmak için kullanıyordu. Steapa Weland'ı ısırmaya çalıştı, Weland ona vurdu, sonra Steapa Weland'ın kasıklarına doğru uzandı ve Weland devasa dizini Steapa'nın kalçalarının arasına sertçe sokarken bir başka korkunç hengâme daha yaşandı.

"Yüce İsa," diye mırıldandı yanumdaki Willibald.

Weland Steapa'nın elinden kurtulup yüzüne sert bir yumruk indirdi. Yumruğun iniş sesi bir kasabın ete vuran baltasının çıkardığı parçalayıcı ıslak sese benziyordu. Artık Steapa'nın burnundan kan akıyordu ama o bunu umursamıyor gibiydi. Rakibinin yumruklarına Weland'ın kaburgalarına ve kafasına vurarak karşılık verdi, sonra elini açıp parmaklarını sertçe Dan'ın gözlerine saplamaya çalıştı. Weland gözlerini oyacak bu darbeden kurtulmayı başardı ve Steapa'nın boğazına öyle bir yumruk indirdi ki Sakson aniden nefes alamaz hale gelerek sendeledi.

Willibald istavroz çıkararak, "Aman Tanrı'm, aman Tanrı'm," diye fısıldadı.

Weland hızla Steapa'nın peşinden gitti, onu yumrukladı, sonra ağır kol halkalarını kullanarak Steapa'nın kafatasına vurunca metal aksesuarlar Sakson'un kafa derisini sıyırdı. Daha fazla kan çıktı. Steapa sarsılıyor, sendeliyordu, soluk soluğa kalmıştı ve boğuluyordu. Aniden dizlerinin üzerine çöktüğünde onu izleyen kalabalık zayıflığıyla alay etti. Weland güçlü yumruğunu kaldırdı ama daha darbesini indiremeden Steapa öne doğru atılıp Dan'ın sol ayak bileğini yakaladı. Bileğini çekip döndürdü ve Weland kesilen bir meşe gibi devrilerek çimlerin üzerine yığıldı. Kanlar içindeki Steapa hırlayarak kendini düşmanının üzerine atıp tekrar yumruk atmaya başladı.

Peder Willibald korkmuş bir sesle, "Birbirlerini öldürecekler," dedi.

"Sigefrid şampiyonunun ölmesine izin vermez," dedim ama bunu söyledikten sonra bunun doğru olup olmadığını merak ettim. Sigefrid'e bakmak için döndüğümde beni izlediğini gördüm. Bana sinsice gülümsedikten sonra dövüşçüleri izlemeye devam etti. Bu onun oyunuydu, diye düşündüm. Savaşın sonucu pazarlıklar için hiçbir fark yaratmayacaktı. Peder Willibald'ın hayatı dışında hiçbir şey bu vahşi gösteriye bağlı değildi. Bu sadece bir oyundu.

Weland Steapa'yı üstünden atmayı başardı, böylece çimlerin üzerinde yan yana yattılar. Etkisiz darbeler savurduktan sonra sanki anlaşmışlar gibi birbirlerinden uzaklaşıp tekrar ayağa kalktılar. İki adam da nefes alırken bir duraklama oldu, sonra ikinci kez çarpıştılar. Steapa'nın yüzü kan içindeydi, Weland'ın alt dudağı ve sol kulağı kanıyordu, bir gözü neredeyse kapanmak üzereydi ve kaburgalarına darbe almıştı. İki adam bir süre boğuştu, birbirlerini tutmaya çalıştı, birbirlerinin ayaklarını kaydırdı, homurdandı, ardından Weland Steapa'nın pantolonunu yakalamayı başarıp onu öyle bir fırlattı ki iri yarı Sakson Dan'ın sol kalçası üzerinde dönerek çimenlere çakıldı. Weland Steapa'nın kasığına vurmak için ayağını kaldırdı ama Steapa ayağını yakalayıp büktü.

Weland inledi. Böylesine iri bir adamdan bu kadar ince bir ses çıkması tuhaftı, ayrıca daha önce maruz kaldığı darbelerden sonra aldığı hasar önemsiz görünüyordu ama Steapa sonunda Demirci Wayland'ın Nidung tarafından sakat bırakıldığını hatırlamıştı ve Dan'ın ayağını bükmesi eski bir yarayı deşmeşti. Weland geri çekilmeye çalıştı ama dengesini kaybedip tekrar düştü. Nefes nefese olan Steapa kan tükürerek ona doğru süründü ve tekrar vurmaya başladı. Körlemesine vuruyordu, çekiç yumrukları kollara, göğse ve kafaya çarpıyordu. Weland Steapa'nın gözlerini oymaya çalışarak karşılık verdi ama Sakson rasgele savrulan eli dişleriyle ısırdı. Weland'ın küçük parmağını koparırken çıkan çatırtıyı net bir şekilde duydum. Weland sendeleyerek uzaklaştı, Steapa parmağı tükürdü ve kocaman ellerini Dan'ın boynuna geçirip sıkmaya başladı. Nefes almakta zorlanan Weland bir alabalık gibi çırpınmaya başladı.

"Yeter!" diye bağırdı Erik.

Kimse kımıldamadı. Weland'ın gözleri büyürken kandan kör olmuş, dişlerini sıkmış olan Steapa ellerini Dan'ın boynuna dolamıştı. Steapa miyavlama sesleri çıkarıyor, sonra da parmaklarını Dan'ın gırtlağına sokmaya çalışırken homurdanıyordu.

"Yeter!" diye kükredi Sigefrid.

Sakson Dan'ı boğazlarken Steapa'nın kanı Weland'ın yüzüne damlıyordu. Steapa'nın hırladığını duyabiliyordum ve dev adam ölene kadar durmayacağını biliyordum. Bu yüzden seyircileri geride tutan yatay mızraklardan birini ittim. "Dur!" diye bağırdım Steapa'ya. Beni görmezden gelince İğne'yi çekerek kısa bıçağının düz kısmını kanlı kafatasına sertçe vurdum. "Dur!" diye bağırdım tekrar.

Bana hırladı ve bir an için bana saldıracağını sandım, ama sonra yarı kapalı gözleri açıldı ve Weland'ın boynunu bırakıp bana baktı. "Ben kazandım," dedi öfkeyle. "Bana kazandığımı söyle!"

"Evet, sen kazandın," dedim.

Steapa dengesiz bir şekilde ayağa kalktı, sonra bacaklarını iki yana açıp yumruk yaptığı iki elini havaya kaldırdı. "Ben kazandım!" diye bağırdı.

Weland hâlâ nefes nefeseydi. Ayağa kalkmaya çalıştı ama tekrar geriye düştü.

Sigefrid'e döndüm. "Sakson kazandı," dedim, "ve rahip yaşayacak."

"Rahip yaşayacak," diye cevap veren Erik oldu. Haesten sırıtıyordu, Sigefrid eğlenmiş görünüyordu ve Weland nefes almaya çalışırken hırıltılı sesler çıkarıyordu.

"O zaman Alfred'in sürtüğü için teklifini yap," dedi Sigefrid.

Ve pazarlık artık başlayabilirdi.

On

Sigefrid sandalyesini kaldırmak ve güvenli bir şekilde yere indirmek için mücadele eden dört adam tarafından arabaların platformundan taşındı. Sanki onun bu sakat halinden ben sorumluymuşum gibi kızgın bir ifadeyle bana kaşlarını çattı ki sanırım öyleydim. Dört adam sandalyeyi salonuna taşıdı ve beni selamlamayan, hatta sinsice gülümsemek dışında varlığımı kabul etmeyen Haesten, onu takip etmemizi işaret etti.

"Steapa'nın yardıma ihtiyacı var," dedim.

Haesten umursamaz bir tavırla, "Bir kadın onun kanını temizleyecek," dedi ve sonra aniden güldü. "Demek Bjorn'un bir aldatmaca olduğunu keşfettin?"

"İyi bir aldatmaca," diye kabul ettim isteksizce.

"O artık öldü," dedi Haesten, sanki ölmüş bir tazıdan söz ediyormuş gibi duygusuz bir ifadeyle. "Siz onu gördükten yaklaşık iki hafta sonra ateşlendi ve artık mezarından çıkamıyor, piç kurusu!" Haesten artık kalın halkalardan oluşan ve geniş göğsünde ağır bir şekilde asılı duran altın bir zincir takıyordu. Onu genç bir adam olarak hatırlıyordum; onu kurtardığımda bir çocuktan fazlası değildi ama şimdi Haesten'da bir yetişkin görüyordum ve gördüklerim hoşuma gitmiyordu. Gözleri yeterince dostça bakıyordu ama sanki gözlerinin ardında saldırmaya hazır bir yılan varmış gibi ihtiyatlı bir ifade vardı. Samimi bir şekilde koluma vurdu. "Bu kraliyet Sakson kaltağının size çok fazla gümüşe mal olacağını biliyor olmalısın?"

"Alfred onu geri istediğine karar verirse," dedim aldırmaz bir şekilde, "o zaman sanırım bir şeyler ödeyebilir."

Haesten buna güldü. "Peki ya onu geri istemezse? Onu Britanya'ya, Frank Krallığı'na götürüp sonra ana vatanımıza geri getireceğiz. Onu çırılçıplak soyup bacakları açık bir şekilde bir çerçeveye bağlayacağız ve herkesin gelip Wessex kralının kızını görmesine izin vereceğiz. Onun için bunu mu istiyorsunuz Lord Uhtred?"

"Beni düşman olarak mı görmek istiyorsunuz, Kont Haesten?" diye sordum.

"Bence zaten düşmanız," dedi Haesten, bir kez olsun gerçeği söylemeye cesaret ederek, ama hemen ardından ciddi olmadığını kanıtlamak istercesine gülümsedi. "Halk Wessex kralının kızını görmek için iyi gümüş ödeyecektir, sence de öyle değil mi? Ve erkekler onun tadını çıkarmak için altın ödeyecektir." Güldü. "Sanırım Alfred'iniz bu aşağılanmanın önüne geçmek ister."

Elbette haklıydı ama bunu kabul etmeye cesaret edemiyordum. "Zarar gördü mü?" diye sordum.

"Erik ona yaklaşmamıza izin vermiyor!" Haesten belli ki eğleniyordu. "Hayır, çiziksiz. Eğer bir domuz satıyorsan onu çobanpüskülü sopasıyla dövmezsin, değil mi?"

"Doğru," dedim. Bir domuzu çobanpüskülü dalından yapılmış bir sopayla dövmek o kadar derin çürükler bırakır ki hayvanın ezilmiş eti asla tuzla iyileştirilemez. Haesten'in maiyeti yakınlarda bekliyordu ve aralarında bana Bjorn'u göstermek için salonunu kullandıkları Kızıl Eilaf da vardı. Hafifçe eğilerek bana selam verdi. Nezaketini karşılıksız bıraktım.

"En iyisi içeri girelim," dedi Haesten, Sigefrid'in salonunu işaret ederek, "ve Wessex'ten ne kadar altın koparabileceğimize bakalım."

"Önce Steapa'yı görmeliyim," dedim ama onu bulduğumda etrafının kesiklerine ve çürüklerine lanolin merhemi süren Sakson kadın kölelerle çevrili olduğunu gördüm. Bana ihtiyacı yoktu, bu yüzden Haesten'i salona kadar takip ettim.

Salonun ortasındaki ocağın etrafına tabureler ve sıralardan oluşan bir çember kurulmuştu. En alçak iki tabure Willibald ve bana verilirken, Sigefrid boş ocağın uzak tarafındaki sandalyesinden ters ters bize baktı. Haesten ve Erik sakat adamın iki yanındaki yerlerini aldı, sonra hepsi de gösterişli kol halkalarına sahip diğer adamlar çemberi tamamladı. Bunların daha önemli Norslar, iki ya da daha fazla gemi getirmiş olanlar ve Sigefrid Wessex'i fethetmeyi başarırsa zengin toprak bağışlarıyla ödüllendirilecek olanlar olduğunu biliyordum. Onların takipçileri kadınların bira dağıttığı salonun kenarlarında toplanmıştı. Sigefrid aniden, "Teklifini yap," diye buyurdu.

"O bir kız, oğlan değil," dedim, "bu yüzden Alfred büyük bir meblağ ödemeyi düşünmüyor. Yüz otuz altı kilo gümüş yeterli olacaktır."

Sigefrid uzun bir süre bana baktı, sonra adamların izleyip dinlediği salona göz gezdirdi. "Bir Sakson osuruğu mu duydum?" diye sorduğunda salon kahkahalarla çınladı. Gösterişli bir şekilde burnunu çekip burnunu kırıştırdı ve izleyiciler koro halinde osuruk sesleri çıkarmaya başladı. Ardından Sigefrid sandalyesinin koluna kocaman bir yumruk indirince salon bir anda sessizliğe gömüldü. "Bana hakaret ediyorsun," dedi gözlerinden öfke saçarak. "Eğer Alfred bu kadar az bir teklifte bulunacaksa ben de kızı buraya getirip biz onu becerirken sana izlettiririm. Neden yapmayayım ki!" Ayağa kalkmak ister gibi sandalyesinde debelendi, sonra arkasına yaslandı. "İstediğin bu mu, seni Sakson osuruğu? Ona tecavüz edildiğini mi görmek istiyorsun?"

Öfkesinin sahte olduğunu düşündüm. Tıpkı benim Æthelflaed'in değerini azaltmaya çalışmam gibi, Sigefrid de ona yönelik tehdidi abartmak zorundaydı, ama Sigefrid tecavüzü önerdiğinde Erik'in yüzünde bir tiksinti ifadesi fark ettim. Tiksintisi bana değil kardeşine yönelikti. Sesimi sakin tuttum. "Kral teklifini artırmam için bana bir miktar inisiyatif tanıdı," dedim.

"Bu ne sürpriz!" dedi Sigefrid alaycı bir tavırla, "öyleyse bırak da inisiyatifinin sınırlarını keşfedeyim," dedi. "Bize dört bin beş kilo gümüş ve iki bin iki yüz kilo altın verilmesini istiyoruz." Benden bir yanıt bekleyerek durakladı ama bir şey söylemedim. "Ayrıca para Alfred'in kendisi tarafından buraya getirilecek," diye devam etti sonunda. "Parayı bizzat ödeyecek."

O gün uzun bir gün oldu, bolca biranın, bal likörünün ve huş şarabının içildiği, müzakerelerin tehditler, öfke ve hakaretlerle noktalandığı çok uzun bir gün. Ben çok az içtim, sadece biraz bira, ama Sigefrid ve komutanları çok içti ve belki de bu yüzden beklediğimden daha fazlasını verdiler. Gerçek şu ki para istiyorlardı. Daha fazla adam ve daha fazla silah kiralayabilmek ve böylece Wessex'i fethetmeye başlayabilmek için bir gemi dolusu gümüş ve altın istiyorlardı. O yüksek kaledeki adamların sayısı hakkında kabaca bir tahminde bulunarak Sigefrid'in yaklaşık üç bin kişilik bir ordu toplayabileceğini hesaplamıştım ve bu Wessex'i istila etmek için yeterli değildi. Beş ya da altı bin adama ihtiyacı vardı ve bu sayı bile yeterli olmayabilirdi, ama sekiz bin savaşçı toplayabilirse kazanabilirdi. Böyle bir orduyla Wessex'i fethedebilir, verimli topraklarının sakat kralı olabilirdi ama bu fazladan savaşçıları elde etmek için gümüşe ihtiyacı vardı. Eğer fidyeyi alamazsa şu anda sahip olduğu adamlar bile onlara parlak altın ve parlayan gümüş verebilecek başka lordlar aramak için hızla dağılırdı.

Öğleden sonra bin üç yüz altmış kilo gümüş ve iki yüz otuz kilo altına razı oldular. Alfred'in parayı şahsen teslim etmesi konusunda hâlâ ısrar ediyorlardı ama bu talebi kararlılıkla reddettim, hatta Peder Willibald'ın koluna girip anlaşamadığımız için ayrılacağımızı söyleyecek kadar ileri gittim. İzleyicilerin çoğu sıkılmıştı, birkaçından fazlası sarhoştu ve ayağa kalktığımı gördüklerinde öfkeyle hırladılar, böylece bir an için saldırıya uğrayacağımızı düşündüm ama sonra Haesten araya girdi.

"Peki ya kaltağın kocası?" diye sordu.

"Ne olmuş ona?" diye sordum, salon yavaş yavaş sessizleşirken arkamı dönerek. "Kocası kendine Mersiya lordu demiyor mu?" diye sordu Haesten kahkahalarla bu unvanı alaya alarak. "Öyleyse bırak parayı Mersiya lordu getirsin."

"Ve dizlerinin üzerinde karısı için bana yalvarsın," diye ekledi.

"Anlaştık," dedim. Önerilerine bu kadar kolay teslim olmam onları şaşırtmıştı.

Sigefrid çok kolay teslim olduğumdan şüphelenerek kaşlarını çattı. "Anlaştık mı?" diye sordu, beni doğru duyduğundan emin olamayarak.

"Anlaştık," dedim, tekrar oturarak. "Mersiya lordu fidyeyi teslim edecek ve senin önünde diz çökecek." Sigefrid hâlâ kuşkuluydu. "Mersiya lordu benim kuzenim ve o küçük piçten nefret ediyorum," diye açıkladım. Bu sözlerime Sigefrid bile güldü.

"Para dolunaydan önce burada olacak," dedikten sonra parmağıyla beni işaret etti, "sen de bir gün önce gelip bana altın ve gümüşün yolda olduğunu söyleyeceksin. Barış içinde geldiğinin işareti olarak direğinin tepesinde yeşil bir dal taşıyacaksın."

Zaferine tanıklık etmek üzere mümkün olduğunca çok adam toplayabilmek için fidyenin gelişini bir gün önceden haber vermek istiyordu. Hazine gemisi yola çıkmadan bir gün önce gelmeyi kabul ettim, ancak bunun hemen gerçekleşmesini bekleyemeyeceğini, çünkü bu kadar büyük bir meblağın toplanmasının zaman alacağını açıkladım. Sigefrid buna homurdandı ama Alfred'in sözünü tutan bir adam olduğunu ve bir sonraki dolunaya kadar toplanabildiği kadar büyük bir peşinatın Beamfleot'a getirileceğini söyleyerek onu rahatlattım. Æthelflaed'in o zaman serbest bırakılması konusunda ısrar ettim, gümüş ve altının geri kalanı da bir sonraki dolunaydan önce gelecekti. Bu talepler üzerinde pazarlık ettiler ama artık salondaki sıkılmış adamlar huzursuzlanmaya ve sinirlenmeye başlamışlardı, bu yüzden Sigefrid fidyenin iki parça halinde ödenebileceğine razı oldu, ben de ikinci parça teslim edilene kadar Æthelflaed'in serbest bırakılmamasına razı oldum. "Leydi Æthelflaed'i hemen görmek istiyorum," dedim son talebimi dile getirerek.

Sigefrid kayıtsız bir şekilde elini salladı. "Neden olmasın? Erik seni götürecek." Erik bütün gün neredeyse hiç konuşmamıştı. O da benim gibi ayık kalmış ve ne hakaretlere ne de kahkahalara katılmıştı. Onun yerine ciddi ve içine kapanık bir şekilde oturmuş, pürdikkat kardeşiyle beni izlemişti. "Bu gece bizimle yemek yiyeceksin," dedi Sigefrid. Onunla Lundene'de ilk tanıştığımda hissettiğim çekiciliğin bir kısmını göstererek aniden gülümsedi. "Anlaşmamızı bir ziyafetle kutlayacağız," diye devam etti, "Thunresleam'deki adamlarınız da beslenecek. Artık kızla konuşabilirsin! Kardeşimle git."

Erik, Peder Willibald ve beni uzun zırhlar giymiş, tamamı kalkanlı ve silahlı bir düzine adam tarafından korunan daha küçük bir salona doğru götürdü. Burası açıkça Æthelflaed'in esir tutulduğu yerdi ve kampın deniz tarafındaki surlara yakındı. Erik yürürken hiç konuşmadı, hatta yanında olduğumun farkında bile değildi, gözlerini ayaklarının dibindeki zemine öyle sabitlemişti ki onu üzerinde adamların yeni kürekleri şekillendirdiği bazı sehpaların etrafından dolaştırmak zorunda kaldım. Uzun, kıvrık tahtalar soyuluyor ve öğleden sonranın sıcaklığında ilginç bir tatlılıkla kokuyordu. Erik sehpaların hemen ötesinde durup kaşlarını çatarak bana döndü. "Bugün söylediklerinde ciddi miydin?" diye sordu öfkeyle.

"Bugün çok şey söyledim," diye cevap verdim temkinli bir şekilde.

"Kral Alfred'in Leydi Æthelflaed için fazla para ödemek istememesi hakkında? Kız olduğu için?"

"Oğullar kızlardan daha değerlidir," dedim olabildiğince dürüst olarak.

"Yoksa sadece pazarlık mı ediyordun?" diye sordu hararetle.

Tereddüt ettim. Bu bana garip bir soru gibi geldi çünkü Erik, Æthelflaed'in değerini düşürmeye yönelik bu zayıf girişimi anlayacak kadar zekiydi ama sesinde gerçek bir tutku vardı ve gerçeği duymaya ihtiyacı olduğunu hissettim. Ayrıca, artık söyleyeceğim hiçbir şey Sigefrid ile yaptığım anlaşmayı değiştiremezdi. İkimiz anlaşmaya vardığımızı göstermek için İskoç birası içmiş, ellerimize tükürüp el sıkışmış, sonra da birbirimize sadık kalacağımıza dair bir çekiç muskası üzerine yemin etmiştik. Anlaşma yapılmıştı, bu da artık Erik'e gerçeği söyleyebileceğim anlamına geliyordu. "Tabii ki pazarlık ediyordum," dedim. "Æthelflaed babası için değerli, çok değerli. Bütün bu olanlardan dolayı acı çekiyor."

"Pazarlık ettiğini düşünmüştüm," dedi Erik efkârlı bir şekilde. Dönüp Temes'in geniş halicine baktı. Ejderha başlı bir gemi akıntıyla dereye doğru ilerliyor, kürekleri her tembel vuruşla birlikte alçalan güneşi yakalamak ve yansıtmak için bir yükselip bir alçalıyordu. "Kral kızı için ne kadar öderdi?" diye sordu.

"Ne kadar gerekiyorsa," dedim.

"Gerçekten mi?" Sesi artık canlı geliyordu. "Sınır koymadı mı?"

"Bana Æthelflaed'i eve götürmek için ne gerekiyorsa ödememi söyledi," diye cevap verdim dürüstçe.

"Kocasına," dedi düz bir şekilde.

"Kocasına," diye onayladım.

"O ölmeli," dedi Erik ve kontrolsüzce ürperdi, hafif ama ruhunda kardeşinin öfkesinden bir parça olduğunu gösteren bir ürpertiydi bu.

"Lord Æthelred altın ve gümüşle geldiğinde ona dokunamazsın," diye uyardım Erik'i. "Bir ateşkes bayrağı altında gelecek."

"Ona vuruyor! Bu doğru mu?" Soru beklenmedikti.

"Evet," dedim.

Erik bir kalp atışı boyunca bana baktığında ani öfke patlamasını kontrol etmekte zorlandığını gördüm. Başını sallayıp döndü. "Bu taraftan," diyerek beni küçük salona doğru yönlendirdi. Salondaki muhafızların hepsinin yaşlı adamlar olduğunu fark ettim ve onlara sadece Æthelflaed'i korumak için değil, onu taciz etmemek için de güvenildiğini tahmin ettim. "Ona zarar verilmedi," dedi Erik, belki de düşüncelerimi okuyarak.

"Bana da öyle söylendi."

"Burada üç tane kendi hizmetçisi var," diye devam etti Erik, "ben de ona iki Dan kız verdim, ikisi de iyi kızlar. Bu muhafızlar da kendi hanemden."

"Güvendiğin adamlar," dedim.

"Kendi adamlarım," dedi sıcak bir şekilde, "ve evet, güvenilirler." Beni durdurmak için bir elini uzattı. "Sizinle buluşması için onu buraya getireceğim çünkü açık havada olmayı seviyor," diye açıkladı.

Peder Willibald endişeyle Sigefrid'in salonunun dışından bizi izleyen Norslara bakarken bekledim. "Onunla neden burada buluşuyoruz?" diye sordu.

"Çünkü Erik temiz havada olmayı sevdiğini söylüyor," diye açıkladım.

"Ama onu burada kutsarsam, beni öldürürler mi?"

"Hristiyan büyüsü yaptığını düşündükleri için mi?" diye sordum. "Bundan emin değilim, peder." Erik'in salonun kapısı olarak kullanılan deri perdeyi kenara çekişini izledim. Önce muhafızlara bir şeyler söylemişti, o savaşçılar da iki yana çekilerek binanın cephesi ile kalenin surları arasında açık bir alan bıraktılar. Bu surlar kalın bir toprak yığınıydı, sadece üç metre yüksekliğindeydi ama daha uzak taraflarının çok daha fazla derine ineceğini biliyordum.

Bu setin tepesinde uçları sivriltilmiş sağlam meşe kütüklerinden oluşan bir siper vardı. Dereden tepeye tırmanıp sonra da bu zorlu suru aşmayı hayal bile edemezdim. Ama kalenin kara tarafından saldırmayı, burayı koruyan hendeğe, sura ve kazık çitlere açıktan tırmanmayı da düşünemezdim. İyi bir kamptı, zapt edilemez değildi ama ele geçirilmesi insan hayatı bakımından hayal edilemeyecek kadar pahalıya mal olurdu.

"Yaşıyor," dedi Peder Willibald rahatlayarak. Salona dönüp baktığımda Æthelflaed'in görünmeyen bir el tarafından tutulan deri perdenin altına eğildiğini gördüm. Her zamankinden daha küçük ve genç görünüyordu. Hamileliği sonunda belli olmaya başlamış olsa da hâlâ narindi. Narin ve savunmasız, diye düşündüm. Beni görünce yüzüne bir gülümseme yayıldı. Peder Willibald ona doğru yürümeye başladı ama Æthelflaed'in tavrındaki bir şey onu omzundan tutarak durdurmama neden oldu. Bir an için Æthelflaed'in rahatlamış bir şekilde bana doğru koşmasını beklemiştim, ama bunun yerine kapının yanında duraksamıştı ve bana sunduğu gülümseme sadece hürmettendi. Beni gördüğüne memnun olmuştu, bu kesindi ama Erik'in perdenin arkasından onu takip ettiğini görmek için dönene kadar gözlerinde bir çekingenlik vardı. Eliyle selamlaşabileceğimizi işaret etti ve ancak o zaman, onun teşvikiyle bana doğru geldi.

Artık yüzü ışıl ışıldı.

Babasının Wintanceaster'daki yeni kilisesinde evlendiği günkü yüzünü hatırladım. O gün nasılsa bugün de aynı görünüyordu. Mutlu görünüyordu. Parlıyordu. Bir dansçı kadar hafif yürüyordu ve o kadar güzel gülümsüyordu ki o kilisede onun aşka âşık olduğunu düşündüğüm zamanı hatırladım. Birden o günle bugün arasındaki farkın bu olduğunu fark ettim.

Çünkü o ışıltılı gülümseme benim için değildi. Bir kez daha arkasına baktı ve Erik'le göz göze geldi. Öylece bakakaldım. Erik'in söylediği her şeyden anlamalıydım. Anlamalıydım, çünkü her şey, bakir karın üzerine yeni dökülmüş kan kadar açıktı.

Æthelflaed ve Erik birbirlerine âşıktı.

Aşk tehlikeli bir şeydir.

Hayatımızı değiştirmek için kılık değiştirerek gelir. Mildrith'i sevdiğimi sanmıştım ama bu şehvetti, oysa bir süre bunun aşk olduğuna inanmıştım. Şehvet aldatıcıdır. Şehvet sevdiğimizi sandığımız kişi dışında hiçbir şeyin önemi kalmayana kadar hayatlarımızı değiştirir ve bu aldatıcı büyü altında onlar için öldürürüz, her şeyimizi veririz ve sonra istediğimiz şeye sahip olduğumuzda her şeyin bir yanılsama olduğunu ve hiçbir şeyin orada olmadığını keşfederiz. Şehvet hiçbir yere, boş bir diyara yapılan bir yolculuktur, ancak bazı insanlar bu tür yolculukları sever ve varış noktasını asla umursamaz.

Aşk da bir yolculuktur, ölümden başka varış noktası olmayan bir yolculuk, ama bir mutluluk yolculuğu. Gisela'yı seviyordum ve şanslıydık çünkü iplerimiz bir araya gelmiş, bir arada kalmış ve birbirimize dolanmıştı ve üç Norn, en azından bir süreliğine, bize karşı nazikti. Aşk ipler rahatça yan yana gelmediğinde bile işe yarar. Alfred'in Ælswith'i sevdiğini anlamaya başlamıştım, her ne kadar sütünde bir sirke damlası gibi olsa da. Belki de ona alışmıştı ve belki de aşk şehvetten çok dostluktu, her ne kadar tanrılar şehvetin her zaman orada olduğunu bilseler de. Gisela ve ben de Alfred'in Ælswith'le yakaladığı bu hoşnutluğu yakalamıştık, ama sanırım bizim yolculuğumuz daha mutlu bir yolculuktu çünkü teknemiz güneşli denizlerde dans ediyor ve ılık bir rüzgâr tarafından sürükleniyordu.

Ya Æthelflaed? Bunu onun yüzünde gördüm. Onun ışıltısında tüm o beklenmedik aşkı ve gelecek olan tüm o mutsuzluğu, tüm o gözyaşlarını ve tüm o kalp kırıklıklarını gördüm. Bir yolculuğa çıkmıştı, bir aşk yolculuğuna, ama öyle kasvetli ve karanlık bir fırtınaya doğru yol alıyordu ki kalbim neredeyse onun için parçalanacaktı.

"Lord Uhtred," dedi yaklaşırken.

"Leydim," deyip önünde eğildim, sonra da hiçbir şey konuşmadık.

Willibald gevezelik ediyordu ama ikimizin de onu duyduğunu sanmıyorum. Ben ona baktım, o da bana gülümsedi.

Güneş o güzel çimenlerin üzerinde, öten tarla kuşlarının altında parlarken tek duyabildiğim gök gürültüsünün gökyüzünü kasıp kavurduğu, tek görebildiğim dalgaların beyaz bir öfkeyle kırıldığı, bir geminin battığı ve mürettebatının çaresizlik içinde boğulduğu oldu. Æthelflaed âşık olmuştu.

"Babanız sevgilerini yolladı," dedim dilim çözüldüğünde.

"Zavallı babam," dedi. "Bana kızgın mı?"

"Kimseye kızgınlığı yok," dedim, "ama kocanıza çok kızgın olmalı."

"Evet," dedi sakince, "öyle olmalı."

"Serbest bırakılmanızı ayarlamak için buradayım," dedim ona, serbest bırakılmanın şu anda istediği en son şey olduğundan emin olmama aldırmadan, "ve her şeyin kararlaştırıldığını ve yakında evde olacağınızı bilmekten memnun olacaksınız leydim."

Bu haberden hiç memnun olmadığı belliydi. Gerçek duygularını göremeyen Peder Willibald ona gülümsedi ve Æthelflaed de onu buruk bir gülümsemeyle ödüllendirdi. Willibald, "Sizi kutsamak için buradayım," dedi.

Æthelflaed ciddiyetle, "Buna çok sevinirim," diye cevap verdi, sonra bana baktı ve bir an için yüzünde bir çaresizlik belirdi. "Beni bekler misiniz?" diye sordu.

"Sizi bekleyeyim mi?" diye sordum bu soru karşısında şaşırarak.

"Dışarıda," diye açıkladı, "sevgili Peder Willibald benimle birlikte içeride dua edebilir."

"Elbette," dedim.

Teşekkür ederek gülümsedi. Æthelflaed Willibald'ı salona geri götürürken ben de surlara gittim ve güneşin ısıttığı çitlere yaslanıp çok aşağıdaki dereye bakabilmek için kısa kıyıya tırmandım. Ejderha başı çıkarılmış gemi kanala doğru kürek çekiyordu. Hothlege'i engelleyen demirli muhafız gemisindeki mürettebatın zincirleri çözmesini izledim. Kanalı engelleyen gemi çamurlu kıyılara gömülmüş devasa direklere bağlı ağır zincirlerle baş ve kıç tarafından bağlanmıştı. Mürettebat geminin kıç zincirini ucuna uzun bir ip bağladıktan sonra dereye bıraktı. Gemi baş tarafındaki zincir üzerinde salınırken dere yatağına batan zincir yükselen gelgitte geminin bir kapı gibi aralanarak geçidi açmasını sağladı. Yeni gelen tekne kürek çekerek geçti, ardından engelleyen geminin mürettebatı zinciri geri almak için halatı çekti ve gemi eski yerine dönerek dereyi tekrar kapattı. Dereyi kapatan gemide en az kırk adam vardı. Bu adamlar sadece halatları ve zincirleri çekmek için orada değildi. Geminin yan taraflarına tamamı ağır kerestede yapılmış ilave kaplamalar yerleştirilmişti, öyle ki geminin bordası ona saldırabilecek herhangi bir teknenin boyunu aşıyordu. Bu gemiye saldırmak bir kalenin surlarına saldırmak gibi olurdu. Ejderha başlı gemi Hothlege'den yukarı doğru süzülüyor, çamurlu dere kıyısına çekilmiş, adamların tahtaları kıl ve katranla kalafatladığı teknelerin yanından geçiyordu. Katran kaplarının dibindeki ateşlerden çıkan dumanlar öğleden sonra sıcağında çığlıkları kulakları tırmalayan martıların dolaştığı yamaçtan yukarı süzülüyordu.

"Altmış dört gemi," dedi Erik. Yanıma tırmanmıştı.

"Biliyorum," dedim, "onları saydım."

"Ve gelecek haftaya kadar burada yüz mürettebatımız olacak," dedi Erik.

"Besleyecek bu kadar çok boğazla yiyeceksiz kalacaksınız."

"Burada bol miktarda yiyecek var," dedi Erik küçümseyerek. "Balık tuzaklarımız ve yılan balığı tuzaklarımız var, yaban kuşlarına ağ atıyoruz. İyi besleniyoruz, ayrıca gümüş ve altın beklentisi bir sürü buğday, arpa, yulaf, et, balık ve bira satın alıyor."

"Adam da satın alacak," dedim.

"Alacak," diye onayladı.

"Böylelikle Wessexli Alfred kendi yıkımının bedelini ödümüş oluyor."

"Öyle görünüyor," dedi Erik sessizce. Gözlerini güneye, Cent'in üzerine yığılmış, tepeleri gümüş beyazı, tabanları ise uzaktaki yeşil arazinin üzerinde koyu renk olan büyük bulutlara dikti.

Surların içindeki kampa bakmak için döndüğümde hafif topallayarak yürüyen, başı sargılı Steapa'nın bir kulübeden çıktığını gördüm. Biraz sarhoş görünüyordu. Beni görünce el salladı, sonra Sigefrid'in salonunun gölgesine oturup uykuya daldı. "Sence Alfred fidye parasıyla ne alacağınızı düşünmemiş midir?" diye sordum, sırtım hâlâ Erik'e dönüktü.

"Ama bu konuda ne yapabilir ki?"

"Bunu söylemek bana düşmez," dedim, bir cevabı olduğunu ima etmeye çalışarak. Gerçekte, yedi ya da sekiz bin Nors Wessex'te ortaya çıkarsa savaşmaktan başka seçeneğimiz kalmazdı ve korkunç bir savaş olurdu. Ethandun'dan bile daha fazla kan dökülecekti ve savaşın sonunda Wessex'in büyük olasılıkla yeni bir kralı, krallığın da yeni bir ismi olacaktı. Norsya, belki de.

Erik aniden, "Bana Guthred'den bahset," dedi.

"Guthred!" Soru karşısında şaşırarak ona doğru döndüm. Guthred Gisela'nın kardeşi ve Northumbria kralıydı. Alfred, Æthelflaed ya da Erik ile ne ilgisi olduğunu düşünemiyordum.

"O bir Hristiyan, değil mi?" diye sordu Erik.

"Öyle olduğunu söylüyor."

"Öyle mi?"

"Nereden bileyim?" diye sordum. "Hristiyan olduğunu iddia ediyor ama gerçek tanrılara tapmaktan vazgeçtiğinden şüpheliyim."

"Onu sever misin?" diye sordu Erik endişeyle.

"Guthred'i herkes sever," dedim ki bu doğruydu, yine de bu kadar nazik ve kararsız bir adamın tahtını bu kadar uzun süre elinde tutması beni hep şaşırtmıştı. Bunun başlıca nedeni kayınbiraderimin ruh kardeşim Ragnar'ın desteğine sahip olmasıydı ve hiç kimse Ragnar'ın acımasız güçleriyle savaşmak istemezdi.

"Acaba," dedi Erik, sonra sustu ve sustuğu anda ne düşündüğünü anladım.

Acı gerçeği yüzüne vurarak "Acaba sen ve Æthelflaed bir gemiye, mesela kardeşinin gemisine binip Northumbria'ya giderek Guthred'in koruması altında yaşayabilir misiniz?" dedim.

Erik bana sanki bir sihirbazmışım gibi baktı. "Sana söyledi mi?" diye sordu.

"Bana yüzleriniz söyledi," dedim.

"Guthred bizi korurdu," dedi Erik.

"Nasıl?" diye sordum. "Sence kardeşin peşinden gelirse ordusunu çağırır mı?"

"Kardeşim mi?" diye sordu Erik, sanki Sigefrid onu her konuda affedebilirmiş gibi.

"Kardeşin bin üç yüz altmış kilo gümüş ve iki yüz otuz kilo altın bekliyor," dedim sertçe, "eğer Æthelflaed'i götürürsen o parayı kaybeder. Sence onu geri istemeyecek mi?"

Erik tereddütle, "Arkadaşın Ragnar," diye önerdi.

"Ragnar'ın senin için savaşmasını mı istiyorsun?" diye sordum. "Neden savaşsın ki?"

"Sen istediğin için," dedi Erik kararlı bir şekilde. "Æthelflaed birbirinizi kardeş gibi sevdiğinizi söylüyor."

"Severiz."

"O zaman ona sor," diye ısrar etti.

İçimi çektim ve uzaktaki bulutlara bakıp aşkın hayatlarımızı nasıl değiştirdiğini, bizi nasıl tatlı bir deliliğe sürüklediğini düşündüm. "Peki, gece gelen katillere karşı ne yapacaksınız?" diye sordum. "Salonunuzu yakacak intikamcılara karşı?"

"Onlardan korunacağız," dedi inatla.

Bulutların yükselişini izledim ve Thor'un yaz akşamı bitmeden yıldırımlarını Cent'in tarlalarına göndereceğini düşündüm. "Æthelflaed evlendi," dedim nazikçe.

"Gaddar bir piçle," dedi Erik öfkeyle.

"Ve babası evliliği kutsal sayıyor," diye devam ettim.

"Alfred onu Northumbria'dan geri getiremez," dedi Erik kendinden emin bir şekilde, "hiçbir Batı Sakson ordusu o kadar uzağa ulaşamaz."

"Yine de vicdanını kemirmek için rahipler gönderecektir," dedim, "hem onu getirmeleri için adam göndermeyeceğini nereden biliyorsun? Bir ordu toplamak zorunda değil. Kararlı adamlardan oluşan bir ekip yeterli olabilir."

"Tek istediğim bir şans," dedi Erik. "Vadinin birinde bir konak, işlenecek tarlalar, yetiştirilecek hayvanlar, huzur içinde yaşanacak bir yer!"

Bir süre hiçbir şey söylemedim. Erik'in rüyalarında bir gemi inşa ettiğini düşündüm, güzel bir gemi, zarif, süratli bir gemi ama hepsi bir rüyadan ibaretti! Sözlerimi toparlamaya çalışarak gözlerimi kapattım. Sonunda "Æthelflaed bir ganimet," dedim. "Onun bir değeri var. O bir kralın kızı ve evlenirken aldığı pay topraktı. O zengin, o güzel, o değerli. Zengin olmak isteyen her erkek onun nerede olduğunu bilecektir. Kolay fidye isteyen her leş yiyici onu nerede bulacağını bilecektir. Asla huzur bulamazsınız." Dönüp ona baktım. "Her gece kapını kilitlediğinde karanlıktaki düşmanlardan korkacaksın ve her gün düşman arayacaksın. Sizin için huzur olmayacak, hiç olmayacak."

"Dunholm," dedi açıkça.

Hafifçe gülümsedim. "Orayı biliyorum," dedim.

"O zaman ele geçirilemeyecek bir kale olduğunu da biliyorsun," dedi Erik inatla.

"Ben ele geçirdim," dedim.

"Ve senin yaptığını başka kimse yapamayacak," dedi Erik, "dünya yıkılana kadar Dunholm'da yaşayabiliriz."

"Dunholm Ragnar'ın elinde."

"O zaman ona yemin ederim," dedi Erik hararetle, "onun adamı olurum, hayatım üzerine yemin ederim."

Bir an bunu düşündüm ve Erik'in çılgın hayalini hayatın sert gerçekleriyle karşılaştırdım. Nehrin kıvrımında, yüksek kayalığının üzerinde yükselen Dunholm gerçekten de neredeyse ele geçirilemez bir yerdi. Dunholm'u elinde tutan bir adam yatağında ölmeyi düşünebilirdi çünkü oraya sadece sarp kayalık yoldan yaklaşabilirdiniz ve orayı savunmak için bir avuç asker bile yeterli olurdu. Ayrıca, Ragnar'ın Erik ve Æthelflaed'den hoşlanacağını biliyordum, bu yüzden Erik'in tutkusunun beni baştan çıkardığını hissettim. Belki de rüyası düşündüğüm kadar çılgınca değildi? "Peki, kardeşinin haberi olmadan Æthelflaed'i buradan nasıl götüreceksin?"

"Senin yardımınla," dedi.

İşte şimdi üç Norn'un bu cevaba güldüğünü duyabiliyordum. Kampta Sigefrid'in söz verdiği ziyafete çağrı olduğunu düşündüğüm bir boru çalındı. "Alfred'e yeminliyim," dedim açıkça.

"Senden bu yemini bozmanı istemiyorum," dedi Erik.

"Evet, istiyorsun!" dedim sert bir şekilde. "Alfred bana bir görev verdi. Bu görevin yarısını yerine getirdim. Diğer yarısı ise kızını geri almak!"

Erik'in büyük yumrukları çitin tepesinde bir açılıp bir kapanıyordu. "Bin üç yüz altmış kilo gümüş ve iki yüz otuz kilo altın," dedi, "Bunun kaç adam satın alacağını bir düşün."

"Bunu düşündüm."

Erik, "Bir kilo altın karşılığında tecrübeli savaşçılardan oluşan bir ekip satın alınabilir," dedi.

"Doğru."

"Ayrıca artık Wessex'e meydan okuyacak kadar adamımız var."

"Wessex'e meydan okuyabilirsiniz ama onu yenemezsiniz."

"Ama altınımız ve adamlarımız olduğunda meydan okuyacağız."

"Doğru," diye kabul ettim tekrar.

"Altın daha fazla adam getirecek," diye devam etti Erik acımasızca, "daha fazla gemi, ya bu sonbaharda ya da gelecek ilkbaharda Wessex'e bir ordu götüreceğiz. Ethandun'da bozguna uğrattığınız orduyu küçük gösterecek bir ordu. Toprağı karartacağız. Wessex'e mızraklar, baltalar ve kılıçlar getireceğiz. Şehirlerinizi yakacağız, çocuklarınızı köleleştireceğiz, kadınlarınızı kullanacağız, topraklarınızı alacağız ve adamlarınızı öldüreceğiz. Alfred'e hizmet etmek senin için bu mu demek?"

"Kardeşinin planladığı şey bu mu?"

"Bunu yapmak için de," dedi Erik, cevabını zaten bildiğimi bildiği için sorumu duymazdan gelerek, "Æthelflaed'i babasına geri satmalıyız."

"Evet," diye onayladım. Eğer fidye ödenmezse Beamfleot ve çevresinde kamp kurmuş olan adamlar sıcak bir sabahın çiği gibi yok olacaklardı. Başka gemi gelmeyecek ve Wessex tehdit altında olmayacaktı.

"Anladığım kadarıyla yeminin Wessexli Alfred'e hizmet etmek," dedi Erik saygıyla. "Kardeşimin onu yok edecek kadar zengin olmasına izin vererek mi ona hizmet ediyorsunuz Lord Uhtred?"

Demek aşk Erik'i kardeşine düşman etmişti, diye düşündüm. Aşk ona ettiği her yemini kılıçtan geçirtirdi. Aşkın gücü, gücün kendisinden üstündü. Boru bu kez daha acil bir şekilde tekrar çaldı. Adamlar büyük salona doğru koşuşturuyordu. "Kardeşin Æthelflaed'i sevdiğini biliyor mu?" dedim.

"Şimdilik onu sevdiğime ama gümüş için onu bırakacağıma inanıyor. Onu zevkim için kullandığımı düşünüyor ve bu onu eğlendiriyor."

"Peki onu kullanıyor musun?" diye sordum dürüst gözlerinin içine bakarak sertçe. "Bu seni ilgilendirir mi?" diye sordu meydan okurcasına.

"Hayır," dedim, "ama benden yardım istiyorsun."

Tereddüt etti, sonra başını salladı. "Ben öyle demezdim," dedi savunmacı bir sesle, "ama birbirimizi seviyoruz."

Demek Æthelflaed günahtan önceki acı suyu içmişti ve bence bu onun için çok zekiceydi. Onun için gülümsedim, sonra Sigefrid'in ziyafetine gittim.

Æthelflaed Sigefrid'in sağındaki şeref yerine oturmuştu, ben de onun yanındaydım. Erik Sigefrid'in diğer tarafındaydı, Haesten de onun yanında. Æthelflaed'in Erik'e hiç bakmadığını fark ettim. İzleyen hiç kimse, ki salondaki pek çok adam Wessex kralının kızını merak ediyordu, onun sevgilisi olduğunu tahmin edemezdi.

Norslar nasıl ziyafet vereceklerini bilirler. Yemek bol, bira bol ve eğlenceler çeşitliydi. Hokkabazlar, cambazlar, müzisyenler, akrobatlar ve alt masaları kahkahaya boğan deliler vardı. "Delilere gülmemeliyiz," dedi Æthelflaed bana. Yemek yememişti, sadece bir kâse dolusu midye yemişti.

"Onlara iyi davranılıyor," dedim, "ve beslenip barındırılmak, hayvanlara bırakılmaktan kesinlikle daha iyidir." Çıplak bir delinin istemsizce kasıklarını yoklamasını izliyordum. Gürültüye anlam veremeyerek gülüşen masalara bakıp duruyordu. Gürültülü bağırışlarla kışkırtılmış karmakarışık saçlı bir kadın neden yaptığını bilmeden teker teker giysilerini çıkarıyordu.

Æthelflaed masaya baktı. "Delilere bakacak manastırlar var," dedi.

"Danların yönettiği yerlerde değil," dedim.

Bir süre sessiz kaldı. İki cüce artık çıplak olan kadını çıplak adama doğru sürüklüyordu ve izleyen adamlar gülmekten yerlere yatıyordu. Æthelflaed kısa bir an başını kaldırdı, ürperdi ve tekrar masaya baktı. "Erik'le konuştun mu?" diye sordu. Kimse bizi duyamayacağı için güven içinde İngilizce konuşabilirdik ve bizi duysalar bile söylediklerimizin çoğunu anlamazlardı.

Peder Willibald'ı içeri götürmekte ısrar etmesinin nedeninin bu olduğunu fark ederek, "Senin de istediğin gibi," dedim. "Doğru dürüst günah çıkardınız mı?"

"Bu seni ilgilendirir mi?"

"Hayır," dedim ve sonra güldüm.

Bana bakarak çok utangaç bir şekilde gülümsedi. Kızardı. "Peki bize yardım edecek misin?"

"Ne için?"

Kaşlarını çattı. "Erik sana söylemedi mi?"

"Yardımımı istediğinizi söyledi, ama ne tür bir yardım?"

"Buradan gitmemize yardım et," dedi.

"Peki size yardım edersem baban bana ne yapar?" diye sordum ama cevap alamadım. "Danlardan nefret ettiğini sanıyordum."

"Erik Nors," dedi.

"Danlar, Norslar, Kuzeyliler, Vikingler, paganlar, hepsi babanın düşmanları," dedim.

İki çıplak delinin seyircilerin tahmin ettiği gibi sevişmek yerine güreştikleri ocağın yanındaki açık alana baktı. Adam çok daha iriydi ama daha aptaldı ve kadın büyük tezahüratlar eşliğinde bir çalıyla adamın kafasına vuruyordu. "Neden bunu yapmalarına izin veriyorlar?" diye sordu Æthelflaed.

"Çünkü bu onları eğlendiriyor," dedim, "ayrıca onlara neyin doğru neyin yanlış olduğunu söyleyen kara cüppeli bir din adamı sürüsü yok, işte bu yüzden leydim, onları seviyorum."

Tekrar yere baktı. "Erik'i sevmek istemiyordum," dedi çok kısık bir sesle.

"Ama sevdin."

Gözlerinde yaşlar vardı. "Elimde değildi," dedi. "Sevmemek için dua ettim, ama dua ettikçe onu daha çok düşünür oldum."

"Yani onu seviyorsun," dedim.

"Evet."

"O iyi bir adam," dedim.

"Öyle mi düşünüyorsun?" diye sordu hevesle.

"Öyle düşünüyorum, gerçekten."

"Ayrıca bir Hristiyan olacak," diye devam etti heyecanla. "Bana söz verdi. Olmak istiyor. Gerçekten istiyor!"

Bu beni şaşırtmadı. Erik uzun zamandır Hristiyanlığa ilgi duyuyordu ve Æthelflaed'in onu ikna etmek için çok uğraştığını sanmıyordum. "Peki ya Æthelred?" diye sordum.

"Ondan nefret ediyorum," diye öyle şiddetli bir şekilde tısladı ki Sigefrid dönüp ona baktı. Omuz silkti, onu anlayamamıştı, sonra tekrar çıplak dövüşe baktı.

"Aileni kaybedeceksin," diye uyardım onu.

"Bir aile kuracağım," dedi kararlı bir şekilde. "Erik ve ben bir aile kuracağız."

"Bana nefret ettiğini söylediğin Danların arasında yaşayacaksın."

"Siz de Hristiyanların arasında yaşıyorsunuz Lord Uhtred," dedi eski muzipliğiyle.

Buna gülümsedim. "Bundan emin misin?" diye sordum ona, "Erik'ten emin misin?"

"Evet," dedi içten bir şekilde, onu böyle konuşturan elbette aşktı.

İçimi çektim. "Eğer yapabilirsem size yardım edeceğim," dedim.

Küçük elini benimkinin üzerine koydu. "Teşekkür ederim."

İki köpek dövüşmeye başlamıştı ve konuklar hayvanları alkışlıyordu. Dışarıda yaz akşamı karanlığı çökerken fenerler yakıldı ve en üstteki masaya mumlar getirildi. Daha fazla bira ve huş şarabı geldi. İlk sarhoşlar şamatayla şarkı söylüyordu. "Yakında dövüşmeye başlayacaklar," dedim Æthelflaed'e ve başladılar da. Ziyafet sona ermeden dört adamın kemikleri kırıldı, bir diğerinin ise öfkeli sarhoş saldırganı kendisinden uzaklaştırılmadan önce bir gözü oyuldu. Steapa Weland'ın yanında oturuyordu ve iki adam, farklı diller konuşmalarına rağmen gümüş kakmalı bir içki bardağını paylaşıyordu. Sarhoş öfkesiyle yerlerde yuvarlanan kavgacılar hakkında aşağılayıcı yorumlar yapıyor gibi görünüyorlardı. Weland'ın kendisinin de sarhoş olduğu belliydi, çünkü kocaman bir kolunu Steapa'nın omuzlarına dolamış, şarkı söylemeye başlamıştı.

"Sesin iğdiş edilmiş bir buzağı gibi çıkıyor!" diye kükredi Sigefrid Weland'a, sonra gerçek bir şarkıcı getirilmesini istedi ve böylece kör bir skalda ocağın yanında bir sandalye verildi, o da arpını vurarak Sigefrid'in hünerlerini anlatan bir şarkı söyledi. Sigefrid'in öldürdüğü Frankları, Sigefrid'in kılıcı Korku Salan tarafından öldürülen Saksonları ve ayı postuna bürünmüş Nors tarafından dul bırakılan Friz kadınlarını anlattı. Şiirde Sigefrid'in adamlarından birçoğunun ismi zikredilerek savaştaki kahramanlıkları anlatılıyor, her yeni isim zikredildiğinde adamlar ayağa kalkıyor ve arkadaşları onu alkışlıyordu. Eğer adı geçen kahraman ölmüşse dinleyenler masalara üç kez vuruyor, böylece ölü adam Odin'in salonundaki onurlu alkışları duyabiliyordu. Ama en büyük tezahürat Sigefrid için yapıldı, o da adı her anıldığında bira bardağını havaya kaldırdı.

Ayık kaldım. Bu zordu, çünkü Sigefrid'in bardağına bardağımla karşılık vermek istiyordum, ama ertesi sabah Lundene'e dönmem gerektiğini biliyordum ve bu da Erik'in benimle konuşmasını aynı gece bitirmesi gerektiği anlamına geliyordu, yine de aslında ben salondan ayrıldığımda doğu gökyüzü çoktan aydınlanmaya başlamıştı. Æthelflaed ayık ve yaşlı muhafızlar eşliğinde saatler önce yatağına gitmişti. Ben dışarı çıkarken sarhoş adamlar sıraların altında gürültülü bir uykuya dalmıştı. Sigefrid masanın üzerine yığılmıştı. Ben çıkarken tek gözünü açıp kaşlarını çattı. "Anlaştık mı?" diye sordu uykulu bir şekilde.

"Anlaştık," diye onayladım.

"Parayı getir Sakson," diye homurdandı, sonra tekrar uykuya daldı.

Erik beni Æthelflaed'in odasının dışında bekliyordu. Orada olmasını bekliyordum. Surun üzerindeki eski yerlerimizi aldık. Buradan gri ışığın halicin sakin sularına bir leke gibi yayılmasını izledim.

Erik çamurlu sahilde duran gemileri başıyla işaret ederek, "O *Dalga Terbiyecisi*," dedi. Yaptığı güzel tekneyi fark edebilmiş olabilirdi ama benim için tüm filo grinin içindeki siyah şekillerden başka bir şey değildi. "Teknenin gövdesini kazıyıp temizledim," dedi, "kalafatladım ve onu yeniden süratli hale getirdim."

"Mürettebatın güvenilir mi?"

"Onlar benim yeminli adamlarım, güvenilirler." Durakladı. Küçük bir rüzgâr siyah saçlarını kaldırdı. "Ama yapmayacakları şey kardeşimin adamlarıyla savaşmak," diye devam etti alçak bir sesle.

"Savaşmak zorunda kalabilirler."

"Kendilerini savunacaklardır," dedi, "ama saldırmayacaklardır. Her iki tarafta da akrabalar var."

Gerindim, esnedim ve Lundene'e yapacağım uzun yolculuğu düşündüm. "Yani senin sorunun kanalı kapatan gemi mi?" diye sordum.

"Kardeşimin adamları tarafından yönetiliyor."

"Haesten'in değil mi?"

"Onun adamlarını öldürebilirim, aralarında akrabalık yok," dedi acı bir şekilde.

Ne de sevgi, diye gözlemledim. "Yani benden gemiyi yok etmemi mi istiyorsun?" diye sordum.

"Kanalı açmanı istiyorum," diye düzeltti beni.

Gözlerimi güçlendirilmiş bordası ile kanalı kapatan koyu renk gemiye diktim. "Neden yolundan çekilmelerini talep etmiyorsun?" diye sordum. Bu bana Erik'in kaçması için en az karmaşık ve en güvenli yol gibi görünmüştü. Zincirlenmiş geminin mürettebatı gemilerin dereye girip çıkmasına izin vermek için ağır gövdeyi hareket ettirmeye alışkındı, o halde neden Erik'i durdursunlardı ki?

"Fidye gelmeden hiçbir gemi denize açılmayacak," diye açıkladı Erik.

"Hiç mi?"

"Hiç," dedi açıkça.

Aslında bu mantıklıydı, çünkü girişimci bir adamın nehrin yukarısına üç ya da dört gemi götürüp Alfred'in hazine filosunu sazlarla kaplı bir derede beklemesini, sonra da küreklerin vurularak, kılıçların çekilerek ve adamların uluyarak dışarı çıkmasını ne engelleyebilirdi ki? Sigefrid korkunç hırsını fidyenin gelmesine bağlamıştı ve bunu kendisinden bile daha alçak bir Viking'e kaptırma riskini göze alamazdı. Bu düşünce Sigefrid'in korkusunu somutlaştıran muhtemel kişiyi akla getiriyordu. "Haesten?" diye sordum Erik'e.

Başıyla onayladı. "Sinsi bir adam."

"Sinsi," diye katıldım, "ve güvenilmez. Yeminini bozan biri."

"Fidyeyi paylaşacak elbette," dedi Erik, eğer istediği olursa fidye ödenmeyeceği gerçeğini görmezden gelerek, "ama eminim hepsini almayı tercih ederdi."

"Yani siz denize açılana kadar hiçbir gemi denize açılmayacak," dedim. "Ama kardeşinin haberi olmadan Æthelflaed'i gemine götürebilir misin?"

"Evet," dedi. Kemerindeki kınından bir bıçak çıkardı. "Bir sonraki dolunaya kadar iki hafta var," diye devam etti, sonra bir meşe kütüğünün sivriltilmiş tepesine derin bir iz bıraktı. "Bu bugün," dedi taze kesiğe dokunarak, sonra bıçağın keskin kenarıyla derin bir iz daha kazıdı. "Yarın şafak vakti," diye devam etti yeni kesiği göstererek, sonra ahşaplarda yedi taze kesik daha açana kadar çitin tepesini çizmeye devam etti. "Bir hafta sonra şafak vakti gelecek misin?"

Temkinli bir şekilde başımla onayladım. "Ancak aldırdığım anda biri boru çalar ve kampı uyandırır," diye belirttim.

"Suda olacağız," dedi, "gitmeye hazır. Siz tekrar denize açılmadan önce kamptan kimse size ulaşamaz." Şüphelerimden dolayı endişeli görünüyordu. "Sana para vereceğim!"

Bu sözler karşısında gülümsedim. Şafak dünyayı ağartıyor, alçaktaki uzun bulutları soluk altın rengi çizgiler ve parlayan gümüş kenarlarla renklendiriyordu. "Ücretim Æthelflaed'in mutluluğu," dedim. "Ve bugünden bir hafta sonra senin için kanalını açacağım," diye devam ettim. "Birlikte yelken açabilir, Gyruum'da karaya çıkabilir, Dunholm'a kadar at sürebilir ve Ragnar'a selamlarımı iletebilirsiniz."

"Ona geleceğimizi haber vermek için bir mesaj gönderecek misin?" diye sordu Erik endişeyle.

Başımı salladım. "Mesajı siz benim için taşıyacaksınız," dedim ve bir içgüdü Haesten'in bizi izlediğini görmem için dönmeme neden oldu. İki arkadaşıyla birlikte büyük salonun dışında durmuş, ziyafetten önce Sigefrid'in kâhyası tarafından silahlarımızın alındığı yerde kılıçlarını kuşanıyordu. Haesten'in yaptığı şeyde garip bir şey yoktu, sadece çok dikkatli göründüğü için tüylerim diken diken olmuştu. Erik'le ne konuştuğumuzu bildiğine dair içime korkunç bir şüphe düştü. Bana bakmaya devam etti. Hareketsizdi, ama sonunda alaycı bir şekilde eğilerek bana selam verip uzaklaştı. Kızıl Eilaf'ın iki arkadaşından biri olduğunu gördüm. "Haesten seninle Æthelflaed'i biliyor mu?" diye sordum Erik'e.

"Tabii ki hayır. Sadece onu korumaktan sorumlu olduğumu düşünüyor."

"Ondan hoşlandığını biliyor mu?"

"Tek bildiği bu," diye ısrar etti Erik.

Bana hayatını borçlu olan sinsi, güvenilmez Haesten. Yeminini bozan. Hırsları muhtemelen Sigefrid'in hayallerini bile aşan biri. Kendi salonu olduğunu tahmin ettiğim kapıdan geçene kadar onu izledim. "Haesten'e karşı dikkatli ol," diye uyardım Erik'i. "Bence kolayca hafife alınabilir."

"O bir çakal," dedi Erik, korkularımı görmezden gelerek. "Ragnar'a ne mesaj götüreyim?" diye sordu.

"Ragnar'a kız kardeşinin mutlu olduğunu ve Æthelflaed'in ona kız kardeşiyle ilgili haberler getirdiğini söyle." Parşömenim ya da mürekkebim olsaydı bile bir şey yazmanın anlamı yoktu, çünkü Ragnar okuyamıyordu, ama Æthelflaed Thyra'yı tanıyordu ve Beocca'nın karısı hakkındaki haberleri Ragnar'ı kaçak âşıkların doğruyu söylediğine ikna edecekti. "Ve bir hafta sonra, güneşin üst kenarı dünyanın kenarına değdiğinde, hazır ol."

Erik bir kalp atışı kadar düşünüp kafasında hızlı bir hesaplama yaptı. "Gelgit olacak," dedi, "durgun su. Hazır olacağız."

Delilik için, diye düşündüm, ya da aşk için. Çılgınlık. Aşk. Delilik. Ve dünyanın kökündeki üç kız kardeş katıla katıla gülüyor olmalıydı.

Eve dönerken çok az konuştum. Finan Sigefrid'in yemek, bira ve kadın köleler konusunda ne kadar cömert olduğunu söyleyerek mutlu bir şekilde gevezelik etti. İrlandalı sonunda ruh halimi anlayıp dostça bir sessizliğe bürünene kadar onu yarım yamalak dinledim. Ona Lundene'in doğu surlarındaki sancakları görene kadar diğer adamlarımın duyamayacağı şekilde yanıma gelmesini işaret etmedim. "Bundan altı gün sonra, *Deniz Kartalı*'nı sefere hazır hale getirmelisin," dedim. "Üç gün boyunca biraya ve yiyeceğe ihtiyacımız olacak." O kadar uzun süre uzak kalmayı beklemiyordum ama hazırlıklı olmakta fayda vardı. "Gelgitler arasında teknenin gövdesini temizleyin," diye devam ettim, "ve yola çıktığımızda herkesin ayık olduğundan emin ol. Ayık, silahları bilenmiş ve savaşa hazır bir şekilde."

Finan hafifçe gülümsedi ama bir şey söylemedi. Temes'in yanındaki bataklığın kenarlarına kurulmuş barakaların arasından geçiyorduk. Burada yaşayan insanların çoğu Doğu Anglia'daki Dan efendilerinden kaçan kölelerdi ve şehrin çöplerini eşeleyerek geçimlerini sağlıyorlardı, ancak birkaçı küçük çavdar, arpa veya yulaf tarlaları ekmişti. Az miktardaki hasat toplanıyordu ve avuç avuç sapları kesen bıçakların çıkardığı sesleri duyuyordum.

Finan'a, "Lundene'de denize açıldığımızı kimse bilmeyecek," dedim.

"Bilmeyecekler," dedi İrlandalı ciddi bir ifadeyle.

"Savaşa hazır olun," dedim tekrar.

"Olacağız, olacağız."

Bir süre sessizlik içinde at sürdüm. İnsanlar zırhımı görünce yolumuzdan çekildi. Alınlarına dokundular ya da çamurda diz çöktüler, sonra onlara bozuk para attığımda kapıştılar. Akşam olmuştu ve güneş çoktan Lundene'in yemek pişirme ateşlerinden yükselen kalın duman bulutunun arkasında kalmıştı. Şehrin pis kokusu havada ekşi ve yoğun bir şekilde süzülüyordu. "Beamfleot'ta kanalı kapatan gemiyi gördün mü?" diye sordum Finan'a.

"Göz ucuyla baktım lordum."

"Eğer ona saldırırsak geldiğimizi görürler. O yükseltilmiş hattın arkasında olurlar."

"Neredeyse bir adam boyu üstümüzde," diye onayladı Finan, göz ucuyla bakmaktan fazlasını yaptığını göstererek.

"O gemiyi kanaldan nasıl çıkarabileceğimizi düşün."

"Bunu yapmayı düşünmüyoruz, değil mi lordum?" diye sordu kurnaz bir şekilde.

"Tabii ki hayır," dedim, "ama sen yine de bir düşün."

Sonra yağlanmamış menteşelerin çıkardığı bir gıcırtı en yakın kapının açıldığını haber verdi ve şehrin kasvetine doğru at sürdük. Alfred bizi bekliyordu. Haberciler dönüşümüzü ona çoktan bildirmişti, böylece daha Gisela'yı selamlayamadan büyük saraya çağrıldım. Peder Willibald, Steapa ve Finan'la birlikte gittim. Kral bizi geçen zamanı hesapladığı büyük mumlarla aydınlatılmış geniş salonda bekliyordu. Mumların şeritli gövdelerinden yoğun bir şekilde balmumu akıyordu ve bir hizmetçi ışığın sabit kalması için fitilleri kırpıyordu. Alfred yazı yazıyordu ama biz içeri girince durdu. Æthelred de oradaydı, Kardeş Asser, Peder Beocca ve Piskopos Erkenwald da.

"Pekâlâ," diye patladı Alfred. Sesini bu kadar keskin yapan şey öfke değil, endişeydi.

"O yaşıyor," dedim, "zarar görmemiş, rütbesinin gerektirdiği saygıyla muamele görüyor, düzgün ve iyi korunuyor ve onu bize geri satacaklar."

Alfred, "Tanrı'ya şükürler olsun," diyerek istavroz çıkardı. "Tanrı'ya şükürler olsun," diye tekrarladı. Dizlerinin üzerine çökeceğini sandım. Æthelred hiçbir şey söylemedi, sadece yılan gözleriyle bana baktı.

"Ne kadar?" diye sordu Piskopos Erkenwald.

"Bin üç yüz altmış kilo gümüş ve iki yüz otuz kilo altın," dedim ve ilk metalin bir sonraki dolunaya kadar teslim edilmesi gerektiğini ve kalanının bir sonraki dolunayda nehrin aşağısına götürüleceğini açıkladım. "Ayrıca, Leydi Æthelflaed son para ödenene kadar serbest bırakılmayacak," diye bitirdim.

Piskopos Erkenwald ve Kardeş Asser fidyenin miktarı karşısında yüzlerini buruşturdu ama Alfred öyle bir tepki vermedi. "Kendi yıkımımızın bedelini ödeyeceğiz," diye homurdandı Piskopos Erkenwald.

Alfred yumuşak bir sesle, "Kızım benim için çok değerli," dedi.

"O parayla binlerce adam toplayacaklar!" diye uyardı piskopos.

Alfred bana dönerek "Peki o para olmadan ona ne olacak?" diye sordu.

"Aşağılanma," dedim. Aslında Æthelflaed fidye ödenmezse mutluluğu Erik'te bulabilirdi ama bunu söyleyemezdim. Bunun yerine onlara Haesten'in önerdiği acımasız kaderi anlattım. "Norsların yaşadığı her yere götürülecek," dedim, "ve alaycı kalabalıklara çıplak bir şekilde sergilenecek." Alfred yüzünü buruşturdu. "Sonra en yüksek teklifi verenlere fahişelik yapacak," diye devam ettim acımasızca.

Æthelred bakışlarını yere dikti, kilise adamları sessizdi. "Söz konusu olan Wessex'in saygınlığı," dedi Alfred sessizce.

"Yani Wessex'in saygınlığı için insanlar mı ölmeli?" diye sordu Piskopos Erkenwald.

"Evet!" Alfred birden sinirlenmişti. "Bir ülke tarihidir piskopos, tüm hikâyelerinin toplamıdır. Atalarımız bizi ne yaptıysa biz oyuz, bize sahip olduğumuz şeyi veren onların zaferleri. Torunlarıma bir aşağılanma hikâyesi mi bırakmamı istiyorsunuz? Wessex'in uluyan kâfirlere nasıl maskara olduğunu anlatmalarını mı istiyorsunuz? Bu asla unutulmayacak bir hikâye olur piskopos ve eğer bu hikâye anlatılırsa insanlar ne zaman Wessex'i düşünseler, paganlara çırılçıplak teşhir edilen bir Wessex prensesi akıllarına gelecek. Ne zaman İngiltere'yi düşünseler, akıllarına bu gelecek!" Bu sözleri ilgi çekiciydi. O günlerde bu ismi nadiren kullanırdık, İngiltere. Bu bir rüyaydı, ama Alfred öfkesiyle rüyasının üzerindeki perdeyi kaldırmıştı, işte o zaman ordusunun kuzeye, hep kuzeye, artık Wessex, Doğu Anglia, Mersiya ya da Northumbria kalmayana, sadece İngiltere kalana kadar devam etmesini istediğini anladım.

"Kralım," dedi Erkenwald doğal olmayan bir alçak gönüllülükle, "paganlara bir ordu kurmaları için para verirsek geriye bir Wessex kalır mı bilmiyorum."

"Ordu kurmak zaman alır," dedi Alfred kararlı bir şekilde, "ayrıca hiçbir pagan ordusu hasat sonrasına kadar saldıramaz. Hasat toplandıktan sonra milisleri canlandırabiliriz. Onlara karşı koyacak adamlarımız olacak." Bu doğruydu ama adamlarımızın çoğu eğitimsiz çiftçilerden oluşacaktı, Sigefrid ise kılıçla doğmuş, uluyan aç Norsları getirecekti. Alfred damadına döndü. "Güney Mersiya'nın milislerinin de bizim yanımızda olmasını bekliyorum."

"Öyle olacak lordum," dedi Æthelred coşkuyla. Yüzünde onu bu salonda son gördüğümde rahatsız eden hastalıktan eser yoktu. Rengi yerine gelmişti ve kendine olan güveni azalmamış gibiydi.

"Belki de bu Tanrı'nın işidir," dedi Alfred, tekrar Erkenwald'la konuşarak. "Merhametiyle düşmanlarımıza binlercesini toplamaları için bir şans verdi ki onları büyük bir savaşta yenebilelim." Sesi bu düşünceyle daha da güçlendi. "Rab benim tarafımda," dedi kararlı bir şekilde, "korkmayacağım!"

"Tanrı'nın kelamı," dedi Asser Kardeş dindarca, istavroz çıkararak.

"Amin," dedi Æthelred, "amin. Onları yeneceğiz lordum!"

"Ama o büyük zaferi kazanmadan önce yerine getirmen gereken bir görevin var," dedim Æthelred'e, söyleyeceğim şeyden kötü niyetli bir zevk alarak. "Fidyeyi bizzat teslim etmelisin."

"Tanrı aşkına, bunu yapmayacağım!" dedi Æthelred öfkeyle, sonra Alfred ile göz göze geldi ve sandalyesine geri çöktü.

"Ayrıca Sigefrid'in önünde diz çökeceksin," dedim bıçağı çevirerek.

Alfred bile dehşete düşmüş gibi görünüyordu. "Sigefrid bu şartta ısrar mı ediyor?" diye sordu.

"Öyle, lordum," dedim, "onunla tartışmış olmama rağmen! İtiraz ettim, lordum, tartıştım ve yalvardım, ama boyun eğmedi."

Æthelred yüzünde dehşetle bana bakıyordu.

"O zaman öyle olacak," dedi Alfred. "Bazen Rab bizden dayanabileceğimizden fazlasını ister, ama O'nun yüce hatırı için buna katlanmalıyız."

"Amin," dedim hararetle, kralın hak ettiğim şüpheci bakışlarını üstüme çekerek.

Alfred'in şeritli mumlarından birinin iki saatlik balmumunu yakması için gereken süre kadar konuştular ve hepsi boş konuşmalardı; paranın nasıl toplanacağı, Lundene'e nasıl taşınacağı ve Beamfleot'a nasıl teslim edileceği hakkında konuştular. Alfred parşömeninin kenarına notlar yazarken önerilerde bulunuyordum. Bunların hepsi boşuna çabalardı çünkü eğer başarılı olursam fidye ödenmeyecek, Æthelflaed geri dönmeyecek ve Alfred'in tahtı güvende olacaktı.

Ve ben her şeyi mümkün kılacaktım.

Bir hafta içinde.

On bir

Karanlık. Günün son ışıkları da henüz kaybolmuş, yeni bir karanlık üzerimizi örtmüştü.

Ay ışığı vardı ama ay gizlenmişti, bu yüzden bulutların kenarları gümüş rengini almıştı. *Deniz Kartalı* yıldızların ışığın, gümüş ve siyah o uçsuz bucaksız gökyüzünün altında Temes'ten aşağıya doğru süzülüyordu.

Dümende Ralla vardı. Benden çok daha iyi bir denizciydi ve karanlıkta bizi nehrin kıvrımlarında dolaştıracağına güveniyordum. Çoğu zaman suyun nerede bittiğini ve bataklıkların nerede başladığını söylemek imkânsızdı ama Ralla umursamıyor gibiydi.

Bacaklarını iki yana açmış, küreklerin yavaş ritmine uyarak bir ayağıyla güverteye vuruyordu. Çok az konuşuyordu ama arada sırada küreğin uzun sapıyla rotada küçük düzeltmeler yapıyor ve bir kez olsun nehrin kenarlarındaki çamura değmiyordu. Arada sırada ay bir bulutun arkasından sıyrılıyor ve su aniden önümüzde parıltılı bir gümüş rengine bürünüyordu. Kıyılarda bataklık kulübelerinden yükselen küçük ateşlerin kırmızı kıvılcımları bir görünüp bir kayboluyordu.

Bizi nehrin aşağısına götürecek son gelgiti kullanıyorduk. Ayın su üzerindeki kesintili parlaklığı, nehir denize doğru belli belirsiz genişlerken kıyıların birbirinden giderek uzaklaştığını gösteriyordu. Kuzeye doğru bakmaya devam ettim.

Gökyüzünde Beamfleot'taki yüksek kampın içindeki ve çevresindeki ateşleri ele verecek parıltıyı görmeyi bekliyordum.

"Beamfleot'ta kaç tane pagan gemisi var?" diye sordu Ralla aniden.

"Bir hafta önce altmış dörttü," dedim, "ama muhtemelen şimdiye kadar seksene yaklaşmıştır. Belki yüz ya da daha fazla da olabilir."

"Ve sadece biz, ha?" diye sordu, eğlenerek.

"Sadece biz," diye kabul ettim.

"Ayrıca kıyıya daha fazla gemi gelecek," dedi Ralla. "Sceobyrig'de kamp kurduklarını duymuştum?"

"Bir aydır oradalar," dedim, "ayrıca orada en az on beş mürettebat var. Muhtemelen şimdiye kadar otuz olmuştur." Sceobyrig Beamfleot'un birkaç mil doğusunda çamurlu ve ıssız bir araziydi. On beş Dan gemisi oraya demir atmıştı ve toprak surlar ve ahşap direklerden oluşan bir kale yapmışlardı. Sceobyrig'i seçmelerinin nedeni Beamfleot'un deresinde artık neredeyse hiç yer kalmamış olması ve Sigefrid'in filosuna olan yakınlıkları nedeniyle onun koruması altında olmalarıydı. Şüphesiz ona gümüş ödüyorlardı ve şüphesiz onu Wessex'e kadar takip edip yağmalayabilecekleri her şeyi almayı umuyorlardı. Her denizin kıyısında, nehrin yukarısındaki kamplarda ve Norsların dünyasının her yerinde Wessex Krallığı'nın savunmasız olduğu ve bu yüzden savaşçıların toplandığı haberi yayılıyordu.

"Ama bugün savaşmayacağız, değil mi?" diye sordu Ralla.

"Umarım savaşmayız," dedim, "savaşmak çok tehlikeli."

Ralla kıkırdadı ama bir şey söylemedi.

Bir süre duraksadıktan sonra, "Savaş beklemiyorum," dedim.

"Çünkü eğer savaşırsak gemide rahibimiz yok," diye belirtti Ralla.

"Gemide hiçbir zaman rahibimiz olmadı," dedim savunmacı bir tavırla.

"Ama olmalı, lordum," diye karşı çıktı.

"Neden?" diye sordum agresif bir şekilde.

"Çünkü siz elinizde bir kılıçla ölmek istiyorsunuz," dedi Ralla azarlarcasına, "ve biz günah çıkararak ölmeyi severiz."

Sözleri içimi acıtmıştı. Benim görevim bu adamlara karşı idi ve eğer bir rahibin ölmekte olanlara yaptıklarından faydalanamadan ölürlerse o zaman onları hayal kırıklığına uğratmış olurdum. Bir an ne diyeceğimi bilemedim, sonra aklıma bir fikir geldi. "Kardeş Osferth bugün bizim rahibimiz olabilir," dedim.

Osferth bir kürekçi sırasından "Olurum," dedi. Cevabı beni memnun etti çünkü sonunda yapmak istemediğini bildiğim bir şeyi yapmaya istekliydi. Sonradan öğrendim ki sadece başarısız bir keşiş adayı olan bir adamın Hristiyan ayinlerini yönetme yetkisi yoktu ama adamlarım Osferth'in tanrıya kendilerinin olduklarından daha yakın olduğuna inanıyordu ve bu kadarı yeterliydi.

"Ama dövüşmeyi beklemiyorum," dedim kararlı bir şekilde.

Dümen platformuna en yakın olan bir düzine adam dinliyordu. Finan benimleydi elbette, Cerdic, Sihtric, Rypere ve Clapa da. Onlar benim bu gece beni denize kadar takip etmiş hanedan birliklerim, hizmetkârlarım, yoldaşlarım, kan kardeşlerim, yeminli adamlarımdı ve nereye gittiğimizi ya da ne yaptığımızı bilmeseler de bana güveniyorlardı.

"Peki ne yapıyoruz?" diye sordu Ralla.

Cevabın onları heyecanlandıracağını bildiğim için duraksladım. "Leydi Æthelflaed'i kurtarıyoruz," dedim sonunda.

Beni dinleyen adamların nefeslerinin kesildiğini duydum, ardından bu haber sıralardan *Deniz Kartalı*'nın pruvasına iletilirken mırıltılar yükseldi. Adamlarım bu yolculuğun bela anlamına geldiğini biliyordu ve benim katı bir gizlilik dayatmam onları meraklandırmıştı. Æthelflaed'in durumuyla bağlantılı olarak yola çıktığımızı tahmin etmiş olmalıydılar, ama şimdi bunu doğrulamıştım.

Ralla dümeni hafifçe kırarken dümen küreği gıcırdadı. "Nasıl?" diye sordu.

"Her an," dedim, sorusunu duymazdan gelerek ve teknedeki herkesin beni duyabileceği kadar yüksek sesle konuşarak, "kral kızı için fidye toplamaya başlayacak. Eğer on tane kol halkanız varsa dördünü isteyecek! Eğer biriktirdiğiniz gümüş varsa kralın adamları onu bulacak ve paylarını alacak! Ama bugün yapacağımız şey bunu durdurabilir!"

Tekrar mırıltılar yükseldi. Wessex'te, toprak sahiplerinden ve tüccarlardan zorla alınacak paranın düşüncesiyle zaten ciddi bir huzursuzluk vardı. Alfred kendi servetini taahhüt etmişti ama daha fazlasına, çok daha fazlasına ihtiyacı olacaktı ve tahsilatın henüz başlamamış olmasının tek nedeni danışmanları arasında çıkan tartışmalardı. Bazıları kilisenin de katkıda bulunmasını istiyordu, çünkü din adamlarının hazineleri olmadığı yönündeki ısrarlarına rağmen herkes manastırların zenginliklerle dolu olduğunu biliyordu. Kilisenin tepkisi Tanrı'ya ya da bilhassa Tanrı'nın piskoposlarına ve başrahiplerine ait olan bir tek gümüşe bile dokunmaya cüret eden herkesi aforoz etmekle tehdit etmek olmuştu. Ben, içten içe fidyeye gerek kalmayacağını ummama rağmen meblağın tamamının kiliseden alınmasını tavsiye etmiştim ama bu zekice tavsiye elbette dikkate alınmamıştı.

"Ve eğer fidye ödenirse," diye devam ettim, "o zaman düşmanlarımız on bin kılıç satın alacak kadar zengin olacak! Wessex'in her yerinde savaş çıkacak! Evleriniz yakılacak, kadınlarınıza tecavüz edilecek, çocuklarınız çalınacak ve servetinize el konulacak. Ama bugün yapacağımız şey bunu durdurabilir!"

Biraz abartmıştım ama o kadar da değil. Fidye kesinlikle beş bin mızrak, balta ve kılıç daha satın alabilirdi ve Vikinglerin Temes'in halicinde toplanmasının nedeni de buydu. Zayıflık kokusu almışlardı; zayıflık kan demekti, kan ise zenginlik. Omurgaları denizi yararak Beamfleot'a, oradan da Wessex'e doğru yol alan uzun gemiler güneye doğru geliyordu.

"Ama Norslar açgözlü!" diye devam ettim. "Æthelflaed'in çok değerli bir kız olduğunu biliyorlar ve aç köpekler gibi birbirlerine hırlıyorlar! İçlerinden biri diğerlerine ihanet etmeye hazır! Bugün şafakta Æthelflaed'i kamptan çıkaracak! Onu bize verecek ve çok daha düşük bir fidye kabul edecek! Daha büyük bir fidyeden pay almaktansa daha küçük bir fidyeyi kendine saklamayı tercih edecek! Zengin olacak! Ama bir ordu satın alacak kadar zengin olmayacak!"

Anlatmaya karar verdiğim hikâye buydu. Lundene'e dönüp Æthelflaed'in sevgilisiyle kaçmasına yardım ettiğimi söyleyemezdim, onun yerine Erik'in kardeşine ihanet etmeyi teklif ettiğini, benim de bu ihanete yardım etmek için denize açıldığımı ve Erik'in daha sonra yaptığımız anlaşmayı bozarak bana ihanet ettiğini iddia edecektim. Bana Æthelflaed'i vermek yerine onunla birlikte yelken açtığını söyleyecektim. Alfred bana yine de kızacaktı ama beni Wessex'e ihanet etmekle suçlayamayacaktı. Gemiye büyük bir tahta sandık bile getirmiştim. İçi kumla doluydu ve kapağı açılmasın diye çember şeklinde dövülmüş demir pimlerle tutturulmuş iki büyük asma kilitle kilitlenmişti. Herkes sandığın *Deniz Kartalı*'na getirilip dümen platformunun altına yerleştirildiğini görmüştü ve kesinlikle o büyük kutunun Erik'in ücretini taşıdığını düşünmüşlerdi.

"Şafaktan önce Leydi Æthelflaed bir gemiye götürülecek!" diye devam ettim. "Güneş gökyüzünün kenarına dokunduğunda o gemi onu dışarı çıkaracak! Ancak yollarını kesen bir gemi var, zincirlenmiş bir gemi, derenin ağzında kıyıdan kıyıya uzanıyor. Bizim işimiz o gemiyi yoldan çekmek! Hepsi bu kadar! Tek yapmamız gereken o gemiyi hareket ettirmek. Leydi Æthelflaed özgür kalacak, onu Lundene'e geri götüreceğiz ve kahramanlar olarak anılacağız! Kral minnettar olacak!"

Bu hoşlarına gitti. Kral tarafından ödüllendirilecekleri düşüncesini sevmişlerdi. Alfred'in öfkesini kışkırtmaktan başka bir şey yapmayacağımızı bildiğim için içimde bir sızı hissettim, ama onu fidye toplama zorunluluğundan da kurtarmış olacaktık.

"Bunu size daha önce söylemedim," dedim, "Alfred'e de söylemedim, çünkü size söyleseydim, içinizden biri ya da kralın adamlarından biri sarhoş olup bir meyhanede bu haberi yayacak, casusları Sigefrid'e söyleyecek ve Beamfleot'a vardığımızda karşımızda bizi bekleyen bir ordu bulacaktık! Ama şimdi uyuyorlar! Ve Æthelflaed'i kurtaracağız!"

Bunu alkışladılar. Sadece Ralla sessizdi. Yaygara sona erdiğinde usulca "Peki o gemiyi nasıl hareket ettireceğiz?" diye sordu. "Bizden daha büyük, yanları yükseltilmiş, savaşçı bir mürettebat taşıyor ve uyuyor olmayacaklar."

"Bunu yapan biz olmayacağız," dedim. "Ben yapacağım. Clapa? Rypere? Siz ikiniz bana yardım edeceksiniz. Üçümüz gemiyi hareket ettireceğiz."

Böylece Æthelflaed özgür olacaktı, aşk kazanacaktı, rüzgâr her zaman ılık esecekti, bütün kış yiyecek olacaktı ve hiçbirimiz asla yaşlanmayacaktık. Gümüş ağaçlarda büyüyecek, altın çimenlerin üzerindeki çiğ gibi görünecekti. Âşıkların parlak yıldızları sonsuza dek göz kamaştıracaktı.

Biz doğuya doğru kürek çekerken her şey çok basit görünüyordu.

Lundene'den ayrılmadan önce *Deniz Kartalı*'nın direğini geminin orta hattına indirmiştik. Baş ya da kıç tarafına canavar başlarını koymamıştım çünkü suda dikkat çekmesini istemiyordum. Karanlığın içinde siyah bir siluet olmalıydı, ne şaha kalkmış bir kartal başı ne de ufkun üzerinde görülebilecek yüksek bir direği olmasını istiyordum. Şafaktan önce gizlice geldik. Biz denizin gece gezenleriydik.

Yılan Nefesi'nin kabzasına dokundum ve orada hiçbir karıncalanma, hiçbir şarkı, kan için hiçbir açlık hissetmedim ve bundan teselli buldum. Dereyi açıp Æthelflaed'in özgürlüğe yelken açışını izleyeceğimizi ve Yılan Nefesi'nin yün astarlı kınında sessizce uyuyacağını düşündüm.

Sonunda gökyüzündeki parıltıyı, Sigefrid'in tepedeki kampında ateşlerin yandığı yeri işaret eden donuk kırmızı parıltıyı gördüm. Gelgitin durgun sularında kürek çektikçe parıltı daha da arttı ve onun ötesinde, yavaşça doğuya doğru alçalan tepelerde, ateşin bulutlar üzerindeki yansımaları daha da belirginleşti. Bu kırmızı parıltılar yüksek Beamfleot'tan alçak Sceobyrig'e kadar uzanan yeni kampların yerlerini işaret ediyordu. "Fidye olmasa bile saldırmak isteyebilirler," dedi Ralla.

"Olabilir," diye katıldım, ama Sigefrid'in henüz başarıdan emin olmak için yeterli adamı olduğundan şüpheliydim. Wessex yeni inşa edilmiş burhlarıyla saldırması zor bir yerdi, bu yüzden Sigefrid'in savaş kumarını oynamadan önce en az üç bin adam daha isteyeceğini tahmin ediyordum ve bu adamları elde etmek için de fidyeye ihtiyacı vardı. "Ne yapacağını biliyor musun?" diye sordum Ralla'ya.

"Biliyorum," dedi sabırla, sorumun zorunluluktan ziyade gerginlikten kaynaklandığını bilerek. "Caninga'nın deniz tarafına gideceğim," dedi, "ve seni doğu ucundan alacağım."

"Peki ya kanal açık değilse?" diye sordum.

Karanlıkta sırıttığını hissettim. "O zaman seni alacağım ve bu kararı sen vereceksin," dedi.

Çünkü kanalı kapatan gemiyi hareket ettirmeyi başaramazsam Æthelflaed derede mahsur kalacaktı, bu durumda ben de *Deniz Kartalı*'nı daha yüksek bordalı bir gemiye ve öfkeli bir mürettebata karşı savaşa sokup sokmamaya karar vermek zorunda kalacaktım. Bu istediğim bir savaş değildi çünkü kazanabileceğimizden şüpheliydim, bu da böyle bir savaş gerekli hale gelmeden kanalı açmam gerektiği anlamına geliyordu.

"Yavaşla!" diye bağırdı Ralla kürekçilere. Gemiyi kuzeye doğru çevirmişti. Caninga'nın kara kıyısına doğru yavaş ve temkinli bir şekilde kürek çekiyorduk. "Islanacaksın," dedi bana.

"Şafağa ne kadar var?"

"Beş saat mi? Altı?" diye tahmin etti.

"Yeterince uzun," dedim. Tam o sırada *Deniz Kartalı*'nın pruvası sığ çamura değdi ve geminin uzun gövdesi titredi.

Ralla "Geriye çek!" diye bağırınca kürekler sığ suyu bulandırarak pruvayı o tehlikeli kıyıdan uzaklaştırdı. "Çabuk git," dedi bana, "gelgit burada çok hızlı olur. Karaya oturmak istemeyiz."

Clapa ve Rypere'i pruvaya yönlendirdim. Yaklaşan yaz şafağında savaşmama gerek kalmayacağını umarak zırh giyip giymemeyi uzun süre düşünmüştüm ama sonunda ihtiyat galip gelmişti. Bir zırh giymiştim ve iki kılıç kuşanmıştım ama miğferim yoktu. Parlak kurt sembollü miğferimin gecenin küçük ışığını yansıtmasından korktuğum için onun yerine koyu renkli deri bir başlık giymiştim. Ayrıca Gisela'nın benim için ördüğü siyah pelerin de üzerimdeydi, sırtında enseden etek ucuna kadar uzanan şimşek darbeleriyle geceyi gizleyen o karanlık pelerini. Rypere ve Clapa da zırhlarını örten kara pelerinler giymişti ve her ikisinin de kılıçları vardı. Clapa sırtına asılı kocaman bir savaş baltası taşıyordu.

"Gelmeme izin vermelisin," dedi Finan bana.

"Burada yetkili sensin," dedim ona. "Ve eğer başımız belaya girerse bizi terk etmek zorunda kalabilirsin. Bu senin vereceğin bir karar."

Ralla bir kez daha "Geriye çek!" diye bağırdığında *Deniz Kartalı* akıntıya kapılma tehlikesine karşı birkaç metre daha geriledi.

"Seni terk etmeyeceğiz," dedi Finan ve elini uzattı. Elini tutup beni geminin bordasından aşağıya indirmesine izin verdim ve orada çamurlu sudan oluşan vıcık vıcık bir bataklığın içine düştüm.

Finan'ın karanlık suretine "Şafakta görüşürüz," diye seslendim, sonra Clapa ve Rypere'i geniş çamur düzlüklerine doğru yönlendirdim. Ralla kıyıdan uzaklaşırken *Deniz Kartalı*'nın küreklerinin gıcırtısını ve suyun şıpırtısını duyabiliyordum ama arkamı döndüğümde çoktan gözden kaybolmuştu.

Beamfleot'un deresini çevreleyen Caninga adasının batı ucunda karaya çıkmıştık. Sigefrid'in gemilerinin demirlediği ya da karaya oturtulduğu yerden çok uzaktaydık. Kalenin yüksek surlarındaki nöbetçilerin karaya oturan karanlık gemimizi görmeyecekleri kadar uzaktaydık, en azından ben öyle olmasını umuyordum. Artık uzun bir yürüyüş yapmamız gerekiyordu. Sular çekildikçe genişleyen, ay ışığında pırıl pırıl parlayan çamuru geçtik. Yürüyemediğimiz, sadece debelendiğimiz yerler oldu. Yürüdük, debelendik, çamurla boğuştuk, küfrettik ve su sıçrattık. Kıyı ne karaydı ne de su, yapış yapış bir bataklıktı. Bu yüzden, sonunda sudan çok kara kalana ve uyanan kuşların çığlıkları etrafımızı sarana kadar aceleyle ilerledim. Gece havası kuşların kanat çırpışları ve tiz çığlıklarıyla doluydu. Bu gürültünün kesinlikle düşmanı uyaracağını düşündüm, ama tek yapabildiğim daha yüksek bir yer için dua ederek iç kısımlara doğru ilerlemekti. Sonunda, arazi hâlâ tuz koksa da ilerlemek kolaylaştı. Ralla bana en yüksek gelgitlerde Caninga'nın tamamen dalgaların altında kaybolabileceğini söylemişti. Batıdaki denizin bataklıklarında onları böyle yükselen bir gelgitin içine çekerek boğduğum Danları düşündüm. Bu Ethandun'dan önceydi, o zamanlar Wessex'in sonu gelmiş gibi görünmüştü ama Wessex hâlâ yaşıyordu ve Danlar ölmüştü.

Bir patika bulduk. Koyunlar fundalıkların arasında uyuyordu. Burası koyunların kullandığı bir patikaydı, ancak ilkel ve tehlikeli bir patikaydı çünkü sürekli olarak alçalan gelgitin çağıldadığı kanallarla kesiliyordu. Yakınlarda bir çoban olup olmadığını merak ettim. Belki de bu koyunlar bir adada oldukları için kurtlardan korunmaya ihtiyaç duymuyordu. Bu da çoban olmadığı ve daha da iyisi havlayan köpeklerin olmadığı anlamına geliyordu. Ama eğer köpek varsa bile biz doğuya doğru ilerlerken uyuyorlardı. *Deniz Kartalı*'na baktım, ama ay ışığı halicin üzerinde parıldıyor olmasına rağmen onu göremedim.

Bir süre sonra sıcak ve kuru yerlerini işgal etmek için uyuyan üç koyunu tekmeleyip uyandırarak dinlendik. Clapa çok geçmeden uyuyup horlamaya başladı. Temes'e doğru bakarak bir kez daha *Deniz Kartalı*'nı görmeye çalıştım ama o gölgeler içinde bir gölgeydi. Arkadaşım Ragnar'ı ve onun Erik ile Alfred'in kızı Dunholm'a geldiğinde nasıl tepki vereceğini düşündüm. Onlardan hoşlanacağını biliyordum ama bu ne kadar sürecekti? Alfred Northumbria kralı Guthred'e kızının iadesini talep eden elçiler gönderecek ve kılıcı olan her Nors Dunholm'un kayalıklarına iştahla bakacaktı. Rüzgâr sert bataklık otlarını hışırdatırken delilik diye düşündüm.

"Orada neler oluyor lordum?" diye sordu Rypere beni irkilterek. Sesi telaşlı geliyordu. Gözlerimi sudan ayırıp döndüğümde Beamfleot'un tepesinden yayılan büyük bir alev gördüm. Alevler karanlık gökyüzüne sıçrıyor, kalenin surlarının dış hatlarını çiziyordu. Bu kıvrımlı alevlerin parlak kıvılcımları Sigefrid'in salonunun üzerinde yükseliyor, ateşin aydınlattığı kalın duman sütununun içinde dönüyordu.

Küfür ettim, tekmeleyerek Clapa'yı uyandırıp ayağa kalktım.

Sigefrid'in salonu alevler içindeydi ve bu tüm kampın uyanık olduğu anlamına geliyordu ama yangının bir kaza mı yoksa kasıtlı mı olduğunu bilmiyordum. Belki de bu Erik'in Æthelflaed'i küçük salonundan kaçırmak için planladığı bir oyalamaydı ama nedense Erik'in kardeşini yakarak öldürmeyi göze alacağını düşünmüyordum. Kaşlarımı çatarak "Bu yangına her ne sebep olduysa, kötü haber," dedim.

Yangın daha yeni başlamıştı ama sazlar kuru olmalıydı çünkü alevler olağanüstü bir hızla yayılıyordu. Alevler büyüdü, tepeyi aydınlattı ve Caninga'nın alçak, bataklık arazisine büyük gölgeler düşürdü. Clapa endişeyle, "Bizi görecekler lordum," dedi.

Kanalı kapatan gemideki adamların Caninga'da düşman aramak yerine ateşi izliyor olmalarını umarak, "Bu riski göze almak zorundayız," dedim.

Derenin güney kıyısına, gemiyi akıntıya karşı tutan büyük zincirin devasa direğe dolandığı yere ulaşmayı düşünüyordum. Zincir kesilir ya da serbest bırakılırsa gemi akıntıya kapılıp sürüklenecek, böylece pruva zinciri onu kuzey kıyısındaki direğe bağlı tutarken gemi kocaman bir kapı açmış olacaktı.

"Gidelim," dedim. Koyunların patikasını takip ettik. Büyük ateşin yaydığı ışık sayesinde yolculuğumuz artık daha kolaydı. Gökyüzünün solgunlaştığı doğuya doğru bakmaya devam ettim. Şafak yakındı ama güneş uzun süre daha görünmeyecekti. Bir kez *Deniz Kartalı*'nı gördüğümü sandım, gri ve siyahın parıltısında alçak şekli belirgindi ama ne gördüğümden emin olamadım.

Dereyi engelleyen demirli gemiye yaklaştıkça koyunların patikasından ayrılıp bizi gizleyecek kadar büyük sazlıkların arasından ilerlemeye başladık. Kuşlar çığlık atmaya devam ediyordu. Birkaç adımda bir duruyorduk. Sazlıkların üzerinden baktığımda dereyi engelleyen geminin mürettebatının yanan yüksek tepeye baktığını gördüm. Yangın muazzam bir boyuta ulaşmıştı, gökyüzündeki cehennem gibiydi ve tepedeki bulutları kızıla boyuyordu. Sazlıkların kenarına ulaştık ve geminin kıçını bağlayan devasa direkten yüz adım ötede çömeldik.

Clapa'ya, "Senin baltana ihtiyacımız olmayabilir," dedim. Baltayı ağır demir bağlantıları kesmeye çalışmak için getirmiştik.

"Zinciri ısıracak mısınız lordum?" diye sordu Rypere, eğlenerek.

Kafasına dostça bir şaplak attım. "Clapa'nın omuzlarına çıkarsan o zinciri direkten ayırabilirsin," dedim. "Daha çabuk olur."

"Hava aydınlanmadan yapmalıyız," dedi Clapa.

"Gemiyi yeniden demirlemeleri için onlara zaman vermemeliyiz," dedim. Karaya daha fazla adam çıkarmalı mıydım, diye düşündüm, sonra çıkarmış olmam gerektiğini anladım.

Çünkü Caninga'da yalnız değildik.

Başka adamlar da vardı. Elimi Clapa'nın koluna koyarak onu susturdum ve kolay görünen her şey zorlaştı.

Derenin güney kıyısında koşan adamlar gördüm. Kılıç ve baltalarla silahlanmış altı adam vardı, hedefimiz olan direğe doğru koşan altı adam. O anda ne olduğunu anlamıştım ya da anladığımı umuyordum ama o an tüm geleceğin sallantıda olduğu bir andı. Karar vermek için bir saniyem vardı. Yggdrasil'in köklerinde oturan üç Norn'u düşündüm. Yanlış bir seçim yaparsam, onların zaten yapacağımı bildikleri seçimi yaparsam o sabah yapmak istediğim her şeyi mahvedebileceğimi biliyordum. Belki de Erik kanalı kendisi açmaya karar vermişti.

Belki de gelmeyeceğime inanmıştı ya da belki de kardeşinin adamlarına saldırmadan kanalı açabileceğini fark etmişti. Belki o altı adam Erik'in savaşçılarıydı.

Ya da değillerdi.

"Öldürün onları," dedim, konuştuğumun ve verdiğim kararın farkında bile olmayarak.

"Lordum?" diye sordu Clapa.

"Şimdi!" Çoktan harekete geçmiştim. "Çabuk, haydi!"

Dereyi tutan geminin mürettebatı altı adama mızrak fırlatıyordu ama üçümüz direğe doğru koşarken hiçbiri isabet etmedi. Yılan Nefesi'ni çekmeden önce önümden koşan kıvrak ve hızlı Rypere'i sol elimle geri çektim.

Ve şafaktan önce ölüm işte böyle geldi. Çamurlu bir kıyıda ölüm. Altı adam bizden önce direğe ulaştı. İçlerinden biri, uzun boylu bir adam, halkalı zincire bir savaş baltası savurdu ama gemiden fırlatılan bir mızrak kalçasına saplandı ve beş arkadaşı bizimle karşılaşmak için dönerken küfredip sendeleyerek geri çekildi. Onları şaşırtmıştık.

Anlamsız, büyük bir meydan okuma çığlığı atarak beş adamın üzerine atladım. Bu çılgınca bir saldırıydı. Bir kılıç karnımı delip geçebilir, beni kanlar içinde kıvrandırabilirdi ama tanrılar benimleydi. Yılan Nefesi bir kalkanı tam ortasından vurdu. Adam geriledi, ayakları yerden kesildi ve ben de Rypere ile Clapa'nın diğer dört adamı meşgul edeceğine güvenerek ona doğru ilerledim. Clapa kocaman baltasını sallıyor, Rypere ise Finan'ın ona öğrettiği kılıç dansını yapıyordu. Yılan Nefesi'ni yere düşen adama doğru savurdum. Kılıç adamın miğferine çarptığında adam tekrar geriledi, sonra döndüm ve Yılan Nefesi'ni zinciri koparmaya çalışan uzun boylu adama doğru savurdum.

Baltasını sallayarak bana doğru döndü. Gökyüzünde miğferinin kenarının altındaki parlak kızıl saçları ve miğfer yanaklarının altından çıkan parlak kızıl sakalı görmemi sağlayacak kadar ışık vardı. O Kızıl Eilaf'tı, Haesten'in yeminli adamı, işte o anda bu hain sabahta neler olmuş olabileceğini anladım.

Yangını Haesten çıkarmıştı.

Ve Haesten Æthelflaed'i almış olmalıydı.

Şimdi ise gemilerinin kaçabilmesi için kanalın açılmasını istiyordu.

Kanalı kapalı tutmak zorundaydık. Onu açmaya gelmiştik ve şimdi Sigefrid'in tarafında kanalı kapalı tutmak için savaşacaktık. Kılıcımı Eilaf'a doğru savurdum, o da bir şekilde kılıçtan sıyrılıp baltasını belime sapladı ama darbesinde güç yoktu ve pelerinim ve zırhım sayesinde darbeyi neredeyse hiç hissetmedim. Gemiden fırlatılan bir mızrak tıslayarak yanımdan geçti, sonra bir diğeri sertçe direğe saplandı ve titreyerek orada kaldı. Eilaf'ın yanından tökezleyerek geçmiştim, bataklık zeminde adımlarım kararsızdı.

Hızlıydı ve kalkanım yoktu. Baltasını savurdu. Ona doğru dönerken eğildim, sonra Yılan Nefesi'ni iki elimle karnına doğru savurdum, ama kalkanı hamleyi karşıladı. Arkamda sıçrayan suyun sesini duydum ve dereyi tutan geminin mürettebatının yardımımıza geldiğini tahmin ettim. Clapa ve Rypere'in dövüştüğü yerde bir adam çığlık attı ama orada ne olduğunu öğrenecek vaktim yoktu. Tekrar hamle yaptım. Kılıç baltadan daha hızlı bir silahtır. Kızıl Eilaf hâlâ sağ kolunu geri çekiyordu. Kılıcımı savuşturmak için kalkanını hareket ettirmek zorunda kaldı. Ani bir hareketle kılıcı yukarı doğru savurdum. Kılıcım kalkanının demir kenarına sürtünerek ve çınlayarak kaydı ve ucu Kızıl Eliaf'ın miğferinin kenarının altından kafatasına saplandı.

Kemiklerin kırıldığını hissettim. Baltası üzerime geliyordu ama yavaştı. Sol elimle baltanın sapını yakaladım. Sendeleyen Eilaf'ın ona verdiğim yaradan dolayı gözleri donuklaşırken baltayı elinden aldım. Mızrakla delinmiş bacağını tekmeledim, Yılan Nefesi'ni çekip ona sapladım. Kılıcım zırhını delip onu mızrağa takılmış bir yılan balığı gibi sarsmaya başladı, çamura saplanmıştı ve baltasını elimden kurtarmaya çalıştı. Bana hırlıyordu, alnı kan içindeydi. Ona küfrettim, elini baltanın sapından kurtardım, Yılan Nefesi'ni boynuna indirip titremesini izledim. Deredeki geminin mürettebatından adamlar Eilaf'ın adamlarını öldürmek için yanımdan koşarak geçtiler. Eilaf'ın miğferini kanlı kafasından çıkardım. Miğferinden kan damlıyordu, yine de onu deri başlığımın üzerine geçirdim ve yanaklarının yüzümü gizleyeceğini umdum.

Gemiden gelen adamlar beni Sigefrid'in şöleninde görmüş olabilirlerdi ve eğer beni tanırlarsa kılıçlarını bana doğrultacaklardı. Mürettebattan on ya da on bir kişi vardı ve Kızıl Eilaf'ın beş arkadaşını öldürmüşlerdi ama Clapa son yarasını almadan önce değil. Zavallı Clapa, düşüncede o kadar yavaş, tavırda o kadar nazik, savaşta o kadar güçlü, şimdi ağzı açık, sakalından kanlar akarak yatıyor, vücudu sarsılıyordu. Yanına atladım. Yere düşmüş bir kılıç bulup onu boş olan sağ eline koydum ve parmaklarını kabzasına doladım. Göğsü bir balta darbesiyle parçalanmıştı; öyle ki kaburgaları, akciğeri ve zırhı iç içe geçmişti ve vücudundan akan kan fokurduyordu.

"Kimsin sen?" diye bağırdı bir adam.

"Ragnar Olafson," diye bir isim uydurdum.

"Neden buradasınız?"

"Gemimiz sahilde karaya oturdu," dedim, "yardım bulmaya geliyorduk."

Rypere gözyaşları içindeydi. Clapa'nın sol elini tutmuş, tekrar tekrar arkadaşının adını sayıklıyordu.

Savaşta arkadaş ediniriz. Birbirimizle dalga geçer, alay eder, birbirimize hakaret ederiz ama aynı zamanda birbirimizi severiz. Savaşta kardeşten daha yakın oluruz. Clapa ve Rypere bu yakınlığı bilen arkadaşlardı ve şimdi Dan Clapa ölürken Sakson Rypere ağlıyordu. Yine de gözyaşları zayıflıktan değil, öfkeden kaynaklanıyordu. Clapa'nın ölmekte olan elini kılıcın kabzasında sıkıca tutarken Rypere kılıcını kaldırdı. "Lordum," dedi. Döndüm ve kıyıdan daha fazla adamın indiğini gördüm.

Haesten kanalı açmak için bir ekip göndermişti. Gemileri kıyının elli adım aşağısında karaya oturtulmuştu ve onun ötesinde, kanal açıldığında denize açılmak için kürek çekmeyi bekleyen bir yığın gemi görüyordum. Haesten ve tüm adamları Beamfleot'tan kaçıyordu. Æthelflaed'i de yanlarında götürüyorlardı ve derenin ötesinde, yanan salonun altındaki dik tepede Sigefrid ve Erik'in adamlarının hain Haesten'e saldırmak için pervasızca sarp yamaçtan aşağı koştuklarını görebiliyordum.

Adamları şimdi ezici bir sayıyla üzerimize geliyordu.

"Kalkan duvarı!" diye kükredi bir ses. Kimin bağırdığı hakkında hiçbir fikrim yok, sadece bu çamurlu kıyıda ölmemiz gerektiğini düşündüğümü hatırlıyorum. Clapa'nın kanlı yanağını okşadım ve çamurda yatan baltasını gördüm. Rypere'in hissettiği aynı öfkeyi ben de hissettim. Yılan Nefesi'ni kınına sokup kocaman, geniş ağızlı savaş baltasını kaptım.

Haesten'in tayfası çığlıklar atarak geldi, Sigefrid'in adamları onları katletmeye gelmeden önce dereden kaçmak için acele ediyorlardı. Haesten Sigefrid'in gemilerini derenin uzak tarafında karaya oturtuldukları yerde yakarak bu takibi yavaşlatmak için elinden geleni yapıyordu. Bu yeni yangınların, katranlı armalarda hızla yayılan alevlerin, gelgitin üzerinden esen dumanın sadece belli belirsiz farkındaydım ama izleyecek vaktim yoktu, sadece çığlık atan adamlar yaklaştıkça kendimi korumaya çalışıyordum.

Sonra, son birkaç adım kala hücuma geçtiler. Orada ölmemiz gerekirdi ama bize kalkan duvarı oluşturmamızı söyleyen her kimse yerini iyi seçmişti çünkü Caninga'nın birçok kanalından biri önümüzden geçiyordu. Tam olarak bir kanal sayılmazdı, daha çok çamurlu bir dereydi ama saldırganlarımız kanalın kaygan kenarlarında tökezledi ve biz ilerledik. Çığlık atma sırası bizdeydi. İçimdeki öfke savaşın kızıl hiddetine dönüştü. Devasa baltayı tökezlemekten kurtulan bir adama savurdum. Balta miğferi kesip kafatasını yararak beyni ikiye ayırırken savaş çığlığım bir zafer çığlığına dönüştü. Ben hâlâ çığlık atarken ve baltayı çekip tekrar savururken havaya simsiyah kan fışkırıyordu. Çılgınlık, öfke ve çaresizlikten başka bir şey bilmiyordum. Savaş sevinci. Kan çılgınlığı. Katliama giden savaşçılar. Tüm kalkan duvarımız düşmanımızın bocaladığı hendeğin kenarına taşınmıştı. Bir anlık öfkeli bir katliam yaşadık, ay ışığında bıçaklar, zift kadar siyah kan ve adamların karanlıkta yaban kuşlarının çığlıkları kadar vahşi çığlıkları. Yine de sayıca azdık ve her iki yandan da saldırıya açıktık. Geminin zincirini tutan direğin orada ölmemiz gerekirdi, ancak bağlı gemiden daha fazla adam denize atladı ve saldırganlarımızın sol kanadına saldırmak için sığlıklardan koşarak geldi. Yine de Haesten'in adamları hâlâ sayıca bizden fazlaydı. Arka saflardaki adamlar ölmekte olan yoldaşlarını iterek bize saldırdılar. Silahları kadar ağırlıkları da bizi yavaşça geri çekilmeye zorladı. Kalkanım yoktu. Baltayı iki elimle savuruyor, hırlıyor, ağır silahımla adamları uzak tutuyordum ancak bir mızrakçı baltamın ulaşamayacağı bir yerden bana defalarca hamle yaptı. Yere düşmüş bir kalkan bulan yanımdaki Rypere beni korumak için elinden geleni yaptı ama mızrakçı kalkandan sıyrılmayı başarıp sol baldırımı kesmek için alçaktan bir hamle yaptı. Baltayı savurdum. Ağır silah adamın yüzüne çarparken Yılan Nefesi'ni kınından çıkarıp savaş şarkısını haykırmasına izin verdim. Yaram ciddi değildi ama Yılan Nefesi'nin açtığı yaralar ciddiydi. Ağzı dişsiz, çılgına dönmüş bir adam bana bir balta salladı. Yılan Nefesi adamın ruhunu zarif ve kolay bir şekilde aldı, o kadar zarifti ki bıçağı karnının üstünden çekip alırken zafer sevinciyle güldüm. "Onları tutuyoruz!" diye bağırdım. Kimse İngilizce bağırdığımı fark etmedi, ama küçük kalkan duvarımız gerçekten de büyük direğin önünde sağlam dursa da saldırganlarımız hattımızın sol tarafına geçmişti ve oradaki adamlar iki taraftan saldırıya uğrayınca dağılıp kaçtılar. Onların arkasından geriye doğru tökezledik. Kılıçlar kalkanlarımıza çarptı, baltalar tahtaları parçaladı, kılıç kılıca çarptı. Bu kadar çok kişiye karşı yerimizi koruyamayacağımızdan gerilemeye devam ettik ve zincirli büyük direğin yanından geçtik. Artık gökyüzünde devasa zincirin paslandığı direğin tabanına yapışan yeşil balçığı görebilmem için yeterince ışık vardı.

Haesten'in adamları ağızlarını sonuna kadar açarak büyük bir zafer çığlığı attı. Gözleri doğudan yansıyan ışıkla parlıyordu ve kazandıklarını biliyorlardı. Bizse sadece kaçtık. Şafak sökmeden hemen önceki o ânı anlatmanın başka bir yolu yok. Altmış ya da yetmiş adam bizi öldürmeye çalışıyordu. Dereyi tutan zincirli gemideki mürettebattan bazıları çoktan ölmüştü. Çamurun yoğun olduğu ön kıyıya doğru koştuk. Bir kez daha, denizin kaygan düzlüklerde dalga dalga ilerlediği yerde ölmem gerektiğini düşündüm ancak saldırganlarımız bizi uzaklaştırdıklarından memnun olarak direğe ve zincire geri döndüler. Bazıları bizi izliyor, daha sağlam zemine geri dönüp onlara meydan okumamız için bizi kışkırtıyor, bazıları ise baltalarla zinciri kesiyordu. Onların ötesinde, son yıldızların solduğu gökyüzünün en karanlık kısmında, Haesten'in denize açılmayı bekleyen gemilerini görebiliyordum.

Baltalar çınlayan zinciri kesti, sonra bir tezahürat duyuldu ve ağır zincirin çamurda bir yılan misali süründüğünü gördüm. Gelgit artık tersine dönmüştü. Yükselen sular güçlü bir şekilde akıyor, batıya doğru savrulan gemi yükselen sularla sürükleniyordu. Haesten'in kaçışını izlemekten başka bir şey yapamıyordum.

Saldırganlarımız kendi gemilerine doğru kaçıyordu. Gemiyi tutan zincir, gemi onu yavaşça sürüklerken alçak suda kaybolmuştu. Çamurda ağır adımlarla ilerlerken kanlı sol ayağımın çıkardığı sesi ve tökezleyerek ilerlediğimi hatırlıyorum. Yılan Nefesi elimdeydi ve Æthelflaed'in daha kötü bir esarete götürülmesini engelleyecek gücüm olmadığını biliyordum.

Fidyenin artık iki katına çıkacağını ve Haesten'in savaşçıların efendisi, ölçüsüz açgözlülüğünün bile ötesinde zengin bir adam olacağını düşündüm. Bir ordu toplayacaktı. Wessex'i yok etmek için gelecekti. Kral olacaktı ve tüm bunlar o zincir koparıldığı ve Hothlege sonunda açıldığı için olacaktı.

O zaman Haesten'i gördüm. *Gezgin Ejderha* isimli gemisinin pruvasında duruyordu. Dere ağzının tamamen temizlenmesini bekleyen ilk gemiydi. Haesten pelerin ve zırh içinde, gemisinin pruvasını taçlandıran kuzgun başının altında gülümseyerek gururla duruyordu. Miğferi ve çekilmiş kılıcı yeni şafakta parlıyordu. O kazanmıştı. Æthelflaed'in o gemide olduğundan emindim. Arkasında yirmi gemi daha vardı; onun filosu, onun adamları.

Sigefrid ve Erik'in adamları dereye ulaşmış ve yangından kurtulan teknelerden bazılarını suya indirmişti. Haesten'in arkadaki gemileriyle savaşmaya başlamışlardı. Yanan gemilerin parıltısında silahların ışıltısını gördüm ve daha fazla adamın öldüğünü anladım, ama artık çok geçti. Dere açılıyordu.

Artık sadece pruva zinciriyle tutulan gemi gittikçe daha hızlı sallanıyordu. Birkaç kalp atışı içinde dar kanalın tamamen açılacağını biliyordum. Haesten'in küreklerinin *Gezgin Ejderha*'yı akıntıya karşı sabit tutmak için suya dalışını izledim. Her an küreklerin sertçe çekileceğini ve onun ince gemisinin karaya oturtulmuş zincirli gemiyi hızla geçeceğini biliyordum. Doğuya, yeni bir kampa, bir zamanlar Wessex olarak adlandırılan krallığı ona getirecek bir geleceğe doğru kürek çekecekti.

Hiçbirimiz konuşmadık. Yanlarında savaştığım adamları tanımıyordum, onlar da beni tanımıyordu. Orada öylece duran, kanalın açılmasını ve gökyüzünün aydınlanmasını izleyen çaresiz yabancılardık. Güneş neredeyse dünyanın kenarına dokunmuştu ve doğu kırmızı, altın ve gümüş bir ışıkla parlıyordu. Aynı güneş ışığı, Haesten'in adamlarının ileri doğru ittiği ıslak küreklerinden de parlıyordu. Bir an için güneşin tüm bu yansımaları gözlerime vurdu, sonra Haesten bir komut verince kürekler suya daldı ve uzun gemisi ileriye doğru atıldı.

İşte o zaman Haesten'ın sesinde bir panik olduğunu fark ettim. "Kürek çekin!" diye bağırıyordu, "kürek çekin!"

Paniğini anlamamıştım. Sigefrid'in aceleyle hazırladığı gemilerden hiçbiri onun yakınında değildi ve açık deniz önünde uzanıyordu, yine de sesi çaresiz geliyordu. "Kürek çekin!" diye bağırdı, "kürek çekin!" ve *Gezgin Ejderha* altın parlaklığındaki doğuya doğru daha da hızlı kaydı. Burnu kalkık, dişleri açık ejderhanın başı doğan güneşe meydan okuyordu.

Ve sonra Haesten'ın neden paniklediğini anladım.

Deniz Kartalı geliyordu.

Kararı Finan vermişti. Daha sonra bunu bana açıkladı, ancak günler sonra bile yaptığı seçimi savunmakta zorlandı. Bu her şeyden çok içgüdüseldi.

Kanalı açmak istediğimi biliyordu ama *Deniz Kartalı*'nı Hothlege'a getirerek geçişi tekrar engellemiş olacaktı, yine de gelmeye karar vermişti. "Pelerinini gördüm," diye açıkladı.

"Pelerinimi mi?"

"Yıldırım şimşeği, lordum. Zincirli direği savunuyordunuz, ona saldırmıyordunuz."

"Ya öldürülmüş olsaydım?" diye sordum. "Ya bir düşman pelerinimi almış olsaydı?"

"Rypere'i de tanıdım," dedi Finan, "o çirkin küçük adamı karıştıramazsınız, değil mi?" Böylece Finan Ralla'ya *Deniz Kartalı*'nı kanala getirmesini söylemişti. Kanal girişinin kuzey kıyısını oluşturan bataklık ve çamur yığını İki Ağaç Adası'nın doğu ucunda pusuya yatmışlardı. Ralla yükselen gelgitle Hothlege'a doğru ilerlemişti. Kanala girmelerinden hemen önce küreklerin içeri alınmasını emretmiş, sonra da *Deniz Kartalı*'nı *Gezgin Ejderha*'nın küreklerinin bir tarafına çarpacak şekilde yönlendirmişti.

İzledim. Haesten'in gemisi bana daha yakınken *Deniz Kartalı* kanalın ortasındaydı, bu yüzden uzun küreklerinin kırıldığını görmedim ama parçalandıklarını duydum. Kürekler kırılırken çatırdayan ahşabın sesini duydum. Haesten'in adamlarının kürekleri göğüslerini ezecek şekilde sıkışırken attıkları çığlıkları da duydum, ki bu korkunç bir yaralanmaydı. *Gezgin Ejderha* ani bir sarsıntıyla durduğunda bu çığlıklar hâlâ duyuluyordu. Ralla Haesten'in gemisini Caninga'nın çamurlu kıyısına itmek için dümen küreğini itmişti, ardından *Deniz Kartalı* da dereyi engelleyen gemi ile henüz karaya oturtulmuş *Gezgin Ejderha* arasında sıkışıp kalınca aniden durdu. Kanal şimdi üç gemi tarafından tekrar tıkanmıştı.

Güneş denizin üzerinde altın kadar parlak bir şekilde yükselmiş, yeryüzünü göz kamaştırıcı yeni bir ışıkla doldurmuştu.

Ve Beamfleot'un deresi ölüm yuvası haline geldi.

Haesten adamlarına direksiz *Deniz Kartalı*'na çıkmalarını ve mürettebatını öldürmelerini emretti. Geminin kime ait olduğunu bildiğinden şüpheliyim, sadece kendisini engellediğini biliyordu. Adamları gemiye atladıklarında Finan'ı hanedan birlikerimin başında onları karşılarken buldular ve çığlık attılar. İki kalkan duvarı ön taraftaki kürek çekme sıralarında buluştu. Balta ve mızrak, kılıç ve kalkan. Bir an için sadece izleyebildim. Birbirine çarpan kalkanların sesini duydum, havaya kalkan kılıçlardan çıkan parıltıyı gördüm. Haesten'in adamları *Deniz Kartalı*'nın pruvasına akın ediyordu.

Bu kavga derenin girişini doldurdu. Haesten'in filosunun geri kalanı bu üç geminin arkasında kıyıdaki yanan teknelere doğru sürükleniyordu ama Sigefrid'in teknelerinin tamamı yanmıyordu ve giderek daha fazla adam Haesten'in arkadaki gemilerine doğru kürek çekiyordu. Çatışma orada da başlamıştı. Üstümde, Beamfleot'un yükselen yeşil tepesinde, salon hâlâ yanıyordu. Hothlege'in kıyısındaki gemiler de yanıyordu. Bu yüzden yeni altın ışık, altında insanların öldüğü duman bulutlarıyla örtülürken güveler gibi uçuşan siyah küller gökyüzünde süzülüyordu.

Haesten'in bizi çamurun üzerine sürüp zincirli gemiyi serbest bırakan sahildeki adamları sığ sudan geçerek, *Deniz Kartalı*'ndaki savaşa katılabilmek için kendilerini *Gezgin Ejderha*'ya attılar. "Onları takip edin," diye bağırdım.

Sigefrid'in adamlarının bana itaat etmeleri için hiçbir nedenleri yoktu. Kim olduğumu bilmiyorlardı, sadece yanlarında savaştığımı biliyorlardı ama ne istediğimi anlamışlardı ve içlerinde savaşçı bir adamın öfkesini taşıyorlardı. Haesten Sigefrid ile yaptığı anlaşmaya ihanet etmişti ve bunlar Sigefrid'in adamlarıydı, dolayısıyla Haesten'in adamları ölmeliydi.

O adamlar, bizi utanç verici bir kaçışa sürükleyenler, bizi unutmuşlardı. Artık *Gezgin Ejderha*'nın güvertesindeydiler ve Haesten'in kaçışını engelleyen mürettebatı öldürme amacıyla *Deniz Kartalı*'na doğru ilerliyorlardı, bu yüzden biz gemilerine tırmanırken bize karşı koyan olmadı. Önderlik ettiğim adamlar benim düşmanımdı ama bunu bilmiyorlardı. Efendilerine hizmet etmeye hevesli bir şekilde beni takip ettiler.

Haesten'in adamlarına arkadan saldırdık ve bir anlığına ölümün efendileri biz olduk. Kılıçlarımız adamların omurgasına saplandı, saldırı altında olduklarını bilmeden öldüler, ardından hayatta kalanlar bize doğru döndüğünde yüz kişinin karşısında bir avuç adamdan fazlası değildik.

Haesten'in gemisinde çok fazla adam vardı ve *Deniz Kartalı*'nın pruvasında hepsinin o savaşa katılmasına yetecek kadar yer yoktu. Ama *Gezgin Ejderha*'daki adamların artık kendi düşmanları vardı. Biz vardık.

Bir gemi dardır. Karada kolayca aşılabilen kalkan duvarımız burada *Gezgin Ejderha*'nın bir yanından diğer yanına uzanıyordu, ayrıca kürek çekme sıraları bize doğru hücum eden bir adamı durduracak engeller oluşturuyordu. Yavaş gelmek zorundaydılar, yoksa diz yüksekliğindeki sıralara takılma riskleri vardı, ama yine de hevesle geliyorlardı. Ellerinde Æthelflaed vardı, herkes zenginlik hayali için savaşıyordu ve zengin olmak için tek yapmaları gereken bizi öldürmekti. İlk ani saldırımızda yere serdiğim adamların birinden bir kalkan almıştım. Sağımda Rypere, solumda bir yabancı olduğu halde durup bize doğru gelmelerine izin verdim.

Yılan Nefesi'ni kullandım. Kısa kılıcım İğne genellikle bir kalkan duvarı savaşında daha iyiydi ama burada düşman bize yaklaşamazdı çünkü bir kürek çekme sırasının arkasında duruyorduk. Geminin merkez hattında, benim durduğum yerde sıra yoktu ancak bir direk engel teşkil ediyordu ve en büyük tehlikenin nerede olduğunu görebilmek için yüksek direğin yanından sağa sola bakmaya devam etmem gerekiyordu. Gür sakallı bir adam baltasını kafasına indirmek isteyerek Rypere'in önündeki sıranın üzerine tırmandı, ama adam kalkanını çok yüksekte tuttuğundan Yılan Nefesi karnının altını deldi. Kılıcımı çevirip karnını yardım. Nors çığlık atıp kılıcımın üzerinde iki büklüm olurken baltası Rypere'in arkasına düştü. Bir şey, balta ya da kılıç, kalkanıma vuruyordu, sonra karnı yarılan adam yanlamasına silahın üzerine düştü ve Yılan Nefesi'nin bıçağından akan kan elimi ısıttı.

Bir mızrak üzerime geldi, hamlesini kalkanımla savuşturdum. Mızrak tekrar üzerime gelmeden hemen önce kalkanımı Rypere'inkinin üzerine kapattım. Bırak gelsinler, diye düşündüğümü hatırlıyorum. Bütün sabah kalkanlara mızrak fırlatsalar hiçbir yere varamazlardı. Bizi kırmak için önümüzdeki sırayı aşıp yüz yüze savaşmaları gerekiyordu. Sakallı yüzlerini görmek için kalkanın kenarından baktım. Bağırıyorlardı, bize hangi hakaretleri savurdukları hakkında hiçbir fikrim yok, tek bildiğim tekrar gelecekleriydi. Geldiler de. Kalkanı solumdaki sırada oturan bir adama doğru itip Yılan Nefesi'ni bacağına sapladım. Zayıf bir vuruştu ama kalkan başım karnını yakalayıp adamı geriye doğru savurdu. Bir kılıç karnımın alt kısmına saplandı ama zırhım darbeyi engelledi. Adamlar geminin aşağısında kalabalıklaşmaya başlamıştı, arkadaki adamlar öndekileri kılıçlarımıza doğru itiyordu. Saldırının ağırlığı gerilememize neden oldu. Adamlarımızdan bazılarının, *Deniz Kartalı*'na binmiş ve şimdi *Gezgin Ejderha*'ya geri dönmeye çalışan Haesten'in adamlarının karşı saldırısına karşı arkamızı savunduğunu belli belirsiz fark ediyordum. İki adam ortadaki direği geçmeyi başarıp kalkanıyla bana saldırdı. Darbeleri beni yana ve geriye doğru sendeletti, bir şeye takıldım ve ağır bir şekilde bir kürekçi sırasının kenarına çöktüm. Kör bir panikle, kalkanımın kenarından Yılan Nefesi'ni savurdum ve onun zırhı, deriyi, kası ve eti deldiğini hissettim. Bir şeyler kalkanıma çarptı. Kılıcım hâlâ düşmanın etine saplı bir halde ileri atıldım ve mucizevi bir şekilde önümüze düşman çıkmadı. Sağımdaki ve solumdaki kalkanlara dokundum ve Yılan Nefesi'ni saplayıp bükerken bir meydan okuma çığlığı attım. Bir balta kalkanımın üst kenarına takılıp onu aşağı çekmeye çalıştı, ama kalkanı düşürüp baltayı etkisiz hale getirdim, sonra kalkanımı kaldırarak kılıcımı baltalıya doğru savurdum. Tüm o hisler, tüm o öfke, tüm o nefret çığlıkları, hepsi artık zihnimde bir bulanıklık.

O savaş ne kadar sürdü?

Bir dakika ya da bir saat olabilir. Bugün bile bilmiyorum. Şairlerimin asırlık kavgaları anlatışlarını dinliyorum ve hayır, öyle değildi diye düşünüyorum. Haesten'in gemisindeki kavga şairlerimin anlattıklarına kesinlikle benzemiyordu. Kahramanca ve görkemli değildi, durdurulamaz kılıç becerisiyle ölüm saçan bir savaş lordu da yoktu. Panikle doluydu. Korkuyla doluydu. Korkudan altlarına sıçan adamlar, işeyen adamlar, kanayan adamlar, yüzünü buruşturan adamlar ve kırbaçlanmış çocuklar gibi acınası bir şekilde ağlayan adamlar vardı. Havada uçuşan kılıçlar, kırılan kalkanlar, göz ucuyla yakalanan bakışlar, umutsuz savunmalar ve kör hamlelerden oluşan bir kaos vardı. Ayaklar kana basıyordu, ölüler kıvrılmış elleriyle yatıyor, yaralılar onları öldürecek korkunç yaralarına bastırarak annelerine yakarıyor ve martılar çığlık atıyordu. Bütün bunları anlatan şairlerdir, çünkü onların işi bu. Kulağa harika gelir. Ve rüzgâr, yeni akan kanın içinde solup kaybolduğu, Beamfleot'un deresini girdaplı sularla dolduran gelgit boyunca yumuşak bir şekilde esti.

Başlangıçta iki savaş yaşandı. *Deniz Kartalı*'ndaki mürettebatım, Finan'ın önderliğinde ve Sigefrid'in karaya oturttuğu zincirli geminin savaşçılarından geriye kalanların yardımıyla Haesten'in hanedan birliklerine karşı umutsuz bir savunma savaşı verdi. Biz *Gezgin Ejderha*'ya binerek onlara yardım ederken derenin uzak ucunda, gemilerin alev alev yandığı yerde Sigefrid ve Erik'in adamları Haesten'in filosunun gerisindeki teknelere saldırdı.

Ama artık durum değişiyordu. Derenin ağzında neler olduğunu gören Erik bir gemiye binmek yerine adamlarını güney kıyısına götürdü, İki Ağaç Adası'na giden küçük kanaldan geçti ve sonra adamlar zincirli geminin içine doluştu. Oradan *Deniz Kartalı*'na atladılar ve böylece Finan'ın kalkan duvarına destek oldular. Onlara ihtiyaç vardı çünkü Haesten'in öndeki gemileri efendilerini kurtarmak için sonunda yetişmişti ve daha fazla adam *Deniz Kartalı*'na binmeye çalışırken diğerleri de *Gezgin Ejderha*'ya tırmanıyordu. Tam bir kaos vardı. Sigefrid'in adamlarından birçoğu Erik'in ne yaptığını görerek onu takip etti. Sigefrid daha küçük, uzun bir gemide akıntıya karşı kürek çekecek kadar derinlik buldu ve gemiyi kanalın ağzında üç teknenin birbirine kilitlendiği ve adamların kiminle savaştıklarını bilmeden savaştıkları kavgaya doğru götürdü. Görünüşe göre herkes herkese karşıydı. Bunun, Odin'in ölüler konağında bizi bekleyen savaşlara benzediğini düşündüm. Savaşçıların bütün gün savaştığı ve bütün gece içmek, yemek ve kadınlarını sevmek için dirildikleri o sonsuz neşe.

Erik'in *Deniz Kartalı*'na akın eden adamları Finan'ın Haesten'in gemicilerini geri püskürtmesine yardım etti. Bazıları bir insanı boğacak kadar derin olan dereye atladı, diğerleri Haesten'in filosunun yeni gelen gemilerine kaçtı, inatçı bir grup ise *Deniz Kartalı*'nın pruvasında cesurca bir kalkan duvarı oluşturdu. Finan Erik'in yardımıyla savaşı kazanmıştı ve bu, adamlarının çoğunun kuşatılmış kalkan duvarımızı güçlendirmek için *Gezgin Ejderha*'ya binebileceği anlamına geliyordu. Haesten'in gemisindeki savaşın şiddeti, adamları ölümden başka bir şey görmedikçe azaldı. Geri çekildiler, sıraların üzerine basıp ölülerini bıraktılar ve güvenli bir mesafeden bize hırladılar. Artık bizim saldırmamızı bekliyorlardı.

Ve işte o zaman, her iki taraftaki adamların ölüm ve yaşam olasılıklarının dengede olduğu o küçük duraksamada, Æthelflaed'i gördüm.

Gezgin Ejderha'nın dümen platformunun altına çömelmiş, önündeki ölüm ve kılıç karmaşasına bakıyordu, ama yüzünde hiç korku yoktu. Kollarını iki hizmetçisine dolamıştı ve gözleri faltaşı gibi açılmış bir şekilde olan biteni izliyordu ama korkmadığı belliydi. Dehşete düşmüş olması gerekirdi çünkü son birkaç saat ateş, ölüm ve panikten başka bir şey getirmemişti. Sonradan öğrendiğimize göre Haesten Sigefrid'in sundurmasının ateşe verilmesini emretmiş ve ardından çıkan kargaşada adamları Erik'in Æthelflaed'in salonuna yerleştirdiği muhafızlara saldırmıştı. O muhafızlar ölmüş ve Æthelflaed odasından kaçırılıp tepeden aşağıya, hazırda bekleyen *Gezgin Ejderha*'ya bindirilmişti. Çok iyi uygulanmış, zekice, basit ve acımasız bir plandı. *Deniz Kartalı* dere ağzının hemen ötesinde bekliyor olmasa işe yarayabilirdi ve şimdi yüzlerce adam, kimin düşmanının kim olduğunu tam olarak bilmediği, adamların sadece savaşmaktan zevk aldıkları için savaştığı vahşi bir kavgada birbirlerini kesip bıçaklıyorlardı.

"Öldürün onları! Öldürün onları!" Haesten adamlarını tekrar katliama çağırıyordu. Sadece bizim adamlarımızı ve Erik'in adamlarını öldürmesi gerekiyordu, sonra dereden kurtulacaktı, ama arkasında, Sigefrid'in hızla gelen gemisi Haesten'in diğer gemilerini geçti. Dümencisi gemiyi kanalı kapatan üç gemiye yöneltti. Küreklerin üç kez sertçe çekilmesi için yeterince yer vardı, böylece küçük gemi savaşa sert bir şekilde dahil olarak *Deniz Kartalı*'nın pruvasına, tam da Haesten'in adamlarının kalkan duvarının olduğu yere çarptı. O savaşçıların çarpmanın şokuyla yana doğru sendelediklerini gördüm. Sigefrid'in baş bodoslaması gemime hızla çarptığında *Deniz Kartalı*'nın tahtaları içe doğru büküldü. Sigefrid çarpmanın etkisiyle neredeyse sandalyesinden fırlayacaktı ama ayı postuna bürünmüş, kılıcı elinde, dimdik ayağa kalktı ve düşmanlarına onları kılıcı Korku Salan ile öldüreceğini haykırdı.

Sigefrid'in adamları savaşa karışırken saçı sakalı birbirine karışmış Erik elinde kılıcıyla çoktan *Deniz Kartalı*'nın kıçından geçip *Gezgin Ejderha*'ya binmişti ve Æthelflaed'e doğru çılgınca ilerliyordu. Savaş dönüyordu. Erik'in adamlarıyla gelişi ve Sigefrid'in gemisi Haesten'in savaşçılarını savunmaya geçirmişti. *Deniz Kartalı*'ndaki geriye kalan adamlar pes etti. *Gezgin Ejderha*'ya binmeye çalışıyorlardı. Sigefrid'in adamlarının bu kadar çabuk kaçmalarını sağlamak için korkunç bir şiddetle saldırmış olmaları gerektiğini düşündüm ama sonra gemimin batmakta olduğunu gördüm. Sigefrid'in gemisinin bordası yarılmıştı ve deniz kırık tahtaların arasından akıyordu.

"Öldürün onları!" diye bağırıyordu Erik. "Öldürün onları!" Onun önderliğinde ilerledik. Önümüzdeki adamlar sıraları çekerek bize yol verdiler. Onu takip ettik ve engelin üzerinden geçtiğimizde kalkanlarımız bir darbe yağmuruna tutuldu. Yılan Nefesi'ni ileri doğru savurdum ancak kalkan odunundan başka bir şeye çarpmadım. Başımın üzerinden bir balta tısladı. Darbenin ıskalamasının tek nedeni *Gezgin Ejderha*'nın o anda yalpalamasıydı ve yükselen gelgitin onu çamurdan çıkardığını fark ettim. Su üstündeydik.

Birinin "Kürekler!" diye yüksek sesle bağırdığını duydum.

Bir balta kalkanıma saplanıp tahtayı parçalayınca saplanan baltayı kurtarmaya çalışan deli bakışlı bir adamın bana baktığını gördüm. Kalkanı itip Yılan Nefesi'ni göğsüne doğru savurdum, tüm gücümü kullanarak çeliğin adamın zırhını delip geçmesini sağladım. Kılıç kalbini bulurken adam hâlâ bana bakıyordu

"Kürekler!" Ralla Haesten'in saldırganlarına karşı artık kendilerini savunmak zorunda olmayan adamlarıma bağırıyordu. "Kürekler, sizi piç kuruları," diye bağırdı. Batan bir gemiyi yürütmeye çalıştığına göre deli olmalı diye düşündüm.

Ama Ralla deli değildi. Mantıklı düşünüyordu. *Deniz Kartalı* batıyordu ama *Gezgin Ejderha* su üstündeydi ve pruvası açık halici gösteriyordu. Ama Ralla küreklerinin bir tarafını parçalamıştı ve şimdi adamlarımdan bazılarını *Deniz Kartalı*'nı aralıktan geçirmeye zorluyordu. Haesten'in gemisini ele geçirmeyi planlıyordu.

Ancak *Gezgin Ejderha* artık çaresiz adamlardan oluşan bir girdaptaydı. Sigefrid'in mürettebatı *Deniz Kartalı*'nın batan pruvasını geçerek Æthelflaed'in üzerindeki dümen platformuna yerleşmiş, oradan Haesten'in adamlarına saldırıyorlardı. Haesten'in adamları, yoldaşlarım ve çılgınca bir öfkeyle savaşan Erik'in mürettebatı tarafından geri püskürtülüyordu. Erik'in kalkanı yoktu, sadece uzun kılıcı vardı ve kendini düşmanlarının üzerine fırlatırken bir düzine kez ölmesi gerektiğini düşündüm ama tanrılar o anda onu seviyordu ve düşmanları ölürken Erik yaşadı. Sigefrid'in bazı adamları da kıç tarafından gelince Haesten ve tayfası aramızda kaldı.

"Haesten! Gel ve öl!" diye bağırdım.

Beni görünce şaşırdı ama beni duydu mu bilmiyorum, çünkü Haesten tekrar savaşmak için yaşamak istiyordu. *Gezgin Ejderha* yüzüyordu ama su o kadar sığdı ki omurgasının çamura değdiğini hissedebiliyordum ve arkasında Haesten'in başka gemileri de vardı. Haesten denize atlayarak diz boyu suya indi. Arkasındaki mürettebatıyla Caninga'nın kıyısından aşağıya, bir sonraki geminin güvenliğine doğru koşmaya başladı. Çok şiddetli olan çatışma göz açıp kapayıncaya kadar sona ermişti.

"Kaltak elimde!' diye bağırdı Sigefrid. Bir şekilde Haesten'in gemisine binmişti. Adamları onu taşımamıştı, çünkü kaldırma demirleriyle birlikte sandalyesi hâlâ *Deniz Kartalı*'nı batıran gemideydi, ama Sigefrid'in kollarındaki muazzam güç onun batan gemiden *Gezgin Ejderha*'ya çıkmasını sağlamıştı ve şimdi bir elinde kılıcı, diğer elinde Æthelflaed'in çözülmüş saçlarıyla işe yaramaz bacaklarının üzerinde yatıyordu.

Adamları sırıttı. Kazanmışlardı. Ödülü geri almışlardı.

Sigefrid kardeşine gülümsedi. "Sürtük bende," dedi tekrar.

"Onu bana ver," dedi Erik.

"Onu geri götüreceğiz," dedi Sigefrid, hâlâ anlamamıştı.

Æthelflaed Erik'e bakıyordu. Sigefrid kocaman elleriyle altın rengi saçlarından tutup onu güverteye sürüklemişti.

"Onu bana ver," dedi Erik tekrar.

Sessizlik olduğunu söylemeyeceğim. Sessizlik olamazdı çünkü Haesten'in gemilerinin hattı boyunca savaş hâlâ devam ediyordu, ateşler kükrüyor, yaralılar inliyordu, ama sessizmiş gibi geliyordu. Sigefrid gözlerini Erik'in adamlarının hattı boyunca gezdirdi ve bana gelince durdu. Diğerlerinden daha uzun boyluydum ve sırtım yükselen güneşe dönük olmasına rağmen tanıdığı bir şey görmüş olmalıydı ki kılıcını kaldırıp bana doğrulttu. "Miğferini çıkar," diye emretti o tuhaf ve tok sesiyle.

"Ben senin emir vereceğin adamlarından biri değilim," dedim.

Sigefrid'in adamlarından bazıları hâlâ yanımdaydı, Haesten'in kanalı açmaya yönelik ilk girişimini engellemek için zincirli gemiden gelen adamlarla aynı adamlar. O adamlar şimdi silahlarını kaldırmış bana doğru dönüyordu ama Finan da oradaydı, kendi hanedan birliklerim de.

"Onları öldürmeyin," dedim, "sadece denize atın. Benim yanımda savaştılar."

Sigefrid Æthelflaed'in saçlarını bıraktı, onu adamlarına doğru itti ve kocaman, siyahlar içindeki sakat bedenini öne doğru kaldırdı. "Sen ve Sakson, ha?" dedi Erik'e. "Sen ve o hain Sakson? Bana ihanet mi ediyorsun, kardeşim?"

Erik, "Senin payını ödeyeceğim," dedi.

"Sen mi? Ödemek mi? Neyle? Sidikle mi?"

"Fidyeyi ödeyeceğim," diye ısrar etti Erik.

"Taşaklarındaki teri yalaması için bir keçiye bile ödeme yapamazsın!" diye kükredi Sigefrid. "Onu kıyıya götürün!" Bu son emri adamlarına söylemişti.

Ve Erik saldırdı. Buna gerek yoktu. Sigefrid'in adamlarının Æthelflaed'i karaya çıkarmasının hiçbir yolu yoktu çünkü *Gezgin Ejderha* yükselen dalgalarla yarı batık *Deniz Kartalı*'nın yanından geçmişti ve şimdi Haesten'in sıradaki teknelerine doğru sürükleniyordu. Her an birilerinin tekneye çıkmasından korkuyordum. Ralla da aynı korkuyu taşıyordu. Bu yüzden adamlarımdan bazılarını öndeki kürekçi sıralarına doğru sürükledi. "Çekin," diye bağırdı, "çekin!"

Erik Æthelflaed'i tutan adamları öldürmek için saldırdı ve kanla kaplı güvertede kızgın bir şekilde çömelmiş olan siyahlar içindeki kardeşinin yanından geçmek zorunda kaldı. Sigefrid'in kılıcını kaldırdığını ve Erik'in kardeşinin kendisine karşı kılıç kaldırmasından duyduğu şaşkınlığı gördüm. Sevgilisi Korku Salan'a koşarken Æthelflaed'in çığlıklarını duydum. Sigefrid'in yüzünde hiçbir ifade yoktu, ne öfke ne keder. Kardeşi kılıcın üzerinde iki büklüm olurken o öylece kılıcını tuttu, sonra herhangi bir emir olmaksızın geri kalanımız hücuma geçti. Erik'in adamları ve benim adamlarım omuz omuza vererek yeniden öldürmeye koyuldu, ben de sadece savaşçılarımdan birini omzundan tutacak kadar durakladım. "Sigefrid'i canlı tut," diye emrettim ona, kim olduğunu göremedim, sonra Yılan Nefesi'ni o kanlı sabahın son katliamına taşıdım.

Sigefrid'in adamları hızlı öldü. Onlardan az, bizden çok vardı. Bir an için durdular, hücumumuzu sıkı bir kalkan duvarıyla karşıladılar, ama acı bir öfkeden doğan hiddetle saldırdık ve Yılan Nefesi bir martı gibi çığlık attı. Kalkanımı yere atmıştım, tek isteğim bu adamları kesip biçmekti. İlk vuruşum bir kalkanı devirdi ve bir adamın çenesini kesti. Sihtric kılıcını adamın kursağına saplayınca adam çığlık atmaya çalıştı ama sadece kan tükürdü. Kalkan duvarı öfkemiz altında kırıldı.

Erik'in adamları efendilerinin intikamını almak için savaştılar, benim adamlarım da Sigefrid'in adamları etrafında ölürken kollarını başının üzerine koyup çömelmiş Æthelflaed için savaştılar. Feryat ediyordu, ölüleri gömülürken ağlayan bir kadın gibi teselli edilemez bir şekilde çığlık atıyordu ve belki de onu hayatta tutan şey bu oldu çünkü *Gezgin Ejderha*'nın kıç tarafındaki o katliamda adamlar bu korkunç çığlıklardan korktu. Çığlık dehşet verici, ezici, dünyayı hüzünle dolduran bir çığlıktı ve Sigefrid'in son adamları kılıçlarımızdan ve baltalarımızdan kaçmak için denize atladıktan sonra bile devam etti.

Geriye sadece Sigefrid kalmıştı. *Gezgin Ejderha* akıntıya karşı sürüklenerek kanaldan çıkmaya çalışıyordu.

Kana bulanmış pelerinimi Æthelflaed'in omuzlarına sardım. Ralla'nın kürekçileri ritimlerini buldukça ve daha fazla adam kalkanlarını ya da silahlarını bırakıp uzun kürekleri deliklerinden geçirmeye başladıkça gemi daha hızlı ilerlemeye başladı. "Kürek çekin!" Ralla dümen küreğini almak için kan sıçrayan güverteden aşağı inerken seslendi. "Kürek çekin!"

Sigefrid yaşıyordu. Güvertedeydi, işe yaramaz bacaklarını altına kıvırmıştı, kılıç tutan eli boştu ve boğazına bir kılıç dayalıydı. Kılıcı Alfred'in bana endişeyle bakan oğlu Osferth tutuyordu. Sigefrid küfrediyor ve tükürüyordu. Korku Salan'ın hâlâ midesine saplı olduğu kardeşinin cesedi yanında yatıyordu. Yeni gelgit geniş çamur düzlüklerinde hızla ilerlerken Caninga'nın ucunda küçük dalgalar oluşuyordu.

Sigefrid'in yanına gittim. Hakaretlerini duymayarak ona baktım. Sonra Erik'in cesedine baktım ve bu adamın sevebileceğim, yanında savaşabileceğim, kardeşim kadar yakın olabileceğim bir adam olduğunu düşündüm. Osferth'e döndüm, yüzü babasınınkine çok benziyordu. "Sana bir keresinde bir sakatı öldürmenin ün kazanmanın yolu olmadığını söylemiştim," dedi.

"Evet lordum."

"Yanılmışım," dedim, "öldür onu."

"Kılıcımı verin bana!" diye bağırdı Sigefrid.

Ben Nors'a dönüp bakarken Osferth tereddüt etti. "Ölümden sonraki hayatımı Odin'in salonunda geçireceğim," dedim ona. "Orada kardeşimle ziyafet çekeceğim ve ne o ne de ben senin arkadaşlığını isteyeceğiz."

"Kılıcımı verin bana!" Sigefrid artık yalvarıyordu. Korku Salan'ın kabzasına uzandı ama elini Erik'in cesedinden uzaklaştırdım. Osferth'e "Öldür onu," dedim.

Sigefrid Thurgilson'u Caninga'nın ötesinde güneşin dans ettiği denizde bir yerde denize attık, sonra batıya döndük, böylece yükselen gelgit bizi nehrin yukarısına taşıyabilecekti. Haesten gemilerinden birine daha binmeyi başarmıştı. Bir süre bizi takip etti ama bizim teknemiz daha uzun ve daha hızlıydı, böylece ondan uzaklaştık. Gemileri bir süre sonra takibi bıraktı. Beamfleot'un dumanı uzun, alçak bir bulut gibi göründüğünde gözden kaybolmuştu ve Æthelflaed hâlâ ağlıyordu.

"Biz ne yapacağız?" diye sordu bir adam. Erik'in adamlarından biriydi, bizimle birlikte kaçan yirmi iki kişinin lideri.

"Ne isterseniz," dedim.

"Kralınızın tüm Norsları astığını duyduk," dedi adam.

"O zaman önce beni asacak," dedim. "Yaşayacaksınız," diye söz verdim ona. "Lundene'de size bir gemi vereceğim, istediğiniz yere gidebilirsiniz." Gülümsedim. "Hatta kalıp bana bile hizmet edebilirsiniz."

O adamlar Erik'in cesedini saygıyla bir pelerinin üzerine yatırmıştı. Sigefrid'in kılıcını efendilerinin karnından çıkarıp bana verdiler, ben de Osferth'e uzattım. "Bunu hak ettin," dedim, hak etmişti de çünkü Alfred'in oğlu o ölüm çemberinde bir erkek gibi savaşmıştı. Erik kendi kılıcını ölü elinde tutuyordu ve ben onun çoktan şölen salonunda beni bekliyor olacağını düşündüm.

Æthelflaed'i sevgilisinin cesedinden uzaklaştırıp kıç tarafa götürdüm ve orada kollarımda ağlarken ona sarıldım. Altın sarısı saçları sakalıma değiyordu. Bana sarıldı ve daha fazla gözyaşı kalmayana kadar ağladı, sonra inleyip yüzünü kanlı zırhıma sakladı.

"Kral bizden memnun kalacak," dedi Finan.

"Evet, memnun olacak," dedim. Fidye ödenmeyecekti. Wessex güvendeydi. Norslar savaşıp birbirlerini öldürmüştü ve gemileri yanıyor, hayalleri kül oluyordu. Æthelflaed'in benimkine yaslanan bedeninin titrediğini hissettim ve doğuya, güneşin yanan Beamfleot dumanının üzerinde göz kamaştırdığı yere doğru baktım. "Beni Æthelred'e geri götürüyorsun, değil mi?" dedi suçlarcasına.

"Seni babana götürüyorum," dedim. "Başka nereye götürebilirim ki?" Cevap vermedi çünkü başka seçenek olmadığını biliyordu. *Wyrd bið ful āræd.* "Ve Erik ve seni hiç kimse bilmemeli," diye devam ettim sessizce.

Yine cevap vermedi, ama zaten veremezdi. Hıçkıra hıçkıra ağlıyordu. Sanki onu izleyen adamlardan, dünyadan ve onu bekleyen kocasından saklayabilecekmişim gibi kollarımı ona doladım. Uzun kürekler suya daldı, nehir kıyıları yaklaştı. Batıda Lundene'in dumanı yaz göğünü kirletiyordu.

Æthelflaed'i eve götürürken.

"Mersiya'nın bir kralı yoktu. Æthelred krallıkta hak iddia edebilirdi, ama kuzenim Alfred'in desteği olmadan bir hiçti ve Alfred Mersiya'da kimsenin kral olarak anılmasını istemiyordu."

Yıl 885 ve İngiltere barış içindedir. Topraklar, kuzeydeki Danimarka Krallığı ile güneydeki Sakson Wessex Krallığı arasında bölünmüş durumda. Savaşçı içgüdüsüyle doğuştan Viking olan, Northumbrian lordunun mülksüz oğlu Uhtred'in toprağı, karısı ve çocukları vardır ve Kral Alfred'e karşı Thames Nehri'ndeki sınırı koruma görevini yerine getirmesi gerekiyordur. Tüm bu huzur ortamında ölü bir adamın tekrar ortaya çıkmasıyla Vikingler, Wessex'i fethetme hayalleriyle, çürümüş Londra'yı istila etmiştir... Uhtred'in yardımıyla. Birdenbire krala ettiği yemini, değişen bağlılıkları ve ölümcül güç mücadelelerinin tehlikeli tarafını gören ve bunları tartan krallığın en keskin kılıcı Uhtred, şimdi İngiltere'nin geleceğini belirleyecek bir seçim yapmak zorundadır.

SERİNİN ÖNCEKİ KİTAPLARINI OKUDUNUZ MU?

9 786053 049821